U0740165

编 写 说 明

为贯彻全国第三次教育工作会议精神,深化教材改革,实施精品战略,重点规划,注重专业配套,编写适应 21 世纪人才培养需要的高质量教材,全国高等中医药教材建设研究会组织编写并出版了"新世纪全国高等医药院校规划教材"。随着国家级规划教材《组织学与胚胎学》(第一版)的出版,为方便学生的学习及知识点的掌握和理解,编委会成员编写了与其配套的教学用书之———《组织学与胚胎学习题集》。

本配套教材由来自全国近 20 所高等中医药院校、高等医药院校的专家、教授参加编写。编者们长期工作在教学第一线,所以本配套教材是编者们多年授课、辅导、命题、阅卷等工作经验及体会凝聚提炼的结晶。

本配套教材的命题范围与教学大纲及规划教材的内容相一致,覆盖规划教材的全部知识点,对必须掌握的基本知识、重点、难点,以不同的题型从不同的角度反复强化、融会贯通。为方便学生同步练习和复习,本配套教材的编写顺序与规划教材一致。为培养学生独立思考,观察发现问题、分析问题、解决问题的能力,"学有所用"一章精选 49 道问答题,结合、运用组织学与胚胎学知识,分析、解释日常常见的临床疾病、症状、现象等,将理论与实际相结合,使学有所用,学用结合,巩固知识点,拓展知识面。每章均由本章重点、难点;测试题;参考答案等部分组成。测试题共有五种题型,各题型均有参考答案及解析。

一、填空题

二、选择题(一)单选题(二)多选题

三、是非题

四、名词解释

五、叙述题

本配套教材可供高等中医药院校、高等医药院校的学生、参加执业医师资格考试人员、成人教育学生及其他相关人员复习和应考使用。

由于编者水平所限,不妥之处在所难免,恳请专家及广大师生批评指出,便于今后修订完善。

编者
2009 年 7 月

目　　录

上篇 组织学

第一章 绪论

本章重点、难点：

1. 基本概念及研究内容
2. 常规技术方法
3. 特殊技术方法
4. 学习注意事项

测试题

一、填空题

1. 组织学的研究内容由＿＿＿＿、＿＿＿＿和＿＿＿＿三部分组成；胚胎学的研究内容由＿＿＿＿、＿＿＿＿和＿＿＿＿三部分组成。

2. 组织切片最常见的染色方法称＿＿＿＿染色；其中的＿＿＿＿属＿＿＿＿染料，可将细胞核染为＿＿＿＿色，其中的＿＿＿＿属＿＿＿＿染料，可将细胞质染为＿＿＿＿色。

3. 石蜡切片及 H-E 染色的标本制备主要需经＿＿＿＿、＿＿＿＿、＿＿＿＿和＿＿＿＿等步骤处理。

4. 新鲜组织未固定经速冻后直接切片的方法称＿＿＿＿法，其优点是能较好保存组织细胞中＿＿＿＿，尤其是＿＿＿＿。

5. 电镜标本染色只形成＿＿＿＿反差，电镜下成像较暗称＿＿＿＿，成像较亮称＿＿＿＿。

6. 人裸眼的最高分辨率约为＿＿＿＿；光镜为＿＿＿＿；电镜为＿＿＿＿。

7. 免疫组织化学是基于＿＿＿＿结合的原理，将标记物与＿＿＿＿结合后，去寻找相应的＿＿＿＿。常用的标记物有＿＿＿＿、＿＿＿＿和＿＿＿＿等。

8. 细胞培养技术是基于在体外建立＿＿＿＿环境为前提条件，刚分离培养的细胞称＿＿＿＿，经繁殖后的细胞称＿＿＿＿，经长期＿＿＿＿所得的细胞群称＿＿＿＿；采用克隆技术形成的细胞称＿＿＿＿，细胞培养又称＿＿＿＿实验。

9. 细胞融合技术是指用＿＿＿＿方法在体外使＿＿＿＿或＿＿＿＿以上细胞成为一个＿＿＿＿或＿＿＿＿细胞的过程。

二、选择题

(一) 单选题

1. 组织学与胚胎学叙述中错误的是（　　）

   A. 是独立的两门科学

   B. 属形态学范畴

   C. 组织学主要研究正常人体大体结构与其相关功能

   D. 胚胎学主要研究人体发生、发育规律等

   E. 均以显微镜为基本研究工具

2. 光镜分辨率极限是（　　）

   A. $0.1 \sim 0.3$mm

   B. 0.2mm

   C. $0.1 \sim 0.3\mu$m

D. 0.2μm

E. 0.2nm

3. 组织学普通染色切片标本叙述错误的是 ( )

A. 被碱性染料着色称嗜碱性

B. 被酸性染料着色称嗜酸性

C. 嗜碱性呈紫蓝色

D. 嗜酸性呈粉红色

E. 由酸性苏木精和碱性伊红两种染料组成，简称 H-E 染色

4. 光镜下细胞核被染成紫蓝色，胞质被染成粉红色的染色方法，称 ( )

A. 普通染色

B. 正染色

C. 负染色

D. 镀银染色

E. 嗜银染色

5. 透射电镜观察的组织切片厚度一般为 ( )

A. 1 ~2nm

B. 5 ~10nm

C. 50 ~80nm

D. 100 ~200nm

E. 600 ~800nm

6. 光镜观察的组织切片厚度一般为 ( )

A. 10 ~50nm

B. 50 ~80nm

C. 80 ~200nm

D. 200 ~500nm

E. 4 ~8μm

7. 通常光镜和电镜观察的组织切片均为 ( )

A. 普通切片

B. 超薄切片

C. 冷冻切片

D. 固定后切片

E. 未固定切片

8. 与苏木精发生亲和的是 ( )

A. 细胞膜

B. 细胞质

C. 细胞核

D. 细胞衣

E. 脂滴

9. 细胞培养的基本条件是 ( )

A. 细胞活性

B. 细胞数量

C. 细胞纯度

D. 建立近似体内环境

E. 建立无菌环境

10. 与石蜡切片相比，冰冻切片可最大程度保留 ( )

A. 蛋白和脂类

B. 脂类和酶

C. 酶和糖

D. 糖和脂类

E. 蛋白和糖

11. 碱性染料将糖胺多糖染成紫红色的现象称 ( )

A. 嗜碱性

B. 嗜酸性

C. 异染性

D. 正染色

E. 负染色

12. 检测结构与重金属结合称 ( )

A. 嗜碱性

B. 嗜酸性

C. 异染性

D. 正染色

E. 负染色

13. 细胞核被苏木精亲和着色称 ( )

A. 嗜碱性

B. 嗜酸性

C. 异染性

D. 正染色

E. 负染色

14. 粗面内质网被苏木精亲和着色称
( )

    A. 嗜碱性

    B. 嗜酸性

    C. 异染性

    D. 正染色

    E. 负染色

15. 重金属未与检测结构结合称 ( )

    A. 嗜碱性

    B. 嗜酸性

    C. 异染性

    D. 正染色

    E. 负染色

16. 检测细胞内 DNA 或 RNA ( )

    A. 核酸分子杂交技术

    B. 组织化学技术

    C. 细胞培养技术

    D. 放射自显影术

    E. 透射电镜技术

17. 研究影响细胞生长的因素 ( )

    A. 核酸分子杂交技术

    B. 组织化学技术

    C. 细胞培养技术

    D. 放射自显影术

    E. 透射电镜技术

18. 观察细胞器结构 ( )

    A. 核酸分子杂交技术

    B. 组织化学技术

    C. 细胞培养技术

    D. 放射自显影术

    E. 透射电镜技术

19. 研究细胞内糖含量 ( )

    A. 核酸分子杂交技术

    B. 组织化学技术

    C. 细胞培养技术

    D. 放射自显影术

    E. 透射电镜技术

20. 观察细胞内药物的分布 ( )

    A. 核酸分子杂交技术

    B. 组织化学技术

    C. 细胞培养技术

    D. 放射自显影术

    E. 透射电镜技术

（二）多选题

21. 冰冻切片具有的特点 ( )

    A. 组织无需染色

    B. 组织无需固定

    C. 组织切片较薄

    D. 组织内脂类易保存

    E. 组织内糖类不易破坏

22. 石蜡切片标本制作中浸蜡目的是
( )

    A. 防止蛋白变性

    B. 增强组织弹性

    C. 增加组织硬度

    D. 便于染色

    E. 便于切片

23. 适用于组织学研究的是 ( )

    A. 倒置相差显微镜

    B. 偏振光显微镜

    C. 暗视野显微镜

    D. 激光共聚焦扫描显微镜

    E. 荧光显微镜

24. 适用于组织学标本制备的方法是
( )

    A. 压片法

    B. 磨片法

    C. 铺片法

    D. 切片法

    E. 涂片法

25. 属于人体基本组织的是 ( )

    A. 神经组织

    B. 网状组织

    C. 上皮组织

    D. 结缔组织

    E. 淋巴组织

26. 影响细胞培养的因素有（　　）
   A. 污染
   B. O_2 与 CO_2 比例
   C. 渗透压
   D. 酸碱度
   E. 照明强度

27. 组织化学技术可用于检测（　　）
   A. 细胞内核酸定位
   B. 组织内糖的分布
   C. 组织内抗原的定位
   D. 细胞内特殊蛋白的定位
   E. 组织内酶活性强弱

28. 依据观察水平不同放射自显影术可分为（　　）
   A. 整体自显影
   B. 光镜自显影
   C. 电镜自显影
   D. 荧光自显影
   E. 激光自显影

29. 具备定量分析条件的是（　　）
   A. 免疫组织化学
   B. 图像分析
   C. 显微分光光度
   D. 放射自显影
   E. 透射电镜

30. 适用于激光共聚焦扫描显微镜检测的是（　　）
   A. 细胞内物质转运
   B. 细胞内某些离子的动态分布
   C. 细胞膜电位变化
   D. 细胞内某一细胞器的空间位置
   E. 细胞核内染色体的切割重组

三、是非题

1. 观察活细胞生长状况应选用普通光学显微镜。（　　）
2. 扫描电子显微镜适用于观察细胞内部微细结构。（　　）
3. 长期保存活细胞可选用福尔马林固定。（　　）
4. 骨和牙的标本制作可选用磨片法。（　　）
5. 普通染色的染色剂是指苏木精和伊红。（　　）
6. 组织学中最常用的切片标本制作方法是冰冻切片法。（　　）
7. 激光共聚焦扫描显微镜可用于细胞定量分析。（　　）
8. PAS 反应主要显示组织细胞内的蛋白质。（　　）

四、名词解释

1. 组织
2. 探针
3. 异染性
4. 嗜碱性
5. 组织化学
6. 组织工程

五、叙述题

1. 试述光镜石蜡切片 H-E 染色标本制作的主要过程。
2. 试述组织学与胚胎学学习中应注意的主要事项。

参考答案

一、填空题

1. 细胞　基本组织　器官与系统　总论　各论　先天性畸形
2. H-E　苏木精　碱性　紫蓝　伊红　酸性　粉红
3. 固定　包埋　切片　染色　封片
4. 冰冻切片　脂类　酶活性
5. 黑白　电子密度高　电子密度低
6. 0.2mm　0.2μm　0.2nm

7. 抗原抗体　抗体　抗原　生物素　辣根过氧化物酶　胶体金

8. 近似体内　原代培养　传代培养　传代培养　细胞系　细胞株　体外

9. 人工　两个　两个　双核　多核

二、选择题

（一）单选题

1. C。解释：组织学主要研究正常人体微细结构与其相关功能。

2. D。解释：通常两点间的距离小于 $0.2\mu m$，光镜则无法辨认。

3. E。解释：苏木精属碱性染料，而伊红属酸性染料。

4. A。解释：又称 H-E 染色。

5. C。解释：过厚的切片电子不易穿透而无法获取清晰图像。

6. E。解释：以 $6\mu m$ 为常用。

7. D。解释：固定是光、电镜切片标本制作的共性之处。

8. C。解释：细胞核内含大量核酸所致。

9. D。解释：最大程度实现细胞在体内、外生存条件一致。

10. B。解释：固定剂常对酶的活性、脂类的溶解影响较大，冰冻切片因无需固定故可最大程度保留酶和脂类。

11. C。解释：通常被碱性染料亲和后应呈紫蓝色。

12. D。解释：则被检测结构呈深色，未被检测结构呈浅色。

13. A。解释：因核酸的磷酸基团带负电荷，能与带正电荷的碱性染料（苏木精）结合而呈紫蓝色。

14. A。解释：因核酸的磷酸基团带负电荷，能与带正电荷的碱性染料（苏木精）结合而呈紫蓝色。

15. E。解释：则被检测结构呈浅色，未被检测结构呈深色。

16. A。解释：采用带有标记人工合成已知碱基序列的核酸片段（探针）与待测的核酸进行杂交并显示的原理。

17. C。解释：对活细胞进行观察研究。

18. E。解释：属超微结构水平的形态观察。

19. B。解释：可对细胞内某一已知物质做定量分析。

20. D。解释：常适用于药物在体内代谢分布的示踪。

（二）多选题

21. B、D。解释：石蜡切片则需固定，而固定可带来组织细胞内脂类物质的溶解。

22. C、E。解释：组织硬度增加后便于切片标本的制作。

23. A、B、C、D、E

24. A、B、C、D、E

25. A、C、D。解释：网状组织、淋巴组织均属结缔组织范畴。

26. A、B、C、D。解释：体外培养的细胞生长不受昼夜光线或照明强度的影响。

27. A、B、C、D、E

28. A、B、C。解释：放射自显影技术不涉及荧光、激光等技术。

29. A、B、C、D。解释：透射电镜主要反映微细结构的形态差异。

30. A、B、C、D。解释：染色体的切割重组常采用光电、光钳系统处理。

三、是非题

正确：4、5、7

错误：

1. 解释：应选用倒置显微镜。

2. 解释：适用于观察细胞表面立体微细结构。

3. 解释：应选用液氮保存。

6. 解释：最常用的切片标本制作法为

石蜡切片法。

8. 解释：主要显示组织细胞内的多糖物质。

四、名词解释

1. 将形态、结构与功能相近似的细胞与细胞间质有机结合在一起的形式称组织。构成人体最基本的组织称基本组织。基本组织有四种类型即上皮组织、结缔组织、肌组织和神经组织。

2. 将特异制备带有标记性目的序列的 DNA 片段称探针，可有 DNA 探针或 RNA 探针两种，均可用于核酸分子杂交。

3. 用蓝色碱性染料甲苯胺蓝进行染色时，组织细胞中的糖胺多糖成分被染成紫红色，而并非染成碱性染料的原色即紫蓝色，称此染料变色现象为异染性。

4. 当组织细胞中的某些结构与碱性染料如苏木精亲和后，即可被染成紫蓝色，称这些与碱性染料亲和后呈紫蓝色的结构为嗜碱性。

5. 又称细胞化学，是将组织细胞内某一已知的化学物质，经化学或物理方法，使其成为有色物并沉淀，便于光镜下定性、定位和定量观察的一种技术方法。常可分为普通组织化学、荧光组织化学和免疫组织化学三种类型。

6. 是指将体外培养扩增的正常组织细胞吸附于生物相容性良好，并可被机体吸收的生物材料上形成复合物，再将复合物植入机体病损的组织、器官相应部位，达到修复或重建组织器官的目的。

五、叙述题

1. 答：主要过程包括：
（1）固定：目的是为防止组织细胞离

体后细胞发生自溶，以保持形态结构的原有状态。常用的固定剂有甲醛、乙醇等。

（2）包埋：目的是增强组织材料的硬度，便于切片。常用的包埋剂有石蜡、树脂等。

（3）切片：需专用切片机切片，切片厚度通常在 $5 \sim 8 \mu m$，并将切片裱贴在玻璃载片上。

（4）染色：目的是为增强组织结构间的色差即反差，便于镜下观察。H-E 染色中，苏木精属碱性染料，易被细胞核、粗面内质网、游离核糖体等结构亲和而呈紫蓝色，称嗜碱性；伊红属酸性染料，易被胞质亲和而呈粉红色，称嗜酸性。凡对碱性染料和酸性染料亲和力均较弱的现象称嗜中性。

（5）封片：目的是便于观察和保存。常用的封片剂有阿拉伯树胶或明胶等。

2. 答：主要包括以下几方面：
（1）动、静结合：将观察的静态结构与生活状态时的动态有机结合，树立动静结合的思考方式。

（2）平面与立体结合：将观察的二维平面局部图像与该结构的三维立体整体结构相结合，树立平面过渡到立体的联想方式。

（3）结构与功能结合：结构决定了功能，结构是功能的基础，要将可视性的结构与标本中看不见的功能联系结合在一起，有助于结构与功能的统一认识。

（4）重视实验教学：实验教学目的除印证理论知识，加深理解和记忆外，实验教学是培养学生动手、动脑能力，提高学生综合素质的重要环节。

（郭顺根）

第二章 上皮组织

本章重点、难点：

1. 上皮组织的特性
2. 被覆上皮的分类
3. 被覆上皮的形态、结构与功能
4. 被覆上皮的特殊结构
5. 腺上皮及腺的基本概念

测试题

一、填空题

1. 上皮组织的特性包括：分布_____，无_____；_____丰富；_____多样；细胞_____；间质_____；细胞具有_____。

2. 上皮组织依据形态功能的差异，一般可分为_____、_____和_____三种类型。

3. 假复层纤毛柱状上皮是由_____、_____、_____和_____等不同形态的细胞组成，其中_____细胞的游离面有_____结构，具有_____功能。

4. 复层扁平上皮的表层细胞为_____形，中间多层细胞为_____形，基底层细胞胞质嗜_____性，核常可见_____。

5. 变移上皮分布于机体的_____，具有防止_____而起保护作用的是_____细胞。

6. 电镜下微绒毛是上皮细胞_____的胞膜和胞质共同向表面形成的_____突起，其中轴内含有_____，常与微绒毛的_____功能有关。

7. 电镜下，基膜分_____和_____两部分，前者由_____分泌的_____组成；后者由_____分泌的_____组成，基膜主要具有_____和_____功能。

8. 连接复合体是指_____、_____、_____和_____结构中的_____个或_____个以上结构的统称。

9. 腺上皮又称_____，其功能以_____为主；腺上皮一般表现为细胞呈_____形，胞质内有_____，细胞器_____，核_____个常位于中央。

10. 以腺上皮为主要成分组成的器官称_____，又称_____，分泌物需经导管输运的_____称_____；分泌物无需经导管输运而直接进入血液的_____称_____。

11. 一般情况下，上皮组织具有_____的再生功能，上皮组织的再生可分为_____和_____两种类型。

二、选择题

（一）单选题

1. 上皮组织特性叙述中错误的是（ ）

    A. 具有极性

    B. 细胞与间质较多

    C. 无血管

    D. 神经丰富

    E. 功能多样

2. 单层柱状上皮可分布在（ ）

    A. 口腔

    B. 膀胱

    C. 大动脉

    D. 子宫

    E. 脑垂体

3. 变移上皮叙述中错误的是（ ）

A. 由多层细胞组成

B. 表层细胞体积大

C. 基底层细胞有明显的增殖功能

D. 器官功能状态决定细胞层次

E. 具有保护功能

4. 与假复层纤毛柱状上皮功能有关的主要是（　　）

A. 黏多糖

B. 糖蛋白

C. 张力丝

D. 微丝

E. 微管

5. 基膜叙述中正确的是（　　）

A. 主要具有选择性通透功能

B. 与上皮共同形成质膜内褶

C. 由胶原纤维、弹性纤维和网状纤维组成

D. 是上皮细胞分泌而成

E. 是成纤维细胞分泌而成

6. 微绒毛的直径约为（　　）

A. 0.1nm

B. 1nm

C. 10nm

D. 100nm

E. 1000nm

7. 桥粒的主要功能是（　　）

A. 物质交换

B. 封闭细胞间的通道

C. 增强细胞间的连接

D. 具有强收缩变形作用

E. 加强细胞间通讯

8. 质膜内褶间常见的是（　　）

A. 内质网

B. 线粒体

C. 溶酶体

D. 高尔基体

E. 微管

9. 紧密连接位于（　　）

A. 桥粒上方

B. 中间连接上方

C. 桥粒下方

D. 中间连接下方

E. 质膜内褶旁

10. 微绒毛中轴内含有大量的（　　）

A. 弹性纤维

B. 胶原纤维

C. 张力丝

D. 微管

E. 微丝

11. 质膜内褶的主要功能是（　　）

A. 营养保护

B. 信息传递

C. 物质转运

D. 封闭连接

E. 吞噬作用

12. 单层立方上皮可分布在（　　）

A. 胃

B. 输卵管

C. 肾

D. 肾上腺

E. 肺

13. 单层扁平上皮的主要功能是（　　）

A. 增殖

B. 吞噬

C. 分泌

D. 缓冲

E. 润滑

14. 复层扁平上皮叙述中错误的是（　　）

A. 具有耐摩擦保护作用

B. 基底层细胞胞质嗜酸性

C. 表层细胞呈扁平形

D. 中间数层细胞多边形

E. 分布在口腔、食管、阴道腔面

15. 腺上皮叙述中错误的是（　　）

A. 又称腺体

B. 多呈立方形或柱状形

C. 胞质丰富

D. 胞质内有分泌颗粒

E. 细胞器较发达

16. 口腔黏膜上皮是（　　）

    A. 单层扁平上皮

    B. 单层立方上皮

    C. 单层柱状上皮

    D. 假复层纤毛柱状上皮

    E. 复层扁平上皮

17. 阴道黏膜上皮是（　　）

    A. 单层扁平上皮

    B. 单层立方上皮

    C. 单层柱状上皮

    D. 假复层纤毛柱状上皮

    E. 复层扁平上皮

18. 心脏内膜上皮是（　　）

    A. 单层扁平上皮

    B. 单层立方上皮

    C. 单层柱状上皮

    D. 假复层纤毛柱状上皮

    E. 复层扁平上皮

19. 气管管腔面上皮是（　　）

    A. 单层扁平上皮

    B. 单层立方上皮

    C. 单层柱状上皮

    D. 假复层纤毛柱状上皮

    E. 复层扁平上皮

20. 肾集合管管腔面上皮是（　　）

    A. 单层扁平上皮

    B. 单层立方上皮

    C. 单层柱状上皮

    D. 假复层纤毛柱状上皮

    E. 复层扁平上皮

21. 相邻细胞膜部分融合（　　）

    A. 基膜

    B. 缝隙连接

    C. 紧密连接

D. 质膜内褶

E. 桥粒

22. 小分子物质直接通行（　　）

    A. 基膜

    B. 缝隙连接

    C. 紧密连接

    D. 质膜内褶

    E. 桥粒

23. 加牢细胞间连接的是（　　）

    A. 基膜

    B. 缝隙连接

    C. 紧密连接

    D. 质膜内褶

    E. 桥粒

24. 含有张力丝成分（　　）

    A. 基膜

    B. 缝隙连接

    C. 紧密连接

    D. 质膜内褶

    E. 桥粒

25. 增加细胞底面积（　　）

    A. 基膜

    B. 缝隙连接

    C. 紧密连接

    D. 质膜内褶

    E. 桥粒

26. 单层扁平上皮主要功能是（　　）

    A. 分泌

    B. 保护

    C. 润滑

    D. 清除异物

    E. 通讯联络

27. 单层柱状上皮主要功能是（　　）

    A. 分泌

    B. 保护

    C. 润滑

    D. 清除异物

    E. 通讯联络

28. 假复层纤毛柱状上皮主要功能是（　　）
   A. 分泌
   B. 保护
   C. 润滑
   D. 清除异物
   E. 通讯联络

29. 复层扁平上皮主要功能是（　　）
   A. 分泌
   B. 保护
   C. 润滑
   D. 清除异物
   E. 通讯联络

30. 变移上皮的主要功能是（　　）
   A. 分泌
   B. 保护
   C. 润滑
   D. 清除异物
   E. 通讯联络

（二）多选题

31. 属单层扁平上皮的是（　　）
   A. 腺上皮
   B. 肌样上皮
   C. 内皮
   D. 间皮
   E. 鳞状上皮

32. 被覆上皮的主要功能是（　　）
   A. 保护
   B. 吸收
   C. 分泌
   D. 收缩
   E. 感觉

33. 组成假复层纤毛柱状上皮的细胞是（　　）
   A. 多边形细胞
   B. 锥体形细胞
   C. 梭形细胞
   D. 柱状细胞

   E. 杯形细胞

34. 复层扁平上皮可分布在（　　）
   A. 男性尿道
   B. 头皮
   C. 食道
   D. 胆囊外壁
   E. 阴道

35. 内皮主要分布于（　　）
   A. 毛细淋巴管腔面
   B. 细支气管腔面
   C. 心室腔面
   D. 中等静脉腔面
   E. 肾近曲小管腔面

36. 上皮细胞游离面可形成（　　）
   A. 半桥粒
   B. 细胞衣
   C. 缝隙连接
   D. 纤毛
   E. 微绒毛

37. 变移上皮叙述中正确的是（　　）
   A. 膀胱充盈时，细胞层次少
   B. 无杯形细胞
   C. 主要分布在泌尿系统
   D. 表层细胞体积大
   E. 可防止尿酸侵蚀

38. 可称连接复合体的是（　　）
   A. 紧密连接
   B. 紧密连接、中间连接
   C. 紧密连接、中间连接、桥粒
   D. 紧密连接、中间连接、桥粒、缝隙连接
   E. 缝隙连接、桥粒

39. 关于基膜叙述中正确的是（　　）
   A. 厚度约为 $100 \sim 200nm$
   B. 由透明层和胶质层两部分组成
   C. 具有选择性通透作用
   D. 位于上皮细胞基底部和侧面
   E. 主要含有糖蛋白和网状纤维

40. 关于桥粒叙述中正确的是（　）
   A. 又称闭锁小带
   B. 也称黏着斑
   C. 有张力丝附着
   D. 位于相邻细胞侧面
   E. 连接作用较强

41. 依据形态和功能不同，上皮组织可分为三种类型，它们是（　）
   A. 被覆上皮
   B. 复层扁平上皮
   C. 感觉上皮
   D. 变移上皮
   E. 腺上皮

42. 上皮组织与结缔组织连接主要借助于（　）
   A. 紧密连接
   B. 桥粒
   C. 半桥粒
   D. 基膜
   E. 质膜内褶

43. 能增加细胞接触面积的是（　）
   A. 基膜
   B. 质膜内褶
   C. 半桥粒
   D. 纤毛
   E. 微绒毛

44. 可直接通过缝隙连接的是（　）
   A. 水
   B. 无机离子
   C. 糖
   D. 脂
   E. 蛋白质

45. 关于腺叙述中正确的是（　）
   A. 属器官范畴
   B. 又称腺体
   C. 分泌物经导管排出的称外分泌腺
   D. 分泌物直接入血液的称内分泌腺
   E. 由大量的腺上皮组成

三、是非题

1. 上皮细胞具有明显的极性。（　）
2. 杯形细胞胞质内充满酶原颗粒。（　）
3. 复层扁平上皮基底层细胞具有较强的分裂、增殖能力。（　）
4. 具有分泌功能的上皮称腺上皮。（　）
5. 半桥粒的主要功能是发挥固定作用。（　）
6. 桥粒的附着板含有许多微管。（　）
7. 质膜内褶间常含有线粒体。（　）
8. 微绒毛和纤毛均是细胞的特化结构。（　）
9. 基膜位于上皮与结缔组织之间，具有通透功能。（　）
10. 内皮和间皮都是单层扁平上皮。（　）

四、名词解释

1. 极性
2. 内皮
3. 间皮
4. 杯形细胞
5. 微绒毛
6. 纤毛
7. 紧密连接
8. 连接复合体
9. 基膜
10. 半桥粒

五、叙述题

1. 试述被覆上皮的特性。
2. 试述缝隙连接的形态、结构及功能。
3. 试述外分泌腺的结构与功能特点。

参考答案

一、填空题

1. 广　血管　神经　功能　多　少　极性

2. 被覆上皮　腺上皮　感觉上皮

3. 柱状细胞　杯形细胞　梭形细胞　锥形细胞　柱状细胞　纤毛　清除异物

4. 扁平　多边形　碱　分裂象

5. 泌尿系统　尿酸侵蚀　表层

6. 游离面　指状　微丝　舒缩

7. 基板　网板　上皮细胞　糖蛋白　成纤维细胞　网状纤维　选择性通透　支持连接

8. 紧密连接　中间连接　桥粒　缝隙连接　两个　两个

9. 腺细胞　分泌　立方或柱　分泌颗粒　丰富　单

10. 腺　腺体　腺体　外分泌腺　腺体　内分泌腺

11. 很强　生理性再生　病理性再生

二、选择题

（一）单选题

1. B。解释：上皮组织的特性之一是细胞多、间质少。

2. D。解释：子宫内膜上皮属单层柱状上皮。

3. C。解释：变移上皮的基底层细胞与复层扁平上皮的基底层细胞不同，并无明显的增殖功能。

4. E。解释：纤毛主要靠微管的滑动实现其摆动。

5. A。解释：基膜具有选择性通透和支持上皮的功能。

6. D。解释：机体微绒毛的直径通常比较恒定。

7. C。解释：桥粒主要发挥的是机械连接作用。

8. B。解释：为物质运输提供能量。

9. B。解释：位于连接复合体最上方。

10. E。解释：微绒毛内含有大量与其长轴平行分布的微丝。

11. C。解释：尤以上皮性分泌细胞为明显。

12. C。解释：单层立方上皮仅分布于机体的肾、甲状腺等少量器官。

13. E。解释：机体部分内皮细胞尚有分泌功能。

14. B。解释：基底层细胞胞质嗜碱性。

15. A。解释：以分泌功能为主的上皮称腺上皮，而以腺上皮为主要成分构成的器官称腺。

16. E。解释：抗摩擦。

17. E。解释：抗摩擦。

18. A。解释：润滑作用，有利于血液流动。

19. D。解释：排除尘埃异物。

20. B。解释：吸收功能。

21. C。解释：细胞膜外层的融合。

22. B。解释：有亲水管结构，形成细胞间物质信号直接交换。

23. E。解释：机械性连接作用。

24. E。解释：直径约 10nm 的中间丝。

25. D。解释：增加细胞底部物质交换的面积。

26. C。解释：机体部分单层扁平上皮细胞尚有分泌、吸收功能，如内皮、肾小管细段单层扁平上皮等。

27. A。解释：分泌与吸收功能在柱状上皮中常伴随。

28. D。解释：常与分泌功能伴随。

29. B。解释：与吸收功能伴随。

30. B。解释：与吸收功能伴随。

（二）多选题

31. C、D。解释：腺上皮常为立方、柱状或椭圆形，鳞状上皮属复层上皮。

32. A、B、C。解释：肌样上皮具有收缩功能，感觉上皮具有感觉功能。

33. B、C、D、E。解释：复层扁平上皮的中间层属多边形细胞。

34. B、C、E。解释：男性尿道属复层柱状上皮。胆外壁为间皮。

35. A、C、D。解释：细支气管腔面属假复层纤毛柱状上皮或纤毛柱状上皮，肾近曲小管腔面属锥体样细胞。

36. B、D、E。解释：半桥粒属上皮基底面结构，缝隙连接属上皮侧面结构。

37. A、B、C、D、E

38. B、C、D、E。解释：连接复合物是指两个或两个以上的上皮侧面的特殊结构。

39. A、C、E。解释：基膜可分透明板、基板和网板三部分，基膜只位于上皮的基底部。

40. B、C、D、E。解释：紧密连接又称闭锁小带。

41. A、C、E。解释：复层扁平上皮和变移上皮均属被覆上皮范畴。

42. C、D。解释：紧密连接和桥粒主要起到细胞间的机械性连接作用，而质膜内褶主要是物质运输的通道。

43. B、D、E。解释：基膜和半桥粒并非细胞本身固有结构。

44. A、B。解释：糖、脂、蛋白的分子直径均大于缝隙连接中亲水小管 2nm 的管径。

45. A、B、C、D、E

三、是非题

正确：1、3、5、7、8、10
错误：
2. 解释：胞质内含有黏液（黏原颗粒）。

4. 解释：以分泌功能为主的上皮称腺上皮。

6. 解释：含有许多张力原纤维。

9. 解释：具有半通透功能。

四、名词解释

1. 极性是指上皮细胞的游离面和基底面在形态、结构和功能均存在明显差别。

2. 内皮是指分布在心脏、血管和淋巴管腔面的单层扁平上皮。

3. 间皮是指分布在胸膜、腹膜和心包膜表面的单层扁平上皮。

4. 杯形细胞因形同高脚酒杯而得名，胞体顶部较大，胞质常充满黏原颗粒，胞体底部较细窄，核深染，常呈三角形位于底部。杯形细胞属腺细胞范畴，主要功能是分泌黏液，常分布在消化管黏膜上皮之间。

5. 绒毛在电镜下可见，是细胞游离面的胞膜和胞质向细胞外呈指状突起，长度约 $1.4\mu m$，直径约为 $0.1\mu m$，其中轴内含有许多与微绒毛长轴平行排列的微丝，微丝可与微绒毛根部胞质内的终末网移行，微丝与微绒毛的舒缩性能有关。微绒毛的主要功能是扩大细胞的表面积，有利于细胞的物质吸收。

6. 纤毛的形成与微绒毛近似，但比微绒毛粗而长。电镜下纤毛的中轴内含有与其长轴平行排列的 9+2 微管结构，微管与纤毛的运动有关。纤毛具有定向节律性摆动功能，以清除其表面附着的异物。

7. 紧密连接是指相邻上皮细胞胞膜的外层呈间断性触合现象。紧密连接常位于细胞的顶部，可形成箍状结构环绕在细胞的顶端，故又称闭锁小带。可起到阻挡外来物质从细胞间隙进入深部组织的作用，同样可防止深部组织的水和电解质从细胞间隙向外流失，起到重要的屏障作用。

8. 连接复合体是指在相邻上皮细胞侧面形成的多种细胞连接结构，包括紧密连接、中间连接、桥粒和缝隙连接，只要有两个或两个以上的上述结构同时存在，即称为连接复合体。除缝隙连接主要以信息传递功能外，其余结构均以增强相邻细胞连接作用为主。

9. 基膜位于上皮细胞的基底面与结缔组织之间，是一层薄膜状均质样结构。电镜下基膜厚约 100～200nm，可分基板和网板两部分，基板由上皮细胞分泌的糖蛋白构成，网板由成纤维细胞分泌的网状纤维构成。基膜的主要功能除具有选择性通透作用外，还对上皮细胞起到支持、连接等作用。

10. 半桥粒是指桥粒结构的一半，即只在基底层细胞的基底面出现，可将上皮细胞较好地固着于下方的基膜上，起到支持、固定上皮的作用。半桥粒常出现在易受机械性刺激或摩擦的复层扁平上皮基底层细胞的基底面。

五、叙述题

1. 答：被覆上皮主要分布在体表、体内带腔、囊器官的内表面和部分器官的外表面。依据上皮细胞的形态、结构与功能差异，可将被覆上皮分为单层上皮和复层上皮两大类，其中单层上皮又可分为单层扁平上皮、单层立方上皮、单层柱状上皮和假复层纤毛柱状上皮等；复层上皮也可分为复层扁平上皮、复层立方上皮、复层柱状上皮和变移上皮等。尽管被覆上皮类型多种，但通常均具有以下共同特性：细胞多，间质少而出现细胞密集排列呈膜状；细胞有极性；细胞间神经丰富，但无血管；其营养依靠上皮下方结缔组织中的血管经基膜选择性通透提供。上皮细胞分布广泛，功能多样，具有保护、吸收、分泌和感觉

等主要功能。此外，被覆上皮为适应内外环境和功能的需要，经长期进化后在细胞的游离面、基底面和侧面还特殊分化形成了多种特殊结构，包括：游离面的微绒毛和纤毛；基底面的基膜和质膜内褶；侧面的紧密连接、中间连接、桥粒和缝隙连接等。通常被覆上皮还具有较强的再生能力，包括生理性再生和病理性再生。

2. 答：缝隙连接位于桥粒下方，相邻细胞膜间仅存 2～3nm 的间隙，间隙两侧细胞膜中的镶嵌蛋白可相互结合形成直径约 6～9nm 颗粒状的连接小体。连接小体是由 6 个亚单位围成的六角状结构，其中央有直径约 2nm 的小管，称亲水小管。亲水小管可贯通相邻细胞各自的胞膜，并受钙离子等因素调节，可开放或闭合，使小分子物质如水、电解质等直接往来于相邻两个细胞中。缝隙连接的主要功能是发挥细胞间信息传递即直接通讯作用。除上皮细胞外，缝隙连接还可分布在心肌细胞、神经元、肝细胞和骨细胞间等。

3. 答：

（1）结构：外分泌腺以腺细胞组成的多少可分为单细胞腺和多细胞腺。单细胞腺即以单个细胞形成，独立存在，如杯状细胞。机体绝大部分以多细胞腺形式存在，多细胞腺由分泌部和导管部两部分组成。

分泌部又称腺末房或腺泡，呈管状或泡状，由一层腺细胞围成，中央有一腔，称腺泡腔。依据组成腺泡的腺细胞的形态、结构和功能不同，组成外分泌腺的腺细胞可分为两种：①黏液性腺细胞：细胞锥形，胞质弱碱性，核扁，紧贴于细胞基底部。分泌物黏稠，以黏蛋白为主，不含消化酶，起润滑保护作用。②浆液性腺细胞：细胞锥形或短柱形，胞质嗜碱性，核圆，位于细胞中央或近下端。分泌物稀薄，含消化酶，具有消化功能。

导管部长短粗细不等，管壁由单层或复层上皮组成，其上皮的种类依距离腺泡远近不同而有差异，通常离腺泡由近到远细胞呈扁平到柱状的过渡。导管除具有输送腺泡分泌物作用外，导管上皮还具有一定的吸收、分泌水和无机离子的功能。

（2）功能：外分泌腺的功能特点突出表现在腺体产生的分泌物（无论是黏液性腺泡还是浆液性腺泡）均需经导管将其输送出腺泡并引至体表或器官腔内，依其分泌物性质的不同，发挥润滑、保护或消化作月。

（郭顺根）

第三章　结缔组织

第一节　固有结缔组织

本节重点、难点：

1. 结缔组织的特点和分类
2. 疏松结缔组织各组成成分的结构和功能
3. 基质的化学成分与特性；胶原纤维、弹性纤维和网状纤维三种纤维的结构特点及其异同
4. 成纤维细胞、巨噬细胞、浆细胞、肥大细胞的形态特点及其异同

测试题

一、填空题

1. 广义的结缔组织包括 _____、_____、_____、_____和_____。
2. 固有结缔组织可以分 _____、_____、_____和_____。
3. 疏松结缔组织细胞间质内的纤维包括_____、_____和_____三种。
4. 巨噬细胞来源于血液中的_____。
5. 脂肪组织可分为_____和_____两大类。
6. 疏松结缔组织的特点是细胞种类_____，基质含量_____，纤维数量_____。
7. 基质是由生物大分子构成的有黏性的无定形胶状物，包括_____、_____及_____等。
8. 网状组织由 _____、_____和_____组成。

9. 胶原纤维新鲜时呈_____，有光泽。在 H-E 染色标本上_____。其化学成分主要是_____。
10. 根据纤维的性质和排列方式，致密结缔组织分为_____、_____和_____三种类型。

二、选择题

（一）单选题

1. 含可被银染色的纤维组织是（ ）
    A. 透明软骨
    B. 骨组织
    C. 网状组织
    D. 致密结缔组织
    E. 纤维软骨

2. 过敏反应的发生与肥大细胞释放哪种物质有关（ ）
    A. 特异性抗体
    B. 组胺
    C. 肝素
    D. 白三烯和组胺
    E. 激素

3. 以下哪一项不是成纤维细胞的特点（ ）
    A. 细胞呈多突扁平状
    B. 细胞核大，长卵圆形，染色浅
    C. 细胞质均匀一致，弱嗜酸性
    D. 功能处于静止状态时，称纤维细胞
    E. 核仁明显

4. 含异染性嗜碱性颗粒的细胞是（ ）
    A. 浆细胞

B. 巨噬细胞

C. 肥大细胞

D. 成纤维细胞

E. 纤维细胞

5. 关于巨噬细胞特点的描述中，哪一项是错误的（　　）

　　A. 形态多样，功能活跃时，可伸出伪足而形态不规则

　　B. 细胞核较大，呈圆形或椭圆形，染色较浅

　　C. 胞浆较丰富，多呈嗜酸性

　　D. 具有活跃的吞噬能力

　　E. 来源于单核细胞

6. 分布在新生儿肩胛间区等处，在寒冷的刺激下，可产生大量热能的组织是（　　）

　　A. 黄色脂肪

　　B. 棕色脂肪

　　C. 白色脂肪

　　D. 以上都是

　　E. 以上都不是

7. 基质的物理性状呈胶体状的结缔组织是（　　）

　　A. 固有结缔组织

　　B. 血液

　　C. 淋巴

　　D. 软骨组织

　　E. 骨组织

8. 狭义的结缔组织指（　　）

　　A. 固有结缔组织

　　B. 血液

　　C. 淋巴

　　D. 软骨组织

　　E. 骨组织

9. 腱细胞是一种形态特殊的细胞，其本质是以下哪一种细胞（　　）

　　A. 成纤维细胞

　　B. 巨噬细胞

C. 浆细胞

D. 肥大细胞

E. 纤维细胞

10. 基质的主要成分是（　　）

　　A. 糖蛋白

　　B. 蛋白多糖

　　C. 组织液

　　D. 纤维

　　E. 黏液

（二）多选题

11. 关于浆细胞的叙述哪些是正确的（　　）

　　A. 慢性炎症部位较多

　　B. 形态不规则，有突起

　　C. 能合成抗体

　　D. 胞质内含丰富的粗面内质网

　　E. 胞质内含丰富的游离核糖体

12. 固有结缔组织不包括（　　）

　　A. 血液

　　B. 疏松结缔组织

　　C. 网状组织

　　D. 致密结缔组织

　　E. 软骨组织

13. 关于成纤维细胞，下列叙述哪些正确（　　）

　　A. 数量多，分布广

　　B. 能分裂增生

　　C. 扁平不规则，有突起

　　D. 胞质内含粗面内质网多

　　E. 功能活跃时称纤维细胞

14. 以下哪几种细胞存在于疏松结缔组织内（　　）

　　A. 成纤维细胞

　　B. 神经元

　　C. 巨噬细胞

　　D. 浆细胞

　　E. 肌细胞

15. 结缔组织的特点是（　　）

A. 细胞间质多
B. 细胞数量少
C. 细胞种类少, 形态单一
D. 细胞无极性
E. 细胞间质多由基质和纤维构成

16. 致密结缔组织的特点是 ( )
A. 以纤维为主要成分
B. 以基质为主要成分
C. 纤维粗大
D. 纤维数量较少, 排列稀疏
E. 细胞种类较多

17. 由胶原蛋白构成的纤维是 ( )
A. 胶原纤维
B. 弹性纤维
C. 网状纤维
D. 以上都是
E. 以上都不是

18. 广义的结缔组织包括 ( )
A. 固有结缔组织
B. 血液
C. 淋巴
D. 软骨组织
E. 骨组织

19. 糖蛋白 ( )
A. 是一种结构性黏附糖蛋白
B. 形成分子筛
C. 主要分非硫酸化和硫酸化两类
D. 主要成分是氨基己糖多糖
E. 在细胞识别、黏附、迁移和增殖中有重要作用

20. 网状细胞 ( )
A. 产生网状纤维
B. 胞质丰富, 粗面内质网发达
C. 胞体圆形或卵圆形
D. 胞质有异染性嗜碱性颗粒
E. 胞体星形有突起

三、是非题

1. 结缔组织是基本组织中形式最多样的组织, 由大量细胞和少量细胞间质构成。( )

2. 疏松结缔组织基质含量较少, 纤维数量较多。( )

3. 网状纤维是又称嗜银纤维。其主要由Ⅲ型胶原蛋白构成。( )

4. 成体的结缔组织内仍保留少量未分化的间充质细胞。( )

5. 基质中最主要的成分是蛋白多糖。( )

6. 狭义的结缔组织仅指固有结缔组织。( )

7. 在疏松结缔组织内固定的巨噬细胞又称为组织细胞。( )

四、名词解释

1. 间充质
2. 组织液
3. 糖胺多糖
4. 基质

五、叙述题

1. 简述浆细胞的光镜结构与功能。
2. 试述成纤维细胞形态结构特点、功能。

参考答案

一、填空题

1. 固有结缔组织 血液和淋巴 软骨组织 骨组织
2. 疏松结缔组织 致密结缔组织 网状组织 脂肪组织
3. 网状纤维 弹性纤维 胶原纤维
4. 单核细胞
5. 黄色脂肪组织 棕色脂肪组织
6. 较多 较多 较少
7. 蛋白多糖 纤维黏连蛋白 组织液

8. 网状细胞　网状纤维　基质

9. 白色　呈嗜酸性　Ⅰ型和Ⅲ型胶原蛋白

10. 规则致密结缔组织　不规则致密结缔组织　弹性组织

二、选择题

（一）单选题

1. C。解释：网状纤维普通 H-E 染色标本不易着色，用银盐可染成黑色，故又称嗜银纤维。其主要存在于网状组织。

2. D。解释：组织胺和白三烯可使微静脉和毛细血管扩张，通透性增加，血浆蛋白和液体溢出，导致组织水肿。

3. C。解释：成纤维细胞胞质呈弱嗜碱性。

4. C。解释：肥大细胞胞质丰富，充满易溶于水的异染性嗜碱性颗粒。

5. B。解释：巨噬细胞核小，呈卵圆形或肾形，着色深。

6. B。解释：黄色脂肪主要分布于皮下、网膜和系膜等处，是体内最大的贮能库。

7. A。解释：只有固有结缔组织的基质呈胶体状，血液和淋巴的基质呈液体状，软骨组织和骨组织的基质呈固体状。

8. A。解释：狭义的结缔组织只包括固有结缔组织，血液、淋巴、软骨组织和骨组织属于广义的结缔组织。

9. A。解释：腱细胞是规则致密结缔组织的主要细胞成分，是一种形态特殊的成纤维细胞。

10. B。解释：蛋白多糖又称黏多糖，是多糖分子与蛋白质结合成的复合物，为基质的主要成分。

（二）多选题

11. A、C、D、E。解释：浆细胞呈卵圆形或圆形，形态较规则，无突起。

12. A、E。解释：固有结缔组织只包括疏松结缔组织、致密结缔组织、网状组织和脂肪组织四种。

13. A、B、C、D。解释：成纤维细胞功能处于静止状态时，才称纤维细胞。

14. A、C、D。解释：疏松结缔组织内无神经元和肌细胞

15. A、B、D、E。解释：结缔组织细胞数量少，但种类多，形态多样

16. A、C。解释：致密结缔组织是一种以纤维为主要成分的固有结缔组织，纤维粗大。

17. A、C。解释：胶原纤维主要由Ⅰ型和Ⅲ型胶原蛋白构成，网状纤维主要由Ⅲ型胶原蛋白构成，而弹性纤维主要由弹性蛋白组成。

18. A、B、C、D、E。解释：广义的结缔组织除了固有结缔组织外，还包括基质呈液体状的血液和淋巴，以及基质呈固体状的软骨组织和骨组织

19. A、E。解释：氨基己糖多糖是蛋白多糖的多糖部分，主要分非硫酸化和硫酸化两类，分子筛是由大量蛋白多糖聚合物形成的。

20. A、B、E。解释：网状细胞是星形有突起的细胞，胞质丰富，粗面内质网发达，胞核圆形或卵圆形，可产生网状纤维。

三、是非题

正确：3、4、5、6、7

错误：

1. 解释：结缔组织由少量细胞和大量细胞间质构成。

2. 解释：疏松结缔组织基质含量较多，纤维数量较少。

四、名词解释

1. 间充质由间充质细胞和大量稀薄的

无定形基质组成，不含纤维。间充质细胞分化程度很低，有很强的分裂分化能力。在胚胎发育过程中能分化成多种结缔组织细胞、内皮细胞和平滑肌细胞等。成体的结缔组织内仍保留少量未分化的间充质细胞。

2. 组织液是从毛细血管动脉端渗出的部分血浆成分，其中含有血液中的多种营养成分。组织液不断更新，有利于血液和组织中的细胞进行物质交换，成为细胞赖以生存的体液内环境。

3. 糖胺多糖又称氨基己糖多糖，由成纤维细胞产生，主要分非硫酸化和硫酸化两类。与蛋白质结合形成蛋白多糖。

4. 基质是由生物大分子构成的有黏性的无定形胶状物，包括蛋白多糖、纤维黏连蛋白及组织液等。

五、叙述题

1. 答：成纤维细胞是疏松结缔组织中最主要的细胞。光镜下，细胞扁平不规则，有突起，胞质较丰富，呈弱嗜碱性，胞核较大，长卵圆形，着色浅，核仁明显。成纤维细胞可合成和分泌胶原蛋白和弹性蛋白，构成疏松结缔组织中的各种纤维和基质。

2. 答：浆细胞光镜下，呈卵圆形或圆形，胞浆丰富，呈嗜碱性，核旁有一浅染区。核圆，多偏居细胞一侧，异染色质粗，多分布于核膜处，呈车轮状。电镜下，浆细胞胞质内含大量平行排列的粗面内质网和游离核糖体，浅染区内有高尔基复合体和中心体。

浆细胞能合成和分泌免疫球蛋白即抗体，参与体液免疫。

(杨恩彬)

第二节 软骨和骨

本节重点、难点：

1. 软骨的组织结构、软骨的生长方式

2. 软骨的分类、结构特点、分布及功能特征

3. 骨组织结构、骨发生的两种方式

4. 骨密质骨板排列方式

测试题

一、填空题

1. 软骨可分为_____软骨、_____软骨和_____软骨，它们所含的_____不同。

2. 透明软骨主要分布于_____、_____和_____；弹性软骨主要分布于_____和_____软骨，纤维软骨主要分布于_____和_____。

3. 骨质由_____成分和_____成分组成；前一种成分包括大量的_____和少量的_____；后一种成分主要为_____。

4. 骨组织有_____细胞、_____细胞、_____细胞和_____细胞；_____细胞存在于骨质内，其余的几种细胞位于_____。

5. 密质骨由三种骨板组成，它们是_____、_____、_____。

6. 软骨细胞位于软骨基质的_____中，其周围一层深染的嗜碱性基质称为_____。

7. 透明软骨 H-E 染色中软骨间质中无_____，有_____，因后者折光性与_____相近，故光镜下不易分辨。

8. 同源细胞群来源于同一个_____，它们存在于_____个软骨囊内。

9. 骨祖细胞是骨组织的_____细胞，细胞质呈弱_____性。位于骨组织的

_____，能分裂分化为_____。

10. 成骨细胞呈_____，胞质_____性，电镜下胞质内含有大量_____和_____，其功能是分泌_____。

11. 破骨细胞体积_____，胞质呈_____，有多个_____，在贴近骨质一侧有_____，在电镜下由大量_____构成，其功能是_____。

12. 破骨细胞来源于_____细胞；成骨细胞来源于_____细胞。

13. 骨细胞存在于骨基质的_____内，其突起位于_____内，相邻骨细胞突起间以_____连接。

14. 骨单位又称_____，由_____和_____组成，是骨的主要_____单位。

15. 长骨由_____、_____、_____和_____及血管、神经等构成。

16. 骨的发生方式有_____和_____两种方式。前者是_____骨的发生方式，后者是_____骨的发生方式。

17. 膜内成骨是由_____先分化成为胚性_____膜，然后在此_____。

18. 软骨内成骨是指在_____的部位先出现_____的雏形，在骨形成过程中软骨组织再不断被_____取代。体内大多数骨主要以_____的方式发生。

19. 骨骺由_____骨化中心形成，骨干由_____骨化中心形成。

20. 骨外膜分为_____层：外层为_____组织，纤维粗大而密集可横向穿入外环骨板，称_____纤维；内层为_____结缔组织。

二、选择题

（一）单选题

1. 透明软骨细胞间质内含有（　）
   A. 胶原纤维
   B. 胶原原纤维
   C. 弹性纤维
   D. 网状纤维
   E. 神经纤维

2. 产生类骨质的细胞是（　）
   A. 破骨细胞
   B. 骨细胞
   C. 成骨细胞
   D. 骨祖细胞
   E. 间充质细胞

3. 产生骨基质有机成分的细胞是（　）
   A. 间充质细胞
   B. 骨祖细胞
   C. 成骨细胞
   D. 破骨细胞
   E. 成纤维细胞

4. 下列哪种成分不是骨组织的成分（　）
   A. 胶原纤维
   B. 蛋白多糖
   C. 羟基磷灰石
   D. 骨细胞
   E. 弹性纤维

5. 关于成骨细胞的特点哪项是错误的（　）
   A. 细胞呈柱状或椭圆形分布在骨组织的表面
   B. 胞质显嗜酸性
   C. 粗面内质网丰富
   D. 可释放基质小泡
   E. 高尔基复合体发达

6. 关于破骨细胞的特征哪项是错误的（　）
   A. 呈梭形，细胞质弱嗜碱性
   B. 由多个单核细胞融合而成
   C. 属多核巨细胞
   D. 胞质内可见被吸收的骨质
   E. 溶解和吸收骨质

7. 关于骨小管哪项是错误的 （   ）
    A. 使骨单位中的骨陷窝互相连通
    B. 容纳骨细胞的突起
    C. 骨单位最内层的骨小管均开口于中央管
    D. 含有毛细血管
    E. 含有组织液

8. 骨细胞突起之间的连接是 （   ）
    A. 中间连接
    B. 紧密连接
    C. 缝隙连接
    D. 桥粒
    E. 半桥粒

9. 透明软骨 H-E 染色标本中不能分辨纤维是由于 （   ）
    A. 基质中不含纤维
    B. 纤维为嗜银性
    C. 纤维少
    D. 纤维的嗜色性与基质相同
    E. 因含有胶原原纤维，折光率与基质相同

10. 关于软骨细胞的形态结构哪项错误 （   ）
    A. 越接近软骨中央部的软骨细胞越成熟，呈球形
    B. 胞质呈弱嗜碱性
    C. 近软骨膜的软骨细胞较幼稚，呈扁圆形
    D. 丰富的溶酶体
    E. 细胞产生纤维和基质

11. 关于骨基质哪项错误 （   ）
    A. 由有机成分和无机成分组成
    B. 骨板是骨基质的结构形式
    C. 骨基质即骨的细胞间质
    D. 有机成分为糖胺多糖，呈细针状结晶体
    E. 无机成分为羟磷灰石结晶

12. 关于骨板哪项错误 （   ）
    A. 骨板是由有机成分排列成的薄板状结构
    B. 骨板是骨基质形成的薄板状结构
    C. 同一层骨板中胶原纤维平行排列
    D. 骨密质和骨松质都有骨板
    E. 骨板内和骨板间有骨细胞

13. 关于破骨细胞叙述错误的是 （   ）
    A. 能溶解吸收骨基质
    B. 能释放多种酶
    C. 中央有一个椭圆形核
    D. 胞质内可见吸收的骨基质
    E. 胞质嗜酸性

14. 关于骨单位的特点哪项错误 （   ）
    A. 骨单位顺骨干长轴纵向排列
    B. 位于内、外环骨板之间
    C. 骨单位中央管内无血管神经
    D. 骨单位中央管内表面衬有骨内膜
    E. 多层骨板围绕中央管呈同心圆排列

15. 关于骨和软骨的共同特征哪项错误 （   ）
    A. 细胞间质有基质和纤维
    B. 都以间质生长形式生长
    C. 细胞都位于陷窝内
    D. 软骨膜和骨膜都有骨祖细胞
    E. 骨细胞和软骨细胞都来源于骨祖细胞

16. 与骨组织的发生无关的细胞 （   ）
    A. 骨祖细胞
    B. 成骨细胞
    C. 破骨细胞
    D. 巨核细胞
    E. 间充质细胞

（二）多选题
17. 骨单位的组成部分包括 （   ）

A. 内环骨板
B. 哈佛管
C. 呈同心圆排列的骨板
D. 间骨板
E. 外环骨板

18. 骨组织的细胞有（ ）
A. 骨祖细胞
B. 成骨细胞
C. 骨细胞
D. 破骨细胞
E. 成纤维细胞

19. 哈弗系统（ ）
A. 由 10~20 层同心圆状排列的骨板组成
B. 骨板间有骨陷窝
C. 中央管内有毛细血管和神经
D. 与长骨骨干长轴平行排列
E. 又称骨单位

20. 同源细胞群（ ）
A. 每群细胞源自软骨膜内的一个骨祖细胞
B. 存在于一个软骨陷窝内
C. 存在于多个软骨陷窝内
D. 存在于软骨中央
E. 2~8 个细胞一群

21. 骨基质的特点是（ ）
A. 钙化的细胞间质
B. 含有大量胶原纤维
C. 含有少量凝胶状基质
D. 含有大量弹性纤维
E. 含有大量网状纤维

22. 骨细胞的结构特征（ ）
A. 是有突起的细胞
B. 骨细胞胞体位于骨陷窝内
C. 骨细胞突起位于骨小管内
D. 相邻骨细胞突起间以缝隙连接相连
E. 骨陷窝和骨小管内含组织液

23. 骨板排列的方式正确的是（ ）
A. 骨干表面，约有数层或数十层平行排列的骨板
B. 骨单位之间，排列不规则
C. 骨干的骨髓腔面，有数层骨板，排列不规则
D. 以哈佛管为中心，平行排列的骨板
E. 以哈佛管为中心，呈同心圆排列

24. 成骨细胞结构特征是（ ）
A. 呈矮柱状或椭圆形
B. 胞质嗜碱性
C. 细胞核圆形
D. 胞质内含有大量粗面内质网
E. 有细小突起

25. 成骨细胞的功能是（ ）
A. 分泌骨基质
B. 产生骨板
C. 产生胶原纤维
D. 分泌类骨质
E. 分泌一些细胞因子

26. 骨祖细胞是（ ）
A. 位于骨外膜内层
B. 位于骨内膜
C. 位于软骨膜
D. 具有分裂能力
E. 能分化成软骨细胞和成骨细胞

27. 参与血钙调节的细胞（ ）
A. 巨核细胞
B. 成骨细胞
C. 骨细胞
D. 破骨细胞
E. 成纤维细胞

28. 透明软骨在 H-E 染色中见不到纤维的原因是（ ）
A. 含有胶原原纤维

B. 含有胶原纤维

C. 胶原原纤维与基质折光性相近

D. 含有较少的基质

E. 含有较多的血管

29. 组成长骨骨干骨密质的骨板有（　　）

A. 外环骨板

B. 骨单位

C. 内环骨板

D. 间骨板

E. 骨板

30. 骨的改建包括（　　）

A. 骨组织的形成

B. 终生进行

C. 适应身体运动和负重的需要

D. 成年后骨改建加快

E. 包括骨组织的吸收

31. 含有血管的有（　　）

A. 中央管

B. 软骨膜

C. 骨膜

D. 骨组织

E. 软骨组织

32. 膜内成骨的发生特征是（　　）

A. 由间充质细胞分化为胚性结缔组织膜

B. 发生过程与软骨无关

C. 形成骨化中心

D. 长骨的主要发生方式

E. 扁骨的主要发生方式

33. 软骨内成骨的特征是（　　）

A. 形成软骨雏形

B. 形成骨领

C. 有膜性骨发生

D. 骨组织

E. 有软骨内骨发生

34. 长骨增长、增粗的因素是（　　）

A. 骺板细胞不断增殖骨化

B. 次级骨化中心的出现

C. 骨膜内成骨细胞造骨

D. 骺端软骨细胞的分裂增殖

E. 骨干中成骨细胞不断造骨

三、是非题

1. 骨发生的方式有两种，人体内以膜内成骨为主。（　　）

2. 骨小管是骨组织内小血管、神经的通道。（　　）

3. 骨密质内的骨板排列很有规律，按骨板排列分为：环骨板、骨单位和间骨板三种。（　　）

4. 纤维软骨内含有大量胶原原纤维，平行或交叉排列。（　　）

5. 骨基质的各种成分共同构成的薄层板状结构，称为骨板。（　　）

四、名词解释

1. 骨单位

2. 破骨细胞

3. 骨细胞

4. 类骨质

5. 成骨细胞

6. 同源细胞群

7. 骨领

8. 软骨内成骨

9. 膜内成骨

五、叙述题

1. 叙述骨基质的组成、结构和存在形式。

2. 叙述透明软骨的结构和分布。

3. 叙述骨组织的结构。

4. 叙述长骨密质骨及骨膜的结构。

5. 叙述骨发生的基本过程。

参考答案

一、填空题

1. 透明　纤维　弹性　纤维
2. 肋软骨　关节软骨　呼吸管道软骨　耳廓　会厌　椎间盘　关节盘
3. 有机　无机　胶原纤维　无定形基质　骨盐
4. 骨祖　成骨　骨　破骨　骨　骨组织的边缘
5. 环骨板　骨单位　间骨板
6. 软骨陷窝　软骨囊
7. 胶原纤维　胶原原纤维　基质折光性
8. 幼稚细胞　多
9. 干　嗜碱　表面　成骨细胞
10. 柱状或椭圆形　嗜碱　粗面内质网　高尔基复合体　类骨质（有机成分）
11. 大　嗜酸性　细胞核　纹状缘　微绒毛　溶解吸收骨质
12. 单核　骨祖
13. 骨陷窝　骨小管　缝隙连接
14. 哈弗系统　哈弗骨板　中央管　结构
15. 骨松质　骨密质　骨膜　骨髓/关节软骨
16. 膜内成骨　软骨内成骨　扁骨/不规则骨　长骨
17. 间充质　结缔组织　膜内成骨
18. 骨发生　透明软骨　骨组织　软骨内成骨
19. 次级　初级
20. 两　致密结缔　穿通　疏松

二、选择题

（一）单选题

1. B。解释：透明软骨的细胞间质内含胶原原纤维（很细，且折光率与基质相近），基质中含大量水分。
2. C。解释：形成类骨质的是成骨细胞。
3. C。解释：成骨细胞合成并分泌骨基质中的有机成分，形成类骨质，而自身则被包埋其中，转变为骨细胞。
4. E。解释：骨组织由细胞和钙化的细胞间质组成。骨细胞是其中最多的细胞，胶原纤维和蛋白多糖主要构成骨基质的有机成分，羟基磷灰石主要构成骨基质的无机成分。
5. B。解释：成骨细胞胞质嗜碱性。
6. A。解释：破骨细胞的胞质呈嗜酸性。
7. D。解释：骨小管内不含有毛细血管。
8. C。解释：相邻骨细胞的突起以缝隙连接相连。
9. E。解释：透明软骨 H-E 染色标本中不能分辨纤维是由于胶原原纤维很细，且折光率与基质相近。
10. D。解释：软骨细胞具有典型的分泌蛋白质细胞的结构特点，含丰富的粗面内质网和高尔基复合体。
11. D。解释：羟磷灰石结晶（无机成分）呈细针状。
12. A。解释：骨基质由有机成分和无机成分构成，其各种成分共同构成骨板。
13. C。解释：破骨细胞由多个单核细胞融合而成，属多核巨细胞，含有 2 ~ 50 个核。
14. C。解释：骨单位中央管内含毛细血管和神经。
15. B。解释：骨发生以膜内成骨与软骨内成骨两种方式进行。
16. D。解释：骨髓巨核细胞与血小板的形成有关，与骨发生无关。

（二）多选题

17. B、C。解释：骨单位由中轴的一中央管（或称哈弗管）和其周围10～20层同心圆排列的骨板（哈弗骨板）构成。

18. A、B、C、D。解释：骨组织由骨细胞、骨祖细胞、成骨细胞、破骨细胞四种细胞组成。

19. A、B、C、D、E。解释：与哈弗系统完全相符。

20. A、C、D、E。解释：同源细胞群中的细胞分别围以软骨囊。

21. A、B、C。解释：骨基质不含有大量弹性纤维和网状纤维。

22. A、B、C、D、E。解释：均符合骨细胞的结构特征。

23. A、B、C、E。解释：以哈佛管为中心，周围的骨板呈同心圆排列，而非平行排列。

24. A、B、C、D、E。解释：完全符合成骨细胞结构特征。

25. C、D、E。解释：骨基质的有机成分由成骨细胞分泌形成，骨基质的各种成分共同构成骨板。

26. A、B、C、D、E。解释：符合骨祖细胞的特征。

27. B、C、D。解释：成骨细胞、破骨细胞、骨细胞均参与血钙调节。

28. A、C。解释：透明软骨的纤维为胶原原纤维，直径为10～20nm，其折光率与基质相近，故在光镜下不易分辨。

29. A、B、C、D、E。解释：它们均参与长骨骨干骨密质的骨板组成。

30. A、B、C、E。解释：成年后骨干不再增长，30岁左右骨干停止增粗，改建速度随年龄增长而逐渐缓慢，但仍在进行，并持续终生。

31. A、B、C、D。解释：软骨组织内没有血管，营养来自于软骨周围的血管。

32. A、B、C、E。解释：顶骨、额骨、扁骨和不规则骨等以此种方式发生，而长骨以软骨内成骨的方式发生。

33. A、B、C、D、E。解释：均符合软骨内成骨的特征。

34. A、B、C、D。解释：骨外膜内的成骨细胞不断在骨干表面生成骨组织，使骨增粗；成年后骨外膜和骨内膜的成骨细胞形成环骨板。

三、是非题

正确：3、5。

错误：

1. 解释：骨发生的方式有两种，人体内以软骨内成骨为主。

2. 解释：骨小管是骨组织内骨细胞突起所在位置，内含组织液，可营养骨细胞、输送代谢物。

4. 解释：纤维软骨内含有大量胶原纤维束，平行或交叉排列。

四、名词解释

1. 骨单位又称哈弗系统，主要分布于长骨的骨密质内，中央管周围由十余层同心圆排列的骨板和骨细胞组成，呈圆筒状。骨单位在内、外环骨板间沿骨的长轴排列，增强长骨的支持作用。

2. 破骨细胞主要分布在骨组织表面，数目较少，是一种多核大细胞，由多个单核细胞融合而成，无分裂能力。有溶解和吸收骨基质的作用。

3. 骨细胞位于骨陷窝内，单个分散在骨板内或骨板间；其胞体较小，扁椭圆形，有许多细长突起，突起位于骨小管内，骨小管相互连通。骨细胞由成骨细胞转变而来，是一种终末细胞，无分裂能力。

4. 类骨质为未钙化的骨组织细胞间质。骨的形成过程中，成骨细胞先分泌生成骨基质的有机成分,如胶原纤维、蛋白多糖等,即为类骨质。类骨质钙化后即为骨基质。

5. 成骨细胞由骨祖细胞增殖分化而来,分布在骨组织表面,常排成一层,具有较小突起,胞体矮柱或椭圆形,胞质嗜碱性。成骨细胞分泌类骨质,成骨细胞被类骨质包埋后,便成为骨细胞。

6. 同源细胞群是软骨组织最主要的结构特点,软骨细胞成群分布,2~8个细胞一群。每群细胞源自软骨膜内的一个骨祖细胞,即骨祖细胞边增殖分化,边从软骨膜移向软骨中部,同时不断产生纤维和基质,使软骨增长变大。

7. 骨领是长骨发生中出现的结构。在软骨雏形的中段,软骨膜内层的骨祖细胞增殖分化为成骨细胞,成骨细胞在软骨中段表面产生类骨质,继而钙化为骨基质。于是在软骨中段形成一圈"领圈"样的薄层骨组织,称骨领。骨领表面的软骨膜改称骨膜。骨膜内的成骨细胞继续造骨,使骨领逐渐增厚,同时向软骨两端延伸。故骨领是长骨发生中最早发生的骨质,也称此为软骨周骨化。

8. 软骨内成骨由间充质先形成软骨雏形,然后软骨逐渐被骨组织所替换。躯干和四肢骨主要以此种方式发生。

9. 膜内成骨是指在将要形成骨的部位血管增生,间充质细胞分裂增生形成膜状,并进一步分化为骨祖细胞,其中大部分骨祖细胞分化为成骨细胞。人的额骨、顶骨、面骨及锁骨等以此种方式发生。

五、叙述题

1. 答:骨基质是骨组织的细胞间质,由有机成分及无机成分组成。有机成分是成骨细胞分泌的大量胶原纤维和少量无定形的基质构成,约占密质骨重的24%。基质呈凝胶状,含糖胺多糖,具有黏合胶原

纤维的作用。有机成分使骨质具有韧性,无机成分主要为骨盐,其化学结构为羟基磷灰石结晶,属不溶性中性盐,呈细针状,占密质骨重的75%,骨盐含量随年龄的增长而增加。无机成分使骨质坚硬。骨组织中胶原纤维有规律地分层排列。每层的胶原纤维与基质共同构成薄层骨板。骨细胞位于骨板之间或骨板内的骨陷窝内,相邻骨细胞突起以缝隙连接相连,骨小管彼此相通,同层骨板内的纤维方向相互平行,相邻骨板的纤维相互垂直,如同多层木质胶合板,有效地增强了骨的支持力。

2. 答:透明软骨分布较广,包括关节软骨、肋软骨、呼吸道的某些软骨。新鲜时呈半透明状,细胞间质由纤维和基质组成,细胞间质中仅含少量胶原原纤维,因其折光率与基质相近,故光镜下不易分辨。软骨基质丰富,含有较多的水分,呈凝胶状,具有韧性,主要成分是嗜碱性的软骨黏蛋白。普通染色为嗜碱性;甲苯胺蓝染色呈异染性。软骨细胞包埋在软骨基质内,其所在的部位为基质内小腔叫软骨陷窝。陷窝的周缘着色很深,特别是在新生的软骨,包围在陷窝或一组陷窝外面,称软骨囊,是新生的软骨基质。电镜下观察,软骨囊内没有纤维。在软骨表面的软骨细胞呈扁椭圆形,细胞较小而幼稚;到深层,细胞逐渐增大,呈圆形或椭圆形,并不断在软骨陷窝内分裂、增殖,形成2~8个细胞,称同源细胞群。细胞核小,圆形,有1~2个核仁,细胞质弱嗜碱性,电镜下可见细胞质内含有丰富的粗面内质网和发达的高尔基复合体,线粒体较少。软骨内没有血管和神经。

3. 答:骨组织是坚硬的结缔组织,由细胞和钙化的细胞间质组成,在体内作为全身的支架,保护内部器官。骨组织中有骨祖细胞、成骨细胞、骨细胞和破骨细胞

四种细胞。其中骨细胞最多，位于骨基质内，其他细胞均位于骨基质边缘。骨祖细胞是骨组织的干细胞，细胞胞体较小，存在于骨外膜和骨内膜贴近骨质处，当骨组织生长或重建时，它能分裂、分化为成骨细胞。成骨细胞分布在骨质的表面，常排成一层，具有分泌类骨质的功能。类骨质钙化后形成骨基质。当成骨细胞被类骨质包埋后，便成为骨细胞。破骨细胞也分布在骨质的表面，数量较少，是一种多核大细胞，具有溶解和吸收骨质的作用。骨组织的细胞间质称骨基质，由有机成分及无机成分组成。基质呈凝胶状，含糖胺多糖，具有黏合胶原纤维的作用。有机成分使骨质具有韧性，无机成分主要为骨盐，使骨质坚硬。骨组织中胶原纤维有规律地分层排列，每层的胶原纤维与基质共同构成薄的板层状结构即骨板。

4. 答：长骨的骨密质主要分布在长骨骨干以及骨骺的外侧，由四种不同排列方式的骨板所组成。骨板排列有以下 4 种方式：①外环骨板位于骨干表面，约有数层或十数层平行排列的骨板，比较规则。②内环骨板位于骨干的骨髓腔面，由数层骨板组成，排列不规则。③骨单位介于内、外环骨板之间，是骨干骨密质的主要组成部分，哈佛骨板以哈佛管为中心，呈同心圆排列，内有血管、神经及少量的结缔组织。长骨骨干主要是由大量的骨单位（哈佛系统）组成。④间骨板为填充在骨单位之间的一些不规则的骨板，它是原有的骨单位或内外环骨板未被吸收的部分。

骨膜是由致密结缔组织组成的纤维膜。骨的外表面被覆一层骨外膜，可分为两层：外层较厚，由致密结缔组织所组成；内层疏松，富含小血管及神经，含有较多的骨祖细胞或成骨细胞。在骨髓腔面、骨小梁的表面、中央管及穿通管的内表面均衬有薄层的结缔组织膜，称骨内膜。该层纤维细而少，细胞扁平排列成一层，细胞间有缝隙连接。

5. 答：骨发生的两种方式具有相同的基本过程，即由间充质细胞在骨组织将要发生的部位分化形成骨祖细胞，骨祖细胞进一步分化分裂形成成骨细胞，成骨细胞分泌类骨质，将自身包埋其中形成骨细胞，类骨质经钙化形成骨质。在成骨的过程中，既有骨组织的形成，又有骨组织的吸收，成骨细胞不断形成新骨质，破骨细胞则使已形成的骨组织被吸收和改建，使骨的组织结构不断发生变化。骨组织起源于胚胎时期的间充质。骨的发育经历不断生长与改建的复杂演变，具体表现为两个方面，即骨组织形成与骨组织分解吸收，两者相辅相成。骨发育完善后，仍保持形成与分解吸收交替进行的内部改建，终身不止，但改建速度随年龄增长而逐渐减慢。骨的发生有两种方式，即膜内成骨和软骨内成骨。中段的骨髓腔之间可依次分为代表成骨活动的四区，即软骨储备区、软骨增生区、软骨钙化区和成骨区。

（崔洪英）

第三节　血液

本节重点、难点：

1. 血液的组成、分类和理化特性，以及血象正常值

2. 红细胞的形态、结构、功能

3. 各类白细胞的形态、结构、功能

4. 血小板的形态、结构、功能

5. 红骨髓的结构与功能

6. 血细胞发生过程的三个阶段及形态变化规律

7. 血细胞发生的调控与造血干细胞的定义及特性

测试题

一、填空题

1. 血液属_____范畴，由血浆和悬浮于血浆中的_____、_____三部分组成，血浆相当于_____。

2. 成熟的红细胞没有_____也没有_____，胞质内充满_____，其功能是运输_____和_____两种分子。

3. 血液有形成分包括_____、_____和_____。

4. 血液的白细胞有_____和_____；其中的白细胞可分为_____、_____、_____、_____和_____。

5. 淋巴细胞根据它们的发生部位、表面特征、寿命和免疫功能不同，至少分为_____、_____和_____三类。

6. 中性粒细胞胞质有两种颗粒，分别是_____和_____，前者数量少，电镜下是_____，后者数量多，内含_____、_____、_____。

7. 在血涂片中，嗜酸性粒细胞核常分_____，该细胞能吞噬_____，释放_____，灭活组胺，从而减轻_____反应。

8. 嗜碱性粒细胞颗粒内含有_____、_____和_____等物质，故这种细胞功能与_____相似。

9. 血涂片中单核细胞是体积_____的细胞，核呈_____或_____形，着色浅，胞质内含有特殊颗粒。该细胞穿出血管，进入结缔组织形成_____。

10. 血细胞发生过程分为_____、_____和_____三个阶段。

11. 发生血细胞的原始细胞称_____。它起源于_____，以后随血流先进入_____造血，出生后主要存在于_____，其次是_____。

12. 造血干细胞的特征包括_____、_____、_____和_____。

13. 幼稚阶段的造血细胞可分为_____、_____和_____三阶段。

二、选择题

（一）单选题

1. 中性粒细胞占白细胞总数的比例是（　）

    A. 3% ~8%

    B. 20% ~30%

    C. 50% ~70%

    D. 0% ~1%

    E. 0.5% ~3%

2. 关于红细胞叙述错误的是（　）

    A. 外周血红细胞无细胞器或细胞器残留物

    B. 胞质中充满血红蛋白

    C. 细胞呈双凹的圆盘状

    D. 细胞的平均寿命是 120 天

    E. 向全身的组织和细胞供给氧气，带走二氧化碳

3. 关于嗜酸性粒细胞叙述正确的是（　）

    A. 胞质的特殊颗粒含有组胺

    B. 在发生急性炎症疾病时显著增多

    C. 由多核巨细胞发生

    D. 细胞核分 4 ~5 叶

    E. 在过敏性疾病和寄生虫病时增多

4. 关于中性粒细胞叙述错误的是（　）

    A. 占白细胞总数的比例最高

    B. 细胞核呈杆状或分叶状

    C. 胞质中含嗜天青颗粒和特殊颗粒

    D. 在急性细菌疾病时明显增多

E. 胞质的特殊颗粒含组胺、肝素和白三烯

5. 关于嗜碱性粒细胞叙述正确的是（　　）

A. 占白细胞总数的比例最高

B. 细胞质具有强嗜碱性

C. 胞核呈圆形

D. 胞质中含嗜碱性特殊颗粒

E. 在急性细菌性感染疾病时明显增多

6. 关于血小板叙述正确的是（　　）

A. 是有核的细胞

B. 细胞直径 $7 \sim 8 \mu m$

C. 胞质中有嗜碱性的特殊颗粒

D. 胞质的特殊颗粒含组胺和肝素

E. 在止血和凝血过程中起重要作用

7. 关于单核细胞叙述错误的是（　　）

A. 占白细胞总数的3% ~8%

B. 是最大的白细胞

C. 细胞核呈椭圆形或肾形，着色较浅

D. 胞质中含溶酶体和吞噬泡

E. 胞质分隔成许多小区，脱落后形成血小板

8. 网织红细胞中含有（　　）

A. 残存的滑面内质网

B. 残存的多聚核糖体

C. 残存的溶酶体

D. 残存的线粒体

E. 残存的高尔基复合体

9. 多能造血干细胞是（　　）

A. 发生各种血细胞的原始细胞

B. 是一种小淋巴细胞

C. 不能以自我复制的方式进行细胞繁殖

D. 起源于胚胎外胚层

E. 它的形态和结构与大淋巴细胞

相似

10. 发生血细胞最早的部位是（　　）

A. 卵黄囊血岛

B. 骨髓

C. 肝

D. 淋巴结

E. 脾

11. 血细胞发生过程叙述错误的是（　　）

A. 分原始、幼稚和成熟三个阶段

B. 胞体由大变小，巨核细胞由小变大

C. 细胞分裂能力从无到有

D. 胞核由大变小

E. 红细胞核消失

12. 在凝血和止血中起主要作用（　　）

A. 浆细胞

B. 嗜酸性粒细胞

C. 肥大细胞

D. 血小板

E. 中性粒细胞

13. 产生免疫球蛋白（　　）

A. 浆细胞

B. 嗜酸性粒细胞

C. 肥大细胞

D. 血小板

E. 中性粒细胞

14. 与抗凝血有关（　　）

A. 浆细胞

B. 嗜酸性粒细胞

C. 肥大细胞

D. 血小板

E. 中性粒细胞

15. 能减缓过敏反应（　　）

A. 浆细胞

B. 嗜酸性粒细胞

C. 肥大细胞

D. 血小板

E. 中性粒细胞

16. 能释放参与过敏反应的物质（　　）

    A. 浆细胞

    B. 嗜酸性粒细胞

    C. 肥大细胞

    D. 血小板

    E. 中性粒细胞

17. 杀伤细菌，自身坏死成为脓细胞
（　　）

    A. 浆细胞

    B. 嗜酸性粒细胞

    C. 肥大细胞

    D. 血小板

    E. 中性粒细胞

18. 能吞噬抗原抗体复合物，杀伤寄生
虫（　　）

    A. 浆细胞

    B. 嗜酸性粒细胞

    C. 肥大细胞

    D. 血小板

    E. 中性粒细胞

19. 无细胞核的是（　　）

    A. 浆细胞

    B. 嗜酸性粒细胞

    C. 肥大细胞

    D. 血小板

    E. 中性粒细胞

20. 观察血细胞最常用的标本制作方法
（　　）

    A. 石蜡切片、H-E 染色

    B. 冰冻切片、H-E 染色

    C. 涂片、H-E 染色

    D. 石蜡切片、Wright 或 Giemsa 染
      色

    E. 涂片、Wright 或 Giemsa 染色

（二）多选题

21. 没有细胞核结构的是（　　）

    A. 成熟红细胞

    B. 血小板

    C. 网织红细胞

    D. 脂肪细胞

    E. 有粒白细胞

22. 分辨三种有粒白细胞的依据是
（　　）

    A. 细胞的大小

    B. 细胞核的形状和分叶

    C. 胞质的颜色

    D. 特殊颗粒的大小和染色特征

    E. 有无溶酶体

23. 中性粒细胞含（　　）

    A. 嗜天青颗粒

    B. 糖原颗粒

    C. 特殊颗粒

    D. 异染性颗粒

    E. 嗜银颗粒

24. 嗜酸性粒细胞含（　　）

    A. 嗜天青颗粒

    B. 酸性磷酸酶

    C. 异染性颗粒

    D. 特殊颗粒

    E. 组胺酶

25. 具有吞噬能力的细胞是（　　）

    A. 淋巴细胞

    B. 嗜酸性粒细胞

    C. 肥大细胞

    D. 中性粒细胞

    E. 浆细胞

26. 单核细胞（　　）

    A. 逸出血管后分化为巨噬细胞

    B. 由淋巴组织发生

    C. 含有许多嗜天青颗粒

    D. 核可分叶

    E. 来自巨核细胞

27. 嗜酸性粒细胞的功能是（　　）

    A. 吞噬抗原抗体复合物

    B. 杀灭寄生虫

C. 减轻过敏反应

D. 特殊颗粒的内容物可使血管扩
张

E. 增强过敏反应

28. 嗜碱性粒细胞含有（ ）

A. 肝素

B. 白三烯

C. 组织胺

D. 溶菌酶

E. 吞噬素

29. 红骨髓主要组成成分是（ ）

A. 网状结缔组织、

B. 成纤维细胞

C. 造血细胞

D. 脂肪细胞

E. 血窦

30. 造血干细胞（ ）

A. 有很强的增殖能力

B. 有多向分化潜能

C. 最早发生于卵黄囊血岛

D. 有自我更新能力

E. 出生后主要存在于红骨髓内

三、是非题

1. 血细胞膜上含有 ABO 血型抗原。
（ ）

2. 中性粒细胞常见两个分叶核。（ ）

3. 血小板含有与其功能相关的组胺等
生物活性物质。（ ）

4. 单核细胞具有游走性、体积大和吞
噬功能强等特点。（ ）

5. 淋巴细胞胞质内嗜天青颗粒中含有
过氧化物酶。（ ）

6. 血细胞发生过程中通常经过原始、
幼稚和成熟三个不同阶段。（ ）

7. 血细胞最早出现的部位是骨髓。
（ ）

8. 造血干细胞出生后常可分布在胸腺。

（ ）

四、名词解释

1. 血象

2. 网织红细胞

3. 中性粒细胞

4. 嗜酸性粒细胞

5. 嗜碱性粒细胞

6. 造血干细胞

7. 造血祖细胞

8. 造血诱导微环境

五、叙述题

1. 叙述有粒白细胞的结构特点和功能。

2. 叙述无粒白细胞结构特点及功能。

3. 叙述血细胞发生过程中形态变化的
一般规律。

参考答案

一、填空题

1. 结缔组织　血细胞　血小板　细胞
间质

2. 细胞核　细胞器　血红蛋白　氧气
二氧化碳

3. 红细胞　白细胞　血小板

4. 有粒白细胞　无粒白细胞　中性粒
细胞　嗜酸性粒细胞　嗜碱性粒细胞　单
核细胞　淋巴细胞

5. T 细胞　B 细胞　自然杀伤细胞

6. 嗜天青颗粒　特殊颗粒　溶酶体
碱性磷酸酶　溶菌酶　吞噬素

7. 2 叶　抗原抗体复合物　组胺酶　过
敏

8. 肝素　组胺　白三烯　肥大细胞

9. 最大　肾形　马蹄铁形　巨噬细胞

10. 原始　幼稚　成熟

11. 造血干细胞　卵黄囊血岛　肝脏

红骨髓　脾

12. 增殖能力　多向分化潜能　自我更新能力　细胞表型特征

13. 早幼　中幼　晚幼

二、选择题

（一）单选题

1. C。解释：中性粒细胞是各类白细胞中数量最多的一种。

2. A。解释：外周血中成熟红细胞无细胞器，但网织红细胞中尚留存核糖体的残留物。

3. E。解释：这与机体所处免疫状态有关。

4. E。解释：中性粒细胞的特殊颗粒内主要含溶菌酶、吞噬素等。

5. D。解释：颗粒呈蓝紫色。

6. E。解释：血小板的聚集起止血作用，而后发生的凝血是血小板释放各种凝血因子所致。

7. E。解释：骨髓巨核细胞质的局部脱落形成血小板。

8. B。解释：这是网织红细胞中残留的最后一点有形成分。

9. A。解释：由多能造血干细胞分化成造血祖细胞，后者再分化成各系祖细胞及各种血细胞。

10. A。解释：胚胎第三周，胚外中胚层在卵黄囊壁上形成的血岛。

11. C。解释：细胞分裂能力从有到无。

12. D。解释：血小板的聚集和凝血因子的释放是发生止血和凝血的主要原因。

13. A。解释：发挥体液免疫作用。

14. C。解释：肥大细胞内含肝素。

15. B。解释：嗜酸性粒细胞释放的组胺酶能灭活组胺，从而减缓过敏反应的程度。

16. C。解释：肥大细胞内含组胺等引起过敏反应的物质。

17. E。解释：中性粒细胞内含溶菌酶和防御素。

18. B。解释：嗜酸性粒细胞具有趋化性、变形运动、吞噬抗原抗体复合物作用。

19. D。解释：不具备细胞的三大结构，故血小板不属细胞范畴。

20. E。解释：石蜡切片、冰冻切片和H-E染色因观察血细胞效果不佳，一般不采纳。

（二）多选题

21. A、B、C。解释：脂肪细胞的核常扁平位于周边，有粒白细胞的核常呈分叶状。

22. B、D。解释：三种有粒白细胞在体积大小、胞质着色和有无溶酶体等方面均无明显差异。

23. A、C。解释：糖原颗粒、异染性颗粒、嗜银颗粒在血涂片中无法鉴别。

24. B、D、E。解释：嗜酸性粒细胞中无嗜天青颗粒和异染性颗粒。

25. B、D。解释：淋巴细胞、肥大细胞和浆细胞分泌、细胞因子、活性物质和抗体为其功能所在。

26. A、C。解释：单核细胞是全身均有吞噬功能细胞的来源，核呈肾形或马蹄铁形，胞质中含有大量嗜天青颗粒。

27. A、B、C。解释：嗜酸性粒细胞和嗜碱性粒细胞、肥大细胞产生拮抗作用，从而减轻过敏反应的程度。

28. A、B、C。解释：嗜碱性粒细胞含有与肥大细胞相同的活性物质。

29. A、B、C、D、E 完全符合。

30. A、B、C、D、E 完全符合。

三、是非题

正确：2、4、6。

错误：

1. 解释：红细胞膜上含有 ABO 血型抗原。

3. 解释：与血小板功能相关的物质是凝血因子。

5. 解释：单核细胞嗜天青颗粒中含有过氧化物酶，而淋巴细胞不含此物。

7. 解释：血细胞最早出现在卵黄囊的血岛。

8. 解释：造血干细胞出生后常分布在外周血液、脾、淋巴结和红骨髓中，一般不在胸腺中出现。

四、名词解释

1. 对血液中各类血细胞和血小板的形态、结构、分类、正常值以及血红蛋白含量等的观察称血象。

2. 网织红细胞是一种接近成熟的红细胞，成人外周血中仅占红细胞总数的 0.5% ~ 1.5%。网织红细胞比红细胞略大，胞质内含丰富的血红蛋白，无细胞核和其他细胞器，仅有少量残存的核糖体。用煌焦油蓝染色可显示细粒状的核糖体，表明其仍有合成血红蛋白的能力。贫血病人经治疗后，如网织红细胞数量增多，表明治疗有效。

3. 中性粒细胞是白细胞中最多的一种，占白细胞总数的 50% ~ 70%，直径 $10 \sim 12\mu m$。细胞核形态多样，有杆状核、分叶核。分叶核的叶数 2 ~ 5 叶，胞质内含有两种颗粒；特殊颗粒较小，占 85%，染成淡粉红色；嗜天青颗粒较大，占 15%，染成红紫色。中性粒细胞能做变形运动，可由血液进入结缔组织，具有活跃的吞噬细菌能力。在急性炎症时，其数量增多。

4. 嗜酸性粒细胞占白细胞总数的 0.5% ~3%。外形呈球形，直径 10 ~ 15μm，核多为 2 叶，胞质内充满粗大均匀的嗜酸性颗粒。嗜酸性粒细胞能做变形运动，具有趋化性。电镜下，颗粒呈椭圆形，有膜包被，内含酸性磷酸酶、芳基硫酸酯酶、过氧化物酶、组胺酶等，具有抗过敏和抗寄生虫作用。

5. 嗜碱性粒细胞仅占白细胞总数的 0% ~1%。外形呈球形，直径 10 ~ 12μm，核分叶或不规则形。胞质内含嗜碱性颗粒，大小不等，分布不均，染成紫蓝色，可覆盖在核上。颗粒具有异染性，其内含有肝素、组胺、白三烯存在细胞基质内，参与过敏反应。

6. 造血干细胞是发生各种血细胞的原始细胞，最早发生于卵黄囊外的胚外中胚层血岛内。它具有很强的增殖能力和向多种血细胞系分化的潜能，并能进行自我更新，即分裂产生的子细胞仍具有造血干细胞的上述特性和能力。造血干细胞能在一定的微环境和某些因素的调节下，增殖分化为各类血细胞的祖细胞。出生后主要存在于红骨髓内。

7. 造血祖细胞是由造血干细胞增殖分化形成的。它具有增殖能力，但不能向多方向分化，而只能向一个或几个血细胞系定向分化，因此也称定向干细胞。

8. 造血诱导微环境是造血细胞生长发育及增殖分化特定的微环境。由包括网状细胞、成纤维细胞、巨噬细胞、脂肪细胞和内皮细胞在内的基质细胞，散在分布于网状纤维编织形成的网孔中。上述结构形成了造血细胞生存所需的特定微环境称造血诱导微环境。

五、叙述题

1. 答：有粒白细胞分为中性粒细胞、嗜酸性粒细胞和嗜碱性粒细胞。他们的共同特点是胞质内有特殊颗粒，根据颗粒的嗜色性分别命名。①中性粒细胞数量最多，占白细胞总数的 50% ～70%，细胞直径约 10～12μm。细胞核形态多样，有的为杆状核，有的为分叶核。分叶核的叶数 2～5 叶不等，正常成人血液中多见 2～3 叶核的细胞。杆状核的细胞较幼稚，约占粒细胞总数的 5% ～10%，若比例显著增高，临床上称之为核左移，此现象多出现在严重的细菌性感染时。细胞核内的染色质颗粒粗大，凝聚成块状，没有核仁。电镜下可见颗粒为米粒状，少数呈球形，颗粒又可分为两种：特殊颗粒被染成淡粉红色，约占 80%；嗜天青颗粒较大，染成红紫色，约占 20%。粒细胞胞质内含有糖原、脂类、核糖核酸和多种酶，线粒体和高尔基复合体较少。中性粒细胞能做变形运动，可由血液进入结缔组织中，具有活跃的吞噬能力。在急性炎症时，其数量增多。②嗜酸性粒细胞占白细胞总数的 0.5% ～3%，直径 10～15μm。细胞核多分为两叶，染色质颗粒粗大，细胞质内含有粗大的嗜酸性特殊颗粒，染为橘红色。电镜下，可见颗粒中含有晶状小体，颗粒内含有酸性磷酸酶、过氧化物酶和组胺酶，具有杀灭寄生虫和减弱过敏反应的作用。细胞质内含有少量的线粒体，可见高尔基复合体。当患过敏性疾病或寄生虫病时，血液中嗜酸性粒细胞增多。③嗜碱性粒细胞仅占白细胞总数的 0% ～1%，细胞直径为 10～12μm。细胞核形状呈不规则或 S 形，着色浅。细胞质内的嗜碱性特殊颗粒大小不等、分布不均，染成深紫蓝色。颗粒常遮盖细胞核。颗粒内含有肝素、组胺，白三烯存在于细胞基质中，肝素具有抗凝血作用，组胺和白三烯参与过敏反应。

2. 答：无粒白细胞包括淋巴细胞和单核细胞。淋巴细胞占白细胞总数的 20% ～30%，幼儿较多。根据细胞的形态可分为大、中、小三型。大淋巴细胞直径约 13～20μm，中淋巴细胞直径约 9～12μm，小淋巴细胞直径约 6～8μm，血液内小淋巴细胞数量最多。小淋巴细胞的细胞核呈圆形，一侧常有凹陷，染色质致密呈块状，染色深。细胞质很少，只在细胞周边成一窄缘，胞质嗜碱性，染为天蓝色，常含少量嗜天青颗粒。大、中型淋巴细胞较少，细胞核呈肾形；胞质较丰富，内含较多嗜天青颗粒。根据淋巴细胞的发生部位、表面特征、寿命长短和免疫功能的不同，可分为 T 细胞、B 细胞和 NK（自然杀伤）细胞。T 细胞约占血液中淋巴细胞总数的 70%，寿命较长，可达数月至数年，参与细胞免疫。B 细胞约占血液中淋巴细胞总数的 10% ～15%；寿命长短不等，为数日、数周至数年；参与体液免疫。NK 细胞约占血液中淋巴细胞总数的 10%，具有独立灭活抗原的功能。

单核细胞占白细胞总数的 3% ～8%。是血液中体积最大的细胞，直径 14～20μm。细胞核形态多样，呈圆形、卵圆形、肾形、不规则形或马蹄铁形。核染色质颗粒细小，呈细网状，染色较浅。细胞质丰富，呈弱嗜碱性，染成浅灰蓝色，内含紫红色的嗜天青颗粒。单核细胞具有活跃的变形运动、明显的趋化性和一定的吞噬功能。单核细胞是巨噬细胞的前身，在血液中停留 1～5 天后，穿出血管进入不同的组织内，分化为巨噬细胞。单核细胞和巨噬细胞都能消灭侵入机体的细菌，吞噬异物颗粒，消除体内衰老的细胞，参与免疫反应。

3. 答：血细胞发生是一连续发展过程，分原始、幼稚和成熟三个阶段，其形态变化规律是：①胞体：由大变小，只有巨核细胞较特殊，胞体由小变大；②胞核：由大变小，红细胞核甚至消失，细胞核形状也由圆形渐变成不规则形，如粒细胞核由圆形变成杆状至分叶，单核细胞系由圆形变成不规则形或肾形；核着色由浅变深；核仁数目由多逐渐变少。③胞质的量由少逐渐增多；胞质嗜碱性渐变弱，由深蓝色逐渐变为浅蓝色，红细胞渐变成淡红色；粒细胞胞质内出现特殊颗粒；④细胞分裂能力：从强到弱，最后消失。

（郭顺根）

第四章 肌 组 织

本章重点、难点：

1. 骨骼肌纤维的光镜结构

2. 骨骼肌纤维的超微结构

3. 心肌纤维的光镜与超微结构的特点

4. 闰盘的超微结构

测试题

一、填空题

1. 相邻两条 Z 线之间的一段_____称肌节。每个肌节包括_____。它是骨骼肌纤维收缩和舒张功能的_____。

2. 肌细胞又称_____，肌细胞膜又称_____，肌细胞质又称_____。

3. 横纹肌纤维的 Z 线上附着有_____，M 线上附着有_____。

4. 粗肌丝是由_____分子组成，而细肌丝是由三种蛋白分子组成，即_____，_____和_____。

5. 肌浆网即肌纤维内_____，位于相邻横小管之间，环绕在肌原纤维周围，又称_____，功能是_____。

6. 电镜下，平滑肌纤维的肌浆内分布着粗、细两种肌丝。细肌丝一端固定_____或_____，另一端_____；粗肌丝均匀分布在_____之间。若干粗、细肌丝聚集成_____或_____。

7. 心肌纤维之间的相连结构称_____。在 H-E 染色标本中呈_____或_____粗线。电镜下由相邻心肌纤维的突起_____而成。

8. 光镜下，心肌纤维呈_____状，相互_____。核呈_____形，1～2 个，位于细胞_____。心肌纤维之间的结缔组织中_____丰富。

二、选择题

（一）单选题

1. 关于骨骼肌纤维细胞核的描述中，哪一项正确（　　）

    A. 一个细胞核，位于细胞中央

    B. 多个细胞核，位于细胞中央

    C. 一个细胞核，位于肌膜下

    D. 呈椭圆形，多个，甚至上百个细胞核，位于肌膜下

    E. 呈长梭形，多个，甚至上百个细胞核，位于肌膜下

2. 肌节是（　　）

    A. 相邻两条 Z 线间的一段肌原纤维

    B. 相邻两条 Z 线间的一段肌纤维

    C. 相邻两条 M 线间的一段肌纤维

    D. 相邻两个 H 带间的一段肌纤维

    E. 相邻两条 M 线间的一段肌原纤维

3. 肌节是由（　　）

    A. I 带 + A 带组成

    B. 1/2A 带 + I 带 + 1/2A 带组成

    C. A 带 + A 带组成

    D. 1/2I 带 + A 带组成

    E. 1/2I 带 + A 带 + 1/2I 带组成

4. 骨骼肌纤维形成横纹的原因是（　　）

    A. 多个细胞核横向规律排列

    B. 肌浆内线粒体横向规律排列

C. 质膜内褶形成的横小管规律排列

D. 相邻肌原纤维的明带和明带、暗带和暗带对应，排列在同一水平

E. 明带和暗带内肌红蛋白含量不同

5. 骨骼肌纤维内贮存钙离子的结构主要是（　　）

A. 肌浆

B. 横小管

C. 线粒体

D. 粗面内质网

E. 肌浆网

6. 能与 Ca^{2+} 结合的是（　　）

A. 肌动蛋白

B. 原肌球蛋白

C. TnI

D. TnT

E. TnC

7. 骨骼肌纤维的横小管由（　　）

A. 滑面内质网形成

B. 粗面内质网形成

C. 高尔基复合体形成

D. 肌浆网形成

E. 肌膜向肌浆内凹陷形成

8. 骨骼肌纤维三联体的结构是（　　）

A. 由一条横小管与其两侧的终池构成

B. 由两条横小管及其中间终池构成

C. 由两条纵小管及其中间终池构成

D. 由一条横小管和一个终池构成

E. 由两条纵小管和一条横小管构成

9. 骨骼肌纤维收缩时，其肌节的变化是（　　）

A. 仅 I 带缩短

B. 仅 A 带缩短

C. I 带、A 带均缩短

D. 仅 H 带缩短

E. I 带、H 带均缩短

10. 构成粗肌丝的蛋白质分子是（　　）

A. 肌球蛋白

B. 肌动蛋白

C. 原肌球蛋白

D. 肌原蛋白

E. 肌红蛋白

11. 心肌闰盘处有（　　）

A. 中间连接、桥粒、紧密连接

B. 中间连接、桥粒、缝隙连接

C. 紧密连接、桥粒、缝隙连接

D. 连接复合体、缝隙连接

E. 连接复合体、桥粒、紧密连接

12. 心肌纤维能成为一个同步舒缩的功能整体，主要依赖于（　　）

A. 横小管

B. 肌浆网

C. 缝隙连接

D. 紧密连接

E. 中间连接

13. 平滑肌纤维内有（　　）

A. 粗肌丝

B. 细肌丝

C. 中间丝

D. 密体和密斑

E. 以上都有

14. 下述平滑肌的结构中，哪一项相当于横纹肌的横小管（　　）

A. 密体

B. 密斑

C. 肌膜内陷形成的小凹

D. 中间丝

E. 肌浆网

15. 组成细肌丝的蛋白质是（　　）

A. 肌动蛋白、肌原蛋白和肌球蛋
白

B. 肌动蛋白、肌原蛋白和肌红蛋
白

C. 肌动蛋白、原肌球蛋白和肌钙
蛋白

D. 肌动蛋白、肌球蛋白和肌钙蛋
白

E. 肌球蛋白、肌红蛋白和原肌球
蛋白

（二）多选题

16. 肌组织的特点是（　　）

A. 单纯由肌细胞构成

B. 由肌细胞和大量细胞间质构成

C. 由肌纤维和少量结缔组织构成

D. 骨骼肌受神经支配，属随意肌

E. 心肌和平滑肌不受神经支配，
属不随意肌

17. 关于骨骼肌纤维的三联体，下列叙
述正确的是（　　）

A. 由一个 T 小管与两侧的终池组
成

B. 横小管与肌膜相连续

C. 光镜下可见

D. 其作用是将兴奋传到肌浆网

E. 终池的膜上有钙泵

18. 心肌纤维的结构特点是（　　）

A. 横小管较粗，位于 Z 线水平

B. 肌质网发达，贮钙能力强

C. 终池小，多与横小管形成二联
体

D. 肌原纤维和横纹不明显

E. 细胞间有闰盘

19. 构成骨骼肌纤维细肌丝的蛋白质有
（　　）

A. 肌红蛋白

B. 原肌球蛋白

C. 肌动蛋白

D. 肌钙蛋白

E. 肌球蛋白

20. 闰盘的连接方式包括（　　）

A. 桥粒

B. 缝隙连接

C. 半桥粒

D. 中间连接

E. 突触

21. 平滑肌纤维的光镜结构特点是
（　　）

A. 肌纤维呈长梭形

B. 无横纹

C. 能见明显的肌原纤维

D. 肌纤维有分支

E. 有一个细胞核

22. 肌纤维的肌浆网（　　）

A. 是肌浆内的滑面内质网

B. 肌浆网膜上有钙泵，是一种
ATP 酶

C. 纵行于肌原纤维内

D. 两端呈环形扁囊，称为终池，
与横小管相通

E. 贮存肌红蛋白

23. 骨骼肌纤维的粗肌丝位于肌节的
（　　）

A. Z 线

B. I 带

C. M 线

D. A 带

E. H 带

24. 骨骼肌纤维的细肌丝位于肌节的
（　　）

A. Z 线

B. I 带

C. H 带

D. H 带以外的 A 带

E. M 线

25. 平滑肌纤维不同于心肌纤维的是

（　）
    A. 无线粒体
    B. 无闰盘
    C. 无横小管
    D. 无内质网
    E. 无纵小管

三、是非题

1. 三种肌纤维内均有大量肌丝，肌丝均组成肌原纤维。（　）

2. 心肌纤维横纹不及骨骼肌明显，是由于其肌原纤维不及骨骼肌那样规则，肌丝组成粗细不等的肌丝束。（　）

3. 骨骼肌和心肌是横纹肌，为随意肌；平滑肌无横纹，为不随意肌。（　）

4. 骨骼肌纤维呈长圆柱状，有许多细胞核。（　）

5. 骨骼肌纤维的横小管位于 Z 线水平，心肌纤维的横小管位于明暗带交界处。（　）

6. 相邻骨骼肌纤维之间有缝隙连接，便于细胞间信息传递。（　）

7. 骨骼肌纤维收缩时，明带暗带都缩短。（　）

8. 闰盘位于 Z 线平面，由相邻心肌纤维的突起嵌合而成。（　）

9. 肌内膜是包在肌纤维表面的薄层结缔组织，含丰富毛细血管。（　）

10. TnC 亚单位可与 Ca^{2+} 结合而引起肌钙蛋白构象改变。（　）

四、名词解释

1. 肌节
2. 肌浆网
3. 三联体
4. 闰盘

五、叙述题

1. 试比较骨骼肌、心肌、平滑肌结构的异同点。

2. 试述粗肌丝和细肌丝的分子组成。

参考答案

一、填空题

1. 肌原纤维　$1/2I + A + 1/2I$　基本结构单位
2. 肌纤维　肌膜　肌浆
3. 细肌丝　粗肌丝
4. 肌球蛋白　肌动蛋白　原肌球蛋白　肌钙蛋白
5. 滑面内质网　纵小管　储存钙离子
6. 密体　密斑　游离　细肌丝　肌丝单位　收缩单位
7. 闰盘　横行　阶梯状　嵌合
8. 分支短柱　连接成网　卵圆　中央毛细血管

二、选择题

（一）单选题

1. D。解释：骨骼肌纤维为长圆柱形，核呈椭圆形，多个，位于肌膜下。

2. A。解释：相邻两条 Z 线之间的一段肌原纤维称肌节。每个肌节由 1/2I 带 + A 带 + 1/2I 带组成。

3. E。解释：每个肌节由 1/2I 带 + A 带 + 1/2I 带组成，长约 $2 \sim 2.5\mu m$，它是骨骼肌收缩和舒张功能的基本结构单位。

4. D。解释：由于肌原纤维紧密聚集，相邻肌原纤维的明、暗带又排列在同一平面上，肌纤维上也呈现明暗交替的横纹。

5. E。解释：肌舒张时，肌浆网膜上的钙泵可将肌浆内 Ca^{2+} 泵回肌浆网内，并与钙螯合蛋白结合，储存起来。

6. E。解释：肌钙蛋白由 3 个球形亚单位组成：TnT 亚单位将肌钙蛋白固定于原肌球蛋白上，TnI 是抑制肌动蛋白和肌球蛋白相互作用的亚单位，TnC 亚单位可与 Ca^{2+} 结合而引起肌钙蛋白构象改变。

7. E。解释：横小管又称 T 小管，是由肌膜向肌浆内凹陷形成的小管，它垂直于肌膜表面。

8. A。解释：每条横小管与其两侧的终池组成三联体。

9. E。解释：肌纤维收缩时，细肌丝滑入粗肌丝之间，I 带和 H 带缩窄，A 带长度不变，肌节缩短。

10. A。解释：粗肌丝由肌球蛋白分子组成，肌球蛋白分子平行排列，集合成束，组成一条粗肌丝。

11. B。解释：闰盘在横向连接的部分有中间连接和桥粒；在纵向连接部分有缝隙连接。

12. C。解释：闰盘在纵向连接部分有缝隙连接，便于细胞间信息传导，保证心肌纤维同步收缩。

13. E。解释：平滑肌的骨架系统比较发达，由密斑、密体和中间丝组成。平滑肌纤维肌浆内含有粗、细两种肌丝，细肌丝一端固定于密斑或密体上，另一端游离。粗肌丝均匀地分布在细肌丝之间。

14. C。解释：平滑肌纤维的肌膜向肌浆内凹陷形成数量众多的小凹，相当于横纹肌横小管。

15. C。解释：细肌丝由肌动蛋白、原肌球蛋白和肌钙蛋白三种分子组成。

（二）多选题

16. C、D。解释：肌组织主要由特殊分化的肌细胞组成，肌细胞间有少量结缔组织、血管、淋巴管和神经。骨骼肌受躯体神经支配，属随意肌；心肌和平滑肌受自主神经支配，为不随意肌。

17. A、B、D、E。解释：横小管又称 T 小管，是由肌膜向肌浆内凹陷形成的小管，肌浆网的膜上有钙泵蛋白（一种 ATP

酶），横小管膜的电兴奋可引起肌浆网膜的钙通道开启，使肌浆网内 Ca^{2+} 向肌浆内迅速释放，肌浆内 Ca^{2+} 浓度升高。电镜下可见。

18. A、C、D、E。解释：心肌纤维内大量纵行排列的肌丝组成粗细不等的肌丝束，不形成明显的肌原纤维；横小管较粗，位于 Z 线水平；肌浆网较稀疏，纵小管不甚发达，终池少而小，横小管多与一侧终池相贴组成二联体，故心肌肌浆网储存 Ca^{2+} 能力较差；闰盘位于 Z 线平面。

19. B、C、D。解释：细肌丝由肌动蛋白、原肌球蛋白和肌钙蛋白三种分子组成。

20. A、B、D。解释：闰盘在横向连接的部分有中间连接和桥粒；在纵向连接部分有缝隙连接。

21. A、B、E。解释：平滑肌纤维呈长梭形，有一个细胞核，呈杆状或椭圆形，位于细胞中央，肌浆内含有粗、细两种肌丝，但不形成肌原纤维，故无横纹。

22. A、B。解释：肌浆网是肌纤维内特化的滑面内质网，环绕在肌原纤维周围，位于横小管两侧的肌浆网扩大成环行扁囊称终池，每条横小管与其两侧的终池组成三联体，横小管的肌膜与终池的肌浆网膜间形成三联体连接，肌浆网的膜上有钙泵蛋白（一种 ATP 酶），肌浆网的功能是调节肌浆内 Ca^{2+} 浓度。

23. C、D、E。解释：粗肌丝位于肌节 A 带，中央固定于 M 线上，H 带由粗肌丝组成，而 A 带其余部分则由粗、细两种肌丝组成。

24. A、B、D。解释：细肌丝一端固定于 Z 线上，另一端游离，插入粗肌丝之间，止于 H 带外缘。因此，I 带由细肌丝组成，H 带由粗肌丝组成，而 A 带其余部分则由粗、细两种肌丝组成。

25. B、C、E。解释：平滑肌纤维的肌膜向肌浆内凹陷形成小凹，相当于横纹肌横小管，肌浆网不发达，呈稀疏的小管状。细胞核两端肌浆较多，含有线粒体等细胞器。相邻平滑肌纤维之间有缝隙连接，便于细胞间信息传递，没有闰盘。

三、是非题

正确：2、4、8、9、10。

错误：

1. 解释：平滑肌细胞内没有肌原纤维，不形成明显的肌节。

3. 解释：骨骼肌受躯体神经支配，属随意肌；心肌和平滑肌受自主神经支配，为不随意肌。

5. 解释：骨骼肌纤维的横小管位于明暗带交界处，心肌纤维的横小管位于Z线水平。

6. 解释：相邻平滑肌纤维之间有缝隙连接，便于细胞间信息传递。

四、名词解释

1. 相邻两条Z线之间的一段肌原纤维称肌节，肌节由平行排列的粗、细肌丝构成。每个肌节由1/2I带 + A带 + 1/2I带组成；I带中有细肌丝，细肌丝一端固定于Z线，另一端伸入A带；A带的两侧部分有细肌丝和粗肌丝，中间部分只有粗肌丝，为H带。肌节是肌原纤维的结构和功能单位。

2. 肌浆网是肌纤维内特化的滑面内质网，位于相邻两个横小管之间，环绕肌原纤维。其中央部的主支纵行，故肌浆网也称纵小管；其两端膨大，形成终池。肌质网膜上有钙通道和钙泵。肌浆网有调节肌浆内钙离子浓度的作用，对肌纤维的收缩起重要作用。

3. 三联体位于骨骼肌纤维内，在A带和I带交界处，由一条横小管和其两侧的

终池共同构成。其功能是将肌膜的兴奋传至肌浆网膜，使钙离子大量进入肌浆，引起肌丝滑动，肌原纤维收缩。

4. 闰盘是心肌纤维连接处特有的结构。在H-E染色标本中呈着色较深的横形或阶梯状粗线。电镜下，闰盘位于Z线水平，是由相邻心肌纤维的连接面彼此凹凸嵌合而成；在横位部分有中间连接和桥粒，起着牢固的连接作用；纵位部分有缝隙连接，有利于心肌纤维间交换化学信息和传递电冲动，保证心肌纤维同步收缩。

五、叙述题

1. 答：相同点：①三种肌纤维肌浆内均含肌丝；②均有肌浆网；③均有舒缩功能。

不同点如下所示：

	骨骼肌	心肌	平滑肌
分布	附着于骨骼	心脏壁	心血管壁、内脏器官
收缩特点	随意，收缩快而有力	不随意，有一定节律性	不随意，收缩缓慢
形态	长圆柱形	柱状有分支，吻合成网	长梭形
细胞核	椭圆，多个，位于肌膜下	卵圆，1～2个，居中	椭圆或杆状，一个，居中
肌丝	排列规律，形成明显的肌原纤维	形成肌丝束	粗、细肌丝形成肌丝单位
横纹	明显	有，不及骨骼肌明显	无横纹
横小管	位于A、I带交界处	位于Z线水平	无横小管，有肌膜小凹
肌浆网	发达，具有三联体	稀疏，仅有二联体	很不发达
细胞连接		闰盘	缝隙连接

2. 答：①骨骼肌的肌原纤维由粗、细肌丝沿肌原纤维长轴平行、规律排列而成。②粗肌丝由肌球蛋白分子平行组装而成。肌球蛋白形似豆芽，分为头和杆两部分，头部相当于两个豆瓣。肌球蛋白分子集合

成束，杆部均朝向粗肌丝的中段，头部则朝向粗肌丝的两端并露出表面，称为横桥。③细肌丝由肌动蛋白、原肌球蛋白和肌钙蛋白组成。④球形肌动蛋白单体互相连接形成纤维形，两条纤维状的肌动蛋白缠绕形成双股螺旋链；原肌球蛋白由两条较短的多肽链相互缠绕形成双螺旋结构，多个原肌球蛋白分子首尾相连，嵌于肌动蛋白双螺旋链的浅沟内；每个原肌球蛋白分子上连有一个肌钙蛋白，后者由 3 个球形亚单位组成，分别称为 TnC、TnI 和 TnT。

（张雷）

第五章 神经组织

本章重点、难点：

1. 神经元的定义、分类、光镜和电镜结构
2. 突触的分类及结构
3. 神经纤维的分类及结构
4. 躯体运动神经末梢（运动终板）的结构及功能
5. 神经胶质细胞的分类与形态特征、分布特点
6. 血－脑屏障的结构特点和功能

测试题

一、填空题

1. 神经组织由_____和_____共同组成。前者具_____、_____、_____的功能，后者则对前者起_____、_____、_____和_____的作用。

2. 神经元由_____和_____两部分组成。前者是神经元营养代谢中心，细胞核具有_____、_____、_____等形态特征；细胞质中含有神经元特有的成分如_____和_____；细胞膜具有_____、_____的功能。后者依据结构的不同又可分为_____和_____两种。

3. 神经元根据突起数量的多少可分为_____、_____和_____三种类型；依据神经元轴突长度可分为_____和_____两种类型；依据神经元不同功能可分为_____、_____和_____三种类型；依据神经元释放神经递质和神经调质的种类可分为_____、_____、_____和_____四

种类型。

4. 突触是指神经元与_____之间或_____与_____间特化的_____。

5. 按神经元间发生连接部位的不同，可形成_____突触、_____突触、_____突触、_____突触、_____突触等连接方式。其中以一个神经元_____与另一个神经元的_____或_____形成突触的方式最为常见。

6. 以释放神经递质（化学物质）实现信息传递的突触称_____突触。在电镜下可见，其基本结构是由_____、_____和_____三部分组成。

7. 神经胶质细胞体积较小，形态_____，有突起，但无_____和_____之分，多分布于_____周围。

8. 神经胶质细胞对神经元除具有_____、_____、_____功能外，还对神经元的正常_____、_____、_____、_____等起重要的维持和调节作用。同时，还能参与_____的形成。

9. 中枢神经系统的神经胶质细胞可包括_____、_____、_____和_____等种类。周围神经系统的神经胶质细胞可包括_____和_____两种类型。

10. 神经纤维是由神经元的_____和包绕其外侧的_____共同组成。依据神经胶质细胞是否形成_____，可将神经纤维分为_____和_____两种类型。

11. 神经纤维末端主要分布在组织和器官内，其_____与周围_____共同形成具有特殊结构和功能的_____，同时按其功能不同可将其分为_____和_____两类。

12. 依据感觉神经末梢形态结构的差异，可将其分为_____和_____两种类型。后者依据其结构、分布和功能的不同又可分为_____、_____和_____三种。

13. 运动神经末梢依据分布部位的不同，可分为_____和_____两种类型。前者分布在骨骼肌纤维处的运动神经末梢，又称_____。后者主要分布在内脏及血管壁的_____、_____、_____处的运动神经末梢。

二、选择题

（一）单选题

1. 有关神经元形态结构与功能叙述中，错误的是（　　）
   - A. 神经元为多突起细胞
   - B. 神经元是神经系统结构与功能的基本单位
   - C. 神经元的突起可分为轴突和树突两类
   - D. 神经元的尼氏体和神经原纤维可分布于胞体和突起内
   - E. 神经元具有接受刺激、传导冲动和整合信息的功能

2. 神经元传导神经冲动是通过（　　）
   - A. 神经微丝
   - B. 神经微管
   - C. 神经内膜
   - D. 轴浆
   - E. 轴膜

3. 有关突触的叙述中，错误的是（　　）
   - A. 是神经元与神经元之间或神经元与非神经元之间特化的细胞连接
   - B. 可分为化学突触和电突触两类
   - C. 光镜下化学突触是由突触前成分、突触间隙和突触后成分三

部分所组成
   - D. 突触前成分含有突触小泡
   - E. 突触后成分含有神经递质的受体

4. 突触前膜是指（　　）
   - A. 轴突末端的细胞膜
   - B. 树突末端的细胞膜
   - C. 胞体的细胞膜
   - D. 释放神经递质处的细胞膜
   - E. 受体所在部位的细胞膜

5. 形成有髓神经纤维髓鞘的是（　　）
   - A. 神经膜
   - B. 施万细胞的细胞膜
   - C. 施万细胞的细胞膜与基膜
   - D. 轴膜
   - E. 神经内膜

6. 有关神经胶质细胞叙述中，错误的是（　　）
   - A. 数量较神经元多
   - B. 细胞形态多样
   - C. 有突起，并有树突和轴突之分
   - D. 无传导神经冲动的功能
   - E. 可保持终生分裂的能力

7. 具有吞噬功能的神经胶质细胞是（　　）
   - A. 星形胶质细胞
   - B. 少突胶质细胞
   - C. 小胶质细胞
   - D. 施万细胞
   - E. 卫星细胞

8. 有关原浆性星形胶质细胞叙述中，错误的是（　　）
   - A. 细胞呈星形多突
   - B. 突起短而粗
   - C. 突起表面粗糙
   - D. 突起内含少量胶质丝
   - E. 主要分布于中枢神经系统的白质中

9. 组成神经膜的是（　　）
  A. 轴膜与基膜
  B. 施万细胞的细胞膜与基膜
  C. 神经内膜与基膜
  D. 室管膜与基膜
  E. 以上都不是

10. 体内数量最多的神经元类型是（　　）
  A. 假单极神经元
  B. 长轴突大神经元
  C. 感觉神经元
  D. 运动神经元
  E. 中间神经元

11. 肌梭的功能是（　　）
  A. 感受骨骼肌纤维的伸、缩变化
  B. 感受平滑肌纤维的伸、缩变化
  C. 感受肌腱的伸、缩变化
  D. 感受肌组织的压力变化
  E. 以上都不是

12. 运动终板可分布在（　　）
  A. 骨骼肌纤维
  B. 平滑肌纤维
  C. 心肌纤维
  D. 腺细胞
  E. 以上都不是

13. 突触槽是指（　　）
  A. 神经元轴突末端膨大
  B. 神经元轴突的爪样分支
  C. 肌膜表面局部凹陷
  D. 肌膜表面反复凹陷
  E. 以上都不是

14. 在神经元的胞质中，与蛋白质合成有关的是指（　　）
  A. 高尔基复合体
  B. 线粒体
  C. 尼氏体
  D. 溶酶体
  E. 吞噬体

15. 胞质中含有神经原纤维的细胞是指（　　）
  A. 原浆性星形胶质细胞
  B. 纤维性星形胶质细胞
  C. 少突胶质细胞
  D. 小胶质细胞
  E. 神经细胞

16. 被称之为运动神经末梢的是指（　　）
  A. 触觉小体
  B. 环层小体
  C. 运动终板
  D. 肌梭
  E. 腱梭

17. 神经元营养代谢和功能活动中心的部位是指
  A. 胞体
  B. 胞核
  C. 胞膜
  D. 轴突
  E. 轴丘

18. 参与周围神经系统有髓神经纤维髓鞘形成的细胞是指（　　）
  A. 原浆性星形胶质细胞
  B. 纤维性星形胶质细胞
  C. 少突胶质细胞
  D. 施万细胞
  E. 卫星细胞

19. 将神经冲动传至其他神经元或效应细胞的是指（　　）
  A. 轴突
  B. 树突
  C. 树突棘
  D. 电突触
  E. 化学突触

20. 将神经冲动传至胞体的是指（　　）
  A. 轴突
  B. 树突

C. 树突棘

D. 电突触

E. 化学突触

21. 构成神经元细胞骨架的是（　　）

    A. 粗面内质网

    B. 高尔基复合体

    C. 线粒体

    D. 尼氏体

    E. 神经原纤维

22. 化学突触可释放神经递质处的细胞膜称（　　）

    A. 轴膜

    B. 神经膜

    C. 神经胶质膜

    D. 突触前膜

    E. 突触后膜

23. 电突触的结构基础是指（　　）

    A. 紧密连接

    B. 中间连接

    C. 桥粒连接

    D. 缝隙连接

    E. 半桥粒

24. 突触后膜上，能与神经递质和神经调质发生特异性结合的蛋白分子称（　　）

    A. 肌球蛋白

    B. 原肌球蛋白

    C. 肌动蛋白

    D. 肌钙蛋白

    E. 受体蛋白

25. 每个施万细胞所包绕的一段轴突其形成的节段称一个（　　）

    A. 触觉小体

    B. 环层小体

    C. 结间体

    D. 二连体

    E. 三连体

（二）多选题

26. 神经元的主要功能是（　　）

    A. 接受体内外刺激

    B. 整合信息

    C. 传导冲动

    D. 支持、保护和营养

    E. 修复和绝缘

27. 构成尼氏体的主要成分是（　　）

    A. 粗面内质网

    B. 高尔基复合体

    C. 线粒体

    D. 溶酶体

    E. 游离核糖体

28. 关于对神经元突起的描述，正确的是（　　）

    A. 神经元的突起有树突和轴突之分

    B. 树突可以有一至多个

    C. 轴突仅有一个

    D. 树突表面光滑、分支少

    E. 轴突表面粗糙而分支多

29. 关于对突触前成分的正确描述是（　　）

    A. 突触前成分包括突触小泡和突触前膜

    B. 突触前膜为轴突末端的轴膜

    C. 突触前膜特化增厚，其膜蛋白具有电位门控通道作用

    D. 特异性蛋白质受体也是突触前膜的重要成分之一

    E. 化学门控通道也存在于突触前膜之中

30. 周围神经系统有髓神经纤维一个结间体在光镜下显示的完整结构是（　　）

    A. 轴突

    B. 树突

    C. 神经膜

    D. 髓鞘

    E. 突触

31. 不具备有吞噬功能的神经胶质细胞

是指（　　）

    A. 原浆性星形胶质细胞

    B. 纤维性星形胶质细胞

    C. 少突胶质细胞

    D. 小胶质细胞

    E. 室管膜细胞

32. 在下列神经末梢中，其末梢分支的末端不形成串珠或膨大的小结状膨体是指（　　）

    A. 游离神经末梢

    B. 触觉小体

    C. 内脏运动神经末梢

    D. 肌梭

    E. 运动终板

33. 在电镜下，正确描述化学突触的结构是指（　　）

    A. 突触前成分

    B. 突触间隙

    C. 狄氏间隙

    D. 缝隙连接

    E. 突触后成分

34. 有关神经元结构描述正确的是（　　）

    A. 细胞形态不一

    B. 细胞核较小

    C. 突起长短不等

    D. 胞体内有尼氏体

    E. 核仁明显

35. 在电镜下观察，轴突内不存在的成分是（　　）

    A. 尼氏体

    B. 微丝

    C. 微管

    D. 高尔基复合体

    E. 神经丝

36. 两个神经元间可发生（　　）

    A. 轴－树突触

    B. 轴－体突触

    C. 轴－轴突触

    D. 树－树突触

    E. 体－体突触

37. 有被囊的神经末梢是指（　　）

    A. 肌梭

    B. 运动终板

    C. 触觉小体

    D. 环层小体

    E. 内脏运动神经末梢

38. 有关运动终板描述正确的是（　　）

    A. 又称躯体运动神经末梢

    B. 属运动神经元长轴突的末梢

    C. 轴突末端不含突触小泡

    D. 一个运动神经元支配多条骨骼肌纤维

    E. 一条骨骼肌纤维通常只接受一个轴突分支的支配

39. 肌梭的功能包括（　　）

    A. 感受骨骼肌纤维的伸缩

    B. 感受骨骼肌纤维的牵拉

    C. 产生机体各部位姿势感觉

    D. 产生机体各部位位置感觉

    E. 构成机体本体感受器

40. 内脏运动神经末梢主要分布于（　　）

    A. 食管骨骼肌

    B. 小肠平滑肌

    C. 血管平滑肌

    D. 心肌

    E. 腺细胞

三、是非题

1. 神经细胞是神经系统结构和功能的基本单位，亦称神经元。（　　）

2. 神经元的细胞膜为质膜结构，其厚度比普通细胞的细胞膜厚。（　　）

3. 神经元胞体内含有神经原纤维，表明胞体具有旺盛的合成蛋白质功能。（　　）

4. 感觉神经元又称传入神经元，多属假单极神经元。（　）

5. 以释放神经递质方式实现信息传递的突触称化学突触。（　）

6. 神经纤维是由神经元的长突起及包裹在其外面的神经胶质细胞共同组成。（　）

7. 被囊神经末梢包括有触觉小体、环层小体、肌梭和运动终板等。（　）

8. 躯体运动神经末梢是指分布在骨骼肌纤维的运动神经末梢，又称运动终板。因其分支末端在形成串珠样膨大后与骨骼肌纤维形成突触连接，也称神经肌连接。（　）

四、名词解释

1. 神经原纤维
2. 尼氏体
3. 假单极神经元
4. 肌梭
5. 髓鞘
6. 血－脑屏障
7. 运动单位
8. 郎飞结

五、叙述题

1. 简述光、电镜下神经元的形态结构与功能特点。
2. 试述突触的定义和化学性突触的电镜结构。
3. 试述有髓神经纤维光、电镜结构。
4. 试述运动终板光、电镜结构与功能。
5. 试述各类神经胶质细胞形态结构特点及功能。

参考答案

一、填空题

1. 神经细胞　神经胶质细胞　接受刺激　整合信息　传导冲动　支持　保护　营养　修复　绝缘

2. 胞体　突起　大而圆　核膜明显　核仁清晰　尼氏体　神经原纤维　接受刺激　传导冲动　轴突　树突

3. 多极神经元　双极神经元　假单极神经元　长轴突大神经元或高尔基Ⅰ型神经元　短轴突小神经元或高尔基Ⅱ型神经元　感觉神经元　运动神经元　中间神经元　胆碱能神经元　胺能神经元　氨基酸能神经元　肽能神经元

4. 神经元　神经元　非神经元（肌细胞或腺细胞）　细胞连接

5. 轴－树　轴－体　轴－轴　树－树　轴－棘　轴突末端　树突　胞体

6. 化学　突触前成分　突触后成分　突触间隙

7. 各异　轴突　树突　神经元

8. 支持　营养　保护　生理活动　发育　代谢　修复　血－脑屏障

9. 星形胶质细胞　少突胶质细胞　小胶质细胞　室管膜细胞　神经膜细胞（施万细胞）卫星细胞（被囊细胞）

10. 长突起　神经胶质细胞　髓鞘　有髓神经纤维　无髓神经纤维

11. 终末部分　组织　神经末梢　感觉神经末梢　运动神经末梢

12. 游离神经末梢　被囊神经末梢　触觉小体　环层小体　肌梭

13. 躯体运动神经末梢　内脏运动神经末梢　运动终板　平滑肌　心肌　腺细胞

二、选择题

（一）单选题

1. D。解释：在神经元的轴突中虽有神经原纤维存在，但不含尼氏体。

2. E。解释：轴膜电阻比较低而电容较高，电流通过轴膜产生兴奋性。

3. C。解释：只有在电镜下才能分辨出化学突触的突触前成分、突触间隙和突触后成分。

4. D。解释：凡能构成细胞间特化的细胞连接，并能释放神经递质的细胞膜面均可称突触前膜。

5. B。解释：施万细胞分布在周围神经系统的神经纤维中，细胞呈扁平状。当有髓神经纤维发生时，伴随轴突一起生长的施万细胞表面凹陷形成纵沟，轴突陷入并形成系膜，再呈同心圆反复包卷轴突，从而形成髓鞘。

6. C。解释：神经胶质细胞虽有突起，但无轴突和树突之分。

7. C。解释：小胶质细胞之所以具有吞噬功能是因为其是机体单核吞噬细胞系统的成员之一。

8. E。解释：原浆性星形胶质细胞主要分布在脑和脊髓的灰质中。

9. B。解释：当周围神经系统的有髓神经纤维形成时，神经膜细胞（施万细胞）包卷形成髓鞘后其最外层细胞膜与其外方的基膜合称神经膜。

10. E。解释：因为中间神经元是构成中枢神经系统内复杂的神经网络结构。

11. A。解释：肌梭是指分布在骨骼肌内的感觉神经末梢，主要是感受骨骼肌纤维的伸缩、牵拉刺激，使机体产生各部位姿势、位置状态的感觉。

12. A。解释：运动终板是指分布在骨骼肌纤维处的运动神经末梢。

13. C。解释：突触槽是指运动终板与肌纤维相连接的肌膜面所形成的凹陷。

14. C。解释：尼氏体是由粗面内质网和游离核糖体结合的复合物，是蛋白质合成的重要场所。

15. E。解释：只有神经细胞内含有神经原纤维。

16. C。解释：运动终板是指分布在骨骼肌纤维处的运动神经末梢。

17. A。解释：在胞体内含多种细胞器，尤其是含尼氏体和神经原纤维等特殊成分，与营养代谢和功能活动密切相关。

18. D。解释：施万细胞是周围神经系统有髓神经纤维髓鞘形成的唯一细胞。

19. A。解释：轴突的主要功能是将神经冲动传离细胞体。

20. B。解释：树突的主要功能是接受刺激，并将刺激引起的神经冲动传入胞体。

21. E。解释：电镜下神经原纤维是神经丝和神经微管构成的束状物，在神经元内发挥了细胞骨架作用。

22. D。解释：突触前膜为特化性增厚的膜，胞质面附有致密物质和致密突起，并具有电位门控通道。

23. D。解释：电突触是指两种神经元间存在的缝隙连接。

24. E。解释：受体蛋白具有与神经递质和神经调质特异性结合的作用。

25. C。解释：结间体是存在于周围神经系统有髓神经纤维上的特殊节段，并必须是由施万细胞包绕轴突而形成。

（二）多选题

26. A、B、C。解释：神经元是神经系统结构和功能的基本单位，其功能就是接受刺激、整合信息和传导神经冲动。

27. A、E。解释：尼氏体具有蛋白质合成的作用，因此粗面内质网和游离核糖体分别是尼氏体的形态学基础和物质基础。

28. A、B、C。解释：典型完善的神经元其突起都有树突和轴突之分，树突可为多个而轴突仅有一个。

29. A、B、C。解释：突触前成分的结构包括突触前膜和大量突触小泡；突触前膜为轴突末端的轴膜，并特化增厚，其膜蛋白具有电位门控通道作用。而特异性蛋白质受体和化学门控通道均不存在于突触后成分之中。

30. A、C、D。解释：在有髓神经纤维中一个完整的结间体应该具备轴突、神经膜和髓鞘。

31. A、B、C、E。解释：因为原浆性星形胶质细胞、纤维性星形胶质细胞、少突胶质细胞和室管膜细胞都不属于单核吞噬细胞系统分布在中枢神经系统的成员，因此都不具备吞噬的功能。

32. A、B、D、E。解释：其神经末梢分支的末端能形成串珠或膨大的小结状膨体的只有内脏运动神经末梢，其余的神经末梢均不存在。

33. A、B、E。解释：在电镜下观察，一个完整的化学突触结构是由突触前成分、突触后成分以及两者间的突触间隙构成。

34. A、C、D、E。解释：神经元的形态、大小差异甚大，小者直径仅 5 ~ 6μm，大者可达 100μm 以上。细胞质内除含一般细胞器外，还富含尼氏体。细胞核体积大，着色浅，核膜明显，核仁清晰。在每个神经元的突起中，都有长短不一的轴突和树突存在。尤其是轴突，短者几 μm，长者可达 1m 以上。

35. A、D。解释：在电镜下观察，轴突内可见到来自胞体的微管、微丝和神经丝的分布，但看不到尼氏体和高尔基复合体的分布。

36. A、B、C、D、E。解释：按两个神经元间发生的连接部位不同，可形成轴－树突触、轴－体突触、轴－轴突触、树－树突触、体－体突触等连接方式。

37. A、C、D。解释：按功能不同可将神经末梢分为感觉神经末梢和运动神经末梢两类。依据感觉神经末梢形态结构的差异，又可将其分为游离神经末梢和被囊神经末梢。后者包括触觉小体、环层小体和

肌梭。

38. A、B、D、E。解释：躯体运动神经末梢又称运动终板。来自脊髓前角或脑干的运动神经元长轴突接近骨骼肌纤维时失去髓鞘，各分支末端再形成纽扣样膨大后与骨骼肌纤维形成突触连接。一个运动神经元支配的骨骼肌纤维少者 1 ~ 2 条，多者可达数千条。而一条骨骼肌纤维通常只接受一个轴突分支的支配。

39. A、B、C、D、E。解释：肌梭主要是感受骨骼肌纤维的伸缩、牵拉刺激，使机体产生各部位姿势、位置状态的感觉。肌梭属本体感受器，在调节骨骼肌活动中起重要作用。

40. B、C、D、E。解释：内脏运动神经末梢是指分布在内脏及血管壁的平滑肌、心肌和腺细胞处的运动神经末梢。

三、是非题

正确：1、4、5、6。
错误：

2. 解释：神经元的细胞膜较普通细胞的细胞膜薄。

3. 解释：神经原纤维与神经元内的蛋白质合成无关。

7. 解释：运动终板不属于被囊神经末梢。

8. 解释：躯体运动神经末梢其分支末端不形成串珠样膨大。

四、名词解释

1. 在光镜下观察镀银标本时，可见神经元胞质内含有许多棕黑色、交错排列的细丝状结构称神经原纤维。在电镜下观察，神经原纤维是由神经丝和神经微管聚合而成。神经原纤维除构成神经元的细胞骨架外，还参与神经元内的物质运输。

2. 在神经元的胞质中，尼氏体在光镜

下呈强嗜碱性，形似斑块状或颗粒状，分布均匀。在电镜下观察，尼氏体由大量粗面内质网和游离核糖体组成，具有旺盛的蛋白质合成功能。

3. 指神经元胞体先发出一个突起，此突起离胞体不远处再分出两个分支，其中一支分布在组织器官中，称其为周围突；另一支进入中枢神经系统，称其为中枢突。故称此类神经元为假单极神经元。

4. 肌梭是指分布在骨骼肌内的感觉神经末梢，呈梭形，被囊内有数条呈梭形排列的骨骼肌纤维。其功能主要是感受骨骼肌纤维的伸缩和牵拉刺激。

5. 髓鞘是由神经膜细胞又称施万细胞的细胞膜呈同心圆包卷轴突而成。其主要化学成分是髓磷脂和蛋白质。电镜下观察，髓鞘呈明暗相间的板层状结构。髓鞘对神经纤维具有保护、绝缘等作用。

6. 是由连续毛细血管、基膜和神经胶质膜共同形成的严密的屏障结构，可有效地限制血液中某些物质（如细菌、病毒及其他有害物质）对血管壁的通透，从而对脑组织起到有效的保护作用。

7. 一个运动神经元支配的骨骼肌纤维少者1~2条，多者可达上千条。而一个运动神经元及其所支配的全部骨骼肌纤维合称一个运动单位。

8. 有髓神经纤维的髓鞘呈节段状，每一节段为一个结间体，两个结间体之间因无髓鞘而缩窄，称此为郎飞结。此处轴膜裸露，电阻较低，有利于神经冲动呈跳跃式传导。

五、叙述题

1. 答：神经元为多突细胞，可分为胞体和突起两部分。

胞体：是神经元营养代谢中心。胞体大小不等，形态各异，常呈锥形、星形、或圆形。神经元的细胞膜为质膜结构，薄于普通细胞膜，膜上嵌有多种膜蛋白，其中有些膜蛋白是离子通道；还有一些膜蛋白是受体。神经元的细胞膜属可兴奋膜，具有接受刺激、传导冲动的功能。细胞核大而圆，居中，着色浅，核膜明显，核仁清晰。细胞质中常含有一些特殊的细胞器和包含物，如光镜下可见大小不等呈嗜碱性的斑块或颗粒结构，称尼氏体。电镜下尼氏体是由密集排列的粗面内质网和游离核糖体构成。表明胞体具有旺盛的合成蛋白质功能。在银染标本上，光镜下可见胞质内含有许多交错排列的细丝状结构，称神经原纤维。电镜下，神经原纤维是由神经丝和神经微管集合成束构成。神经原纤维构成神经元的细胞骨架，并参与物质运输。在光镜下观察，胞质内还可见棕黄色颗粒状结构称脂褐素，是脂类物质的代谢产物。具有内分泌功能的神经元胞质中还含有分泌颗粒，颗粒内常含肽类物质称神经激素。

突起：依据形态结构及功能的差异，突起又可分为树突和轴突。

（1）树突：一个神经元有一个或多个树突，树突起始部较粗，反复分支而逐渐变细。在电镜下观察，树突内的胞质结构与核周质基本相同，但无高尔基复合体。分支后的树突表面有许多长约 $2\mu m$ 的棘状小突起称树突棘，是神经元之间发生联络的主要部位。树突的主要功能是接受刺激，并将刺激引起的神经冲动传入胞体。

（2）轴突：每个神经元仅有一个，细而长。表面的细胞膜称轴膜；轴突内的胞质称轴质（轴浆）；胞体发出轴突的起始部常呈圆锥形称轴丘，内无尼氏体而染色浅。神经原纤维沿轴突长轴平行成束排列。轴突的功能是将胞体发出的信号传至另一神经元或效应细胞。

2. 答：突触是指神经元与神经元之间或神经元与非神经元（肌细胞或腺细胞）之间特化的细胞连接。

结构：光镜下神经元轴突末端膨大并紧贴于另一神经元胞体和树突的表面，形成突触结。在电镜下观察，化学突触由以下三部分组成：

（1）突触前成分：包括突触前膨大和突触前膜两部分。①突触前膨大为轴突末端膨大部分，其轴质内含有较多的线粒体、大量聚集的突触小泡和微管、微丝等。突触小泡内含神经递质及神经调质。②突触前膜为轴突末端特化性增厚的轴膜，主要为胞质面附有一些致密物质所致。突触前膜还富含电位门控通道。

（2）突触后成分：是指与突触前膜相对应的另一神经元胞体膜或树突膜部分，又称突触后膜。此处的细胞膜也出现特化性增厚，膜内含有能与突触小泡内神经递质、神经调质发生特异性结合的受体蛋白，发挥化学门控通道作用。

（3）突触间隙：是位于突触前膜与突触后膜之间的狭小间隙，宽约 15 ～ 30nm，内含能消化、水解小泡内各种神经递质相应的酶。

3. 答：在光镜下观察，周围神经系统的有髓神经纤维呈长条节段形，其中央有轴突穿行又称轴索。纵切面观轴突外有节段样包裹的髓鞘，每一节段称结间体，两结间体间狭窄区称郎飞结。髓鞘是由神经膜细胞的细胞膜呈同心圆包卷轴突而成。最外层细胞膜与其外方的基膜合称为神经膜。电镜下观察，髓鞘呈明暗相间的板层状，两结间体相连的狭窄区域无髓鞘到达，轴突膜裸露，有利于神经冲动呈跳跃式传导。中枢神经系统中有髓神经纤维的髓鞘是由少突胶质细胞的突起末端呈叶片状包绕轴突而成。

4. 答：是指分布在骨骼肌纤维处的运动神经末梢。当运动神经元长轴突接近骨骼肌纤维时失去髓鞘，裸露的轴突呈爪样分支，各分支末端再形成纽扣样膨大后与骨骼肌纤维形成突触连接，称神经肌连接。电镜下可见，与运动终板相连接的肌纤维富含肌浆、较多的细胞核以及线粒体，此处的肌膜凹陷形成突触槽，突触槽内的肌膜再向肌质内凹陷形成皱褶称连接裂，富含突触小泡的轴突末端嵌入突触槽内，轴膜与肌膜间约有 30 ～ 50nm 的间隙。此处的轴膜为突触前膜，槽底的肌膜为突触后膜。突触后膜上有乙酰胆碱 N 型受体，轴突终末内有大量含乙酰胆碱的圆形突触小泡以及线粒体、微管、微丝等。当神经冲动到达运动终板时，突触小泡移附于突触前膜，借出胞作用释放其内的乙酰胆碱到突触间隙，大部分乙酰胆碱与突触后膜上的乙酰胆碱 N 型受体结合，使肌膜两侧离子分布发生变化而产生兴奋，从而引起肌纤维的收缩。一个运动神经元及其所支配的全部骨骼肌纤维合称一个运动单位。

5. 答：中枢神经系统的胶质细胞：①星形胶质细胞，胞体呈星状，放射状伸展的突起末端膨大形成脚板，常附着在毛细血管壁，参与构成血 - 脑屏障，或在脑、脊髓表面，形成胶质膜。分布在脑、脊髓灰质和白质处的星形胶质细胞形态结构上存有差异，白质处的星形胶质细胞突起细长，分支少，表面光滑，胞质内胶质丝较多，称其为纤维性星形胶质细胞。灰质处的星形胶质细胞，突起短而粗，分支多，表面粗糙，突起内胶质丝较少，称其为原浆性星形胶质细胞。②少突胶质细胞：胞体小，呈梨形，因突起少而得名。突起末端呈叶片样膨大，是中枢神经系统有髓神经纤维髓鞘的形成细胞。③小胶质细胞：胞体小，突起细长，表面形成许多小棘，胞质内含有大量的溶酶体，主要分布于大、小脑和脊髓的灰质中，具有吞噬功能。④室管膜细胞：细胞呈立方或柱状，细胞游离面形成微绒毛或纤毛，基底面伸出细长的突起，是室管膜的形成细胞。

周围神经系统的胶质细胞：①神经膜细胞：又称施万细胞，椭圆形，呈串排列，胞质少，是周围神经系统有髓神经纤维髓鞘的形成细胞，并对神经的再生具有支持、诱导作用。②卫星细胞：又称被囊细胞，细胞常呈扁平或立方形，着色深。主要位于神经节内，对神经元起支持、保护作用。

（李中华）

第六章 神经系统

本章重点、难点：

1. 脊髓灰质的组织结构，前角、后角、侧角神经元的种类、分布、形态和功能

2. 大脑皮质的分层和几种主要的神经元

3. 小脑皮质的分层和几种主要的神经元

4. 脑脊膜的结构

5. 神经节的结构

测试题

一、填空题

1. 神经系统主要由神经组织构成，神经系统包括 _____ 和 _____。前者包括 _____ 和 _____，后者包括脑神经、脊神经、_____ 和脑神经节、脊神经节、_____。

2. 神经节一般为卵圆形，外面包裹结缔组织被膜。神经节中的神经元称 _____，其胞体被一层 _____ 包裹。

3. 脊神经节内的神经元为 _____；自主神经节中的节细胞主要是自主神经系统的节后神经元，属 _____。

4. 脊髓前角内的神经元主要为 _____，体积大小不一，大的称 _____，分布到骨骼肌的梭外肌，支配骨骼肌运动；小的称 _____，支配肌梭内的肌纤维，调节肌张力。后角内的神经元类型较复杂，主要接受后根 _____ 的中枢突传入的神经冲动。

5. 小脑皮质从表及里呈现明显的三层：_____、_____ 和 _____。

6. 小脑皮质内的神经元有五种：_____、_____、_____、_____ 和 _____。

7. 小脑皮质的传入纤维可分 _____、_____ 和 _____ 三种，其中 _____ 纤维为抑制性纤维。

8. 大脑皮质的神经元按细胞的形态分为 _____、_____ 和 _____ 三种。

9. 大脑皮质一般可分六层，从表面到深层分别为 _____、_____、_____、_____、_____ 和 _____。

10. 脑脊膜是包裹在脑和脊髓表面的结缔组织膜。由外向内分为 _____、_____ 和 _____ 三层。

11. 在中枢神经系统中，灰质是指 _____ 的结构，白质是指 _____ 的结构。

二、选择题

（一）单选题

1. 构成大脑皮质的多极神经元是（ ）

    A. 锥体细胞、星形细胞与蒲肯野细胞

    B. 锥体细胞、篮状细胞与蒲肯野细胞

    C. 锥体细胞、高尔基细胞与颗粒细胞

    D. 锥体细胞、高尔基细胞与梭形细胞

    E. 锥体细胞、颗粒细胞与梭形细胞

2. 关于小脑蒲肯野细胞层的描述中，

哪一项错误（　　）

  A. 由一层蒲肯野细胞胞体组成

  B. 蒲肯野细胞胞体大，呈梨形

  C. 细胞顶端有 2~3 条主树突伸向髓质

  D. 主树突四周分支繁多，形如扇形

  E. 底部发出轴突伸入髓质

  3. 以下哪一器官含假单极神经元（　　）

  A. 脑、脊神经节

  B. 自主神经节

  C. 大脑皮质

  D. 小脑皮质

  E. 脊髓灰质

  4. 胞体呈梨形的神经元是（　　）

  A. 假单极神经元

  B. 星形胶质细胞

  C. 小脑蒲肯野细胞

  D. 神经膜细胞

  E. 卫星细胞

  5. 小脑皮质的传入纤维有（　　）

  A. 肽能纤维和胆碱能纤维

  B. 胆碱能纤维和肾上腺素能纤维

  C. 攀缘纤维、胆碱能纤维和肾上腺素能纤维

  D. 攀缘纤维、苔藓纤维和肾上腺素能纤维

  E. 攀缘纤维、苔藓纤维和单胺能纤维

  6. 在中枢神经系统中，神经元胞体集中的结构称为（　　）

  A. 白质

  B. 灰质

  C. 神经节

  D. 神经丛

  E. 髓质

  7. 在周围神经系统中，神经元胞体集中的结构称为（　　）

  A. 白质

  B. 灰质

  C. 神经节

  D. 皮质

  E. 髓质

  8. 下列关于蛛网膜和软膜的论述哪项是错误的（　　）

  A. 蛛网膜是薄层疏松结缔组织，有小梁连于软膜

  B. 蛛网膜与软膜间的腔隙叫蛛网膜下隙

  C. 蛛网膜下隙内有脑脊液，可借蛛网膜颗粒吸收入硬膜静脉窦

  D. 软膜内无血管分布

  E. 蛛网膜内、外表面均被覆有单层扁平上皮

  9. 大脑皮质由浅入深依次是（　　）

  A. 分子层、外锥体细胞层、内锥体细胞层、多形细胞层、外颗粒层和内颗粒层

  B. 分子层、内锥体细胞层、外锥体细胞层、多形细胞层、外颗粒层和内颗粒层

  C. 分子层、外颗粒层、外锥体细胞层、内颗粒层、内锥体细胞层和多形细胞层

  D. 外锥体细胞层、外颗粒层、内锥体细胞层、内颗粒层和多形细胞层

  E. 多形细胞层、内颗粒层、内锥体细胞层、外颗粒层、外锥体细胞层、分子层

  10. 蒲肯野细胞分布在（　　）

  A. 大脑皮质

  B. 小脑皮质

  C. 脊髓灰质

  D. 脊神经节

E. 自主神经节

11. 锥体细胞分布在（　　）

　　A. 大脑皮质

　　B. 小脑皮质

　　C. 脊髓灰质

　　D. 脊神经节

　　E. 自主神经节

12. 自主神经节的节细胞（　　）

　　A. 是神经胶质细胞的一种

　　B. 有大量的卫星细胞包绕形成髓鞘

　　C. 由神经膜细胞（施万细胞）包绕

　　D. 属多极运动神经元

　　E. 胞质内的尼氏体呈斑块状

13. 脑脊液是由哪种结构分泌的（　　）

　　A. 脉络丛上皮下的毛细血管

　　B. 脉络膜

　　C. 脉络丛上皮

　　D. 室管膜上皮

　　E. 星形胶质细胞分泌

14. 小脑皮质颗粒层中的细胞有（　　）

　　A. 颗粒细胞和高尔基细胞

　　B. 星形细胞和颗粒细胞

　　C. 星形细胞和篮状细胞

　　D. 高尔基细胞和篮状细胞

　　E. 水平细胞和星形细胞

15. 大脑皮质分子层中有（　　）

　　A. 水平细胞和星形细胞

　　B. 篮状细胞和梭形细胞

　　C. 星形细胞和梭形细胞

　　D. 梭形细胞和篮状细胞

　　E. 蒲肯野细胞

16. 脑脊膜包括三层，从外向内分别是（　　）

　　A. 硬膜、被膜和蛛网膜

　　B. 硬膜、蛛网膜和软膜

　　C. 硬膜、蛛网膜和被膜

　　D. 硬膜、软膜和脉络膜

　　E. 蛛网膜、被膜和硬膜

17. 大脑皮质多形细胞层内的主要神经元是（　　）

　　A. 锥体细胞

　　B. 星形细胞

　　C. 颗粒细胞

　　D. 梭形细胞

　　E. 蒲肯野细胞

18. 小脑皮质可分为三层，由外向内分别是（　　）

　　A. 分子层、锥体细胞层和颗粒层

　　B. 分子层、颗粒层和蒲肯野细胞层

　　C. 分子层、蒲肯野细胞层和节细胞层

　　D. 分子层、蒲肯野细胞层和颗粒层

　　E. 颗粒层、蒲肯野细胞层和分子层

19. 大脑皮质的主要神经元有（　　）

　　A. 锥体细胞和梨状细胞

　　B. 锥体细胞和星形细胞

　　C. 锥体细胞和篮状细胞

　　D. 锥体细胞和颗粒细胞

　　E. 锥体细胞和水平细胞

20. 下列哪种细胞是大脑皮质内的主要投射神经元（　　）

　　A. 颗粒细胞

　　B. 锥体细胞

　　C. 篮状细胞

　　D. 双极细胞

　　E. 水平细胞

（二）多选题

21. 小脑皮质的神经元有（　　）

　　A. 星形细胞

　　B. 篮状细胞

　　C. 颗粒细胞

D. 蒲肯野细胞

E. 高尔基细胞

22. 大脑皮质的神经元包括（　　）

    A. 蒲肯野细胞

    B. 梭形细胞

    C. 颗粒细胞

    D. 锥体细胞

    E. 高尔基细胞

23. 大脑皮质内哪些神经元轴突组成投射纤维或联合穿出纤维（　　）

    A. 星形细胞

    B. 篮状细胞

    C. 大锥体细胞

    D. 大梭形细胞

    E. 水平细胞

24. 关于大脑皮质下列哪些是正确的（　　）

    A. 大脑皮质的传出神经元主要是锥体细胞和梭形细胞

    B. 一般可分为6层

    C. 第1至4层主要接受传入信息

    D. 投射纤维主要起自第5层的锥体细胞和第6层的大梭形细胞

    E. 分子层内无神经元

25. 脊髓灰质内有（　　）

    A. 前角运动神经元

    B. 后角内有束细胞

    C. 胸腰段脊髓侧角内有内脏运动神经元

    D. 前角内的蒲肯野细胞

    E. 锥体细胞

26. 与脑脊神经节相比，自主神经节的特点是（　　）

    A. 节细胞主要是自主神经系统的节后神经元，属多极运动神经元

    B. 节内神经纤维主要为无髓神经纤维

    C. 节细胞属假单极神经元

    D. 节细胞胞质内的尼氏体呈"虎斑状"

    E. 节细胞胞质内的尼氏体呈细颗粒状

27. 关于小脑蒲肯野细胞的描述中，哪些正确（　　）

    A. 是小脑皮质中唯一的传出神经元

    B. 蒲肯野细胞胞体大，呈星形

    C. 是小脑皮质中体积最大的细胞

    D. 主树突四周分支繁多，形如扇形

    E. 底部发出轴突伸入髓质

28. 关于小脑皮质下列哪些是正确的（　　）

    A. 小脑皮质从表及里呈现明显的3层

    B. 分子层位于表层，较薄

    C. 由外向内分别是分子层、蒲肯野细胞层和节细胞层

    D. 由外向内分别是分子层、蒲肯野细胞层和颗粒层

    E. 由外向内分别是节细胞层、分子层和蒲肯野细胞层

三、是非题

1. 脊神经节内的神经元为假单极神经元，胞质内的尼氏体细小分散。（　　）

2. 自主神经节中的节细胞属多极运动神经元，胞质内有分布均匀的细颗粒状尼氏体。（　　）

3. 小脑皮质的传入纤维可分攀缘纤维、苔藓纤维和单胺能纤维三种，前两种纤维为抑制性纤维。（　　）

4. 脊髓前角内的神经元主要为躯体运动神经元，胞质内的尼氏体呈粗块状。（　　）

5. 小脑皮质的五种神经元中，蒲肯野细胞是唯一的传入神经元，其他四种神经元均为中间神经元。（　）

6. 大脑皮质的神经元按细胞的形态分为锥体细胞、颗粒细胞、梭形细胞三种，均属多极神经元。（　）

7. 大脑皮质由浅入深依次是分子层、内锥体细胞层、外锥体细胞层、多形细胞层、外颗粒层和内颗粒层。（　）

8. 大脑皮质内的神经元分为传出神经元和中间神经元两类。传出神经元主要是锥体细胞和梭形细胞。（　）

9. 脉络丛上皮由一层立方形或矮柱状细胞组成，主要功能是分泌脑脊液。（　）

10. 小脑皮质从表及里呈现明显的3层即：分子层、蒲肯野细胞层和节细胞层。（　）

四、名词解释

1. 脉络丛
2. 神经节
3. 蒲肯野细胞
4. 小脑小球
5. 脑脊膜

五、叙述题

1. 小脑皮质可分为哪几层？各层主要由哪些神经元构成？

2. 大脑皮质可分为哪些层？各层主要由哪些神经元构成？

参考答案

一、填空题

1. 中枢神经系统　周围神经系统　脑脊髓　自主神经　自主神经节
2. 节细胞　卫星细胞
3. 假单极神经元　多极运动神经元

4. 躯体运动神经元　α运动神经元　γ运动神经元　感觉神经元
5. 分子层　蒲肯野细胞层　颗粒层
6. 蒲肯野细胞　颗粒细胞　星形细胞　篮状细胞　高尔基细胞
7. 攀缘纤维　苔藓纤维　单胺能　单胺能纤维
8. 锥体细胞　颗粒细胞　梭形细胞
9. 分子层　外颗粒层　外锥体细胞层为颗粒层　内锥体细胞层　多形细胞层
10. 硬膜　蛛网膜　软膜
11. 神经元胞体和树突集中　不含神经元胞体只有神经纤维

二、选择题

(一) 单选题

1. E。解释：组成大脑皮质的三种神经元均为多极神经元。

2. C。解释：胞体发出2~3条较粗的主树突伸向分子层。

3. A。解释：脑、脊神经节节细胞为假单极神经元，自主神经节节细胞为多极神经元。

4. C。解释：小脑蒲肯野细胞胞体呈梨形。

5. E。解释：小脑皮质的传入纤维有三种即攀缘纤维、苔藓纤维和单胺能纤维。

6. B。解释：在中枢神经系统内，神经元胞体和树突集中的区域色泽灰暗，称灰质。

7. C。解释：在周围神经系统内，神经元胞体集中的区域，称为神经节。

8. D。解释：软膜为薄而柔软富含血管的疏松结缔组织。

9. C。解释：大脑皮质由浅入深依次是分子层、外颗粒层、外锥体细胞层、内颗粒层、内锥体细胞层和多形细胞层。

10. B。解释：蒲肯野细胞是小脑皮质

中的神经元。

11. A。解释：大脑皮质的神经元按形态分为锥体细胞、颗粒细胞、梭形细胞三种。

12. D。解释：自主神经节中的节细胞主要是自主神经系统的节后神经元，属多极运动神经元。

13. C。解释：脉络丛上皮由一层立方形或矮柱状细胞组成，主要功能是分泌脑脊液。

14. A。解释：颗粒层由密集的颗粒细胞和苔藓纤维的终末以及高尔基细胞组成。

15. A。解释：分子层较薄，神经细胞小而少，主要是水平细胞和星形细胞。

16. B。解释：脑脊膜由外向内分为硬膜、蛛网膜和软膜三层。

17. D。解释：多形细胞层细胞大小不一，以梭形细胞为主，还有锥体细胞和颗粒细胞。

18. D。解释：小脑皮质从表及里呈现明显的3层：分子层、蒲肯野细胞层和颗粒层。

19. D。解释：大脑皮质颗粒细胞数量最多，锥体细胞是大脑皮质内的主要投射神经元，数量较多。

20. B。解释：锥体细胞是大脑皮质内的主要投射神经元，数量较多。

（二）多选题

21. A、B、C、D、E。解释：小脑皮质的神经元有5种：蒲肯野细胞、颗粒细胞、星形细胞、篮状细胞和高尔基细胞。

22. B、C、D。解释：大脑皮质的神经元按细胞的形态分为锥体细胞、颗粒细胞、梭形细胞三种。

23. C、D。解释：梭形细胞胞体呈梭形，从胞体上下两端发出树突，上端树突可达到皮质表面。轴突向下延伸进入髓质，组成投射纤维或联合纤维。锥体细胞胞体

底部发出一条轴突，短者局限于皮质，长者可进入髓质并组成下行至脊髓或脑干的投射纤维或到达另一皮质区的联合纤维。

24. A、B、C、D。解释：大脑皮质分子层较薄，神经细胞小而少，主要是水平细胞和星形细胞。

25. A、B、C。解释：锥体细胞是大脑皮质内的主要神经元，蒲肯野细胞是小脑皮质中的神经元。

26. A、B、E。解释：自主神经节中的节细胞主要是自主神经系统的节后神经元，属多极运动神经元，节细胞胞质内的尼氏体呈细颗粒状。

27. A、C、D、E。解释：蒲肯野细胞体积很大，胞体呈梨形。

28. A、D。解释：小脑皮质从表及里呈现明显的3层：分子层、蒲肯野细胞层和颗粒层。

三、是非题

正确：1、2、4、6、8、9。

错误：

3. 解释：攀缘纤维、苔藓纤维为兴奋性纤维。

5. 解释：蒲肯野细胞是小脑皮质唯一的传出神经元。

7. 解释：大脑皮质由浅入深依次是分子层、外颗粒层、外锥体细胞层、内颗粒层、内锥体细胞层和多形细胞层。

10. 解释：小脑皮质从表及里呈现明显的3层：分子层、蒲肯野细胞层和颗粒层。

四、名词解释

1. 是由第三、四脑室顶和部分侧脑室壁的软膜与室管膜直接相贴并突入脑室而形成的皱襞状结构。

2. 在周围神经系统内，神经元胞体集中的区域。

3. 蒲肯野细胞位于小脑皮质蒲肯野细胞层,是小脑皮质中最大的神经元。胞体呈梨形,顶端发出2～3条粗的主树突伸向分子层,主树突的分支繁密,成扁薄的扇形展开,铺展在与小脑叶片长轴垂直的平面上。细长的轴突自胞体底部发出,离开皮质进入小脑髓质,终止于小脑内的神经核群。

4. 苔藓纤维主要起源于脊髓和脑干的神经核,进入小脑皮质后末端分支呈苔藓状,与许多颗粒细胞的树突、高尔基细胞的轴突或近端树突形成复杂的突触群,形似小球,称小脑小球。

5. 是包裹在脑和脊髓表面的结缔组织膜。由外向内分为硬膜、蛛网膜和软膜三层,具有营养、保护和支持脑与脊髓的作用。

五、叙述题

1. 答:小脑皮质从表及里呈现明显的3层:分子层、蒲肯野细胞层和颗粒层。

分子层:较厚,有大量蒲肯野细胞的树突和颗粒细胞轴突的分支,神经元较少,主要为星形细胞和篮状细胞。

蒲肯野细胞层:由一层排列规则的蒲肯野细胞胞体组成。

颗粒层:由密集的颗粒细胞和苔藓纤维的终末以及高尔基细胞组成。

2. 答:大脑皮质由浅入深依次是分子层、外颗粒层、外锥体细胞层、内颗粒层、内锥体细胞层和多形细胞层。

分子层较薄,神经细胞小而少,主要是水平细胞和星形细胞。

外颗粒层主要由颗粒细胞的胞体排列紧密而得名,也有少量小锥体细胞。

外锥体细胞层较厚,主要由中、小型锥体细胞和星形细胞组成,以中型锥体细胞占多数。

内颗粒层主要由密集排列的颗粒细胞组成,其胞体和突起限于本层或皮质以内,也有少量小锥体细胞。

内锥体细胞层主要由大、中型锥体细胞组成。在中央前回运动区,此层有巨大锥体细胞,称 Betz 细胞。

多形细胞层细胞大小不一,以梭形细胞为主,还有锥体细胞和颗粒细胞。

(刘建春)

第七章　循环系统

本章重点、难点：

1. 毛细血管的电镜下分类及特点

2. 中动脉的层次结构

3. 心脏壁的结构，着重区别心内膜和心外膜

测试题

一、填空题

1. 心血管系统包括_____、_____、_____和_____，是连续而封闭的管道系统。而循环系统，除此之外还包括_____。

2. 循环系统管壁由内向外大致分为_____、_____和_____。

3. 毛细血管管壁由_____和_____构成，在这两者之间常可见到一种扁平有突起的细胞，称_____，它在血管受到损伤时可以增殖分化为_____和_____。

4. 各种血管中，毛细血管管径最_____，管壁最_____，分布最_____，总截面积_____，通透性_____。

5. 电镜下，根据超微结构特点，可将毛细血管分为三种类型，即_____、_____和_____。

6. 连续毛细血管的内皮细胞胞质内含许多_____，细胞连续，细胞间可见_____连接，基膜_____。主要分布在_____、_____和_____等器官。

7. 有孔毛细血管内皮细胞不含核的部位有_____，基膜_____。主要分布在_____、_____和_____。

8. 血窦，或称_____，其形状不规则，管腔_____，内皮细胞不含核部位上有或无_____，细胞之间有_____，基膜_____。主要分布在_____、_____和_____。

9. 动脉依据其管径的大小可分为_____、_____、_____和_____，其中_____管壁的三层结构最为典型。其管壁结构由内向外分为_____、_____、_____三层。

10. 中动脉内皮下层_____，中膜有10～40层_____，故又称为_____。

11. 大动脉内皮下层_____，中膜有40～70层_____。故又称为_____。这种动脉的主要功能是使血液_____流动。

12. 与伴行动脉相比，静脉管壁_____、管腔_____、在切片中静脉壁常_____形状_____。

13. 心壁由内向外分为三层，分别为_____、_____和_____；其中最内层又可分为_____、_____和_____。

14. 组成传导系统的特殊心肌纤维可分为三类，即_____、_____和_____。

二、选择题

（一）单选题

1. 连续毛细血管的超微结构特点除内皮连续外，还包括：（　）

　　A. 基膜完整

　　B. 基膜不完整

　　C. 基膜完整，有细胞连接

　　D. 基膜不完整，有细胞连接

　　E. 基膜完整，有细胞连接，内皮细胞有许多吞饮小泡

2. 毛细血管内皮细胞内的质膜小泡的

主要作用是（ ）

    A. 传递化学信息

    B. 运输大分子物质

    C. 分泌第 8 因子

    D. 贮存第 8 因子相关抗原

    E. 参与凝血过程

3. 毛细血管的构成是（ ）

    A. 内膜、中膜和外膜

    B. 内皮、基膜和 1~2 层平滑肌

    C. 内皮和基膜

    D. 内皮、基膜和少量周细胞

    E. 内膜和外膜

4. 内皮细胞内 W－P 小体的功能是：（ ）

    A. 分泌作用

    B. 物质转运

    C. 吞噬功能

    D. 止血凝血

    E. 传递信息

5. 中膜具有 40~70 层弹性膜的血管是（ ）

    A. 大静脉

    B. 中静脉

    C. 小静脉

    D. 大动脉

    E. 中动脉

6. 大动脉管壁的主要结构特点是（ ）

    A. 平滑肌纤维多

    B. 胶原纤维多

    C. 弹性膜和弹性纤维多

    D. 弹性膜和弹性纤维少

    E. 网状纤维多

7. 周细胞主要分布在（ ）

    A. 微动脉内皮外

    B. 小动脉内皮与基膜间

    C. 微静脉内皮外

    D. 小静脉内皮与基膜间

    E. 毛细血管内皮与基膜间

8. 关于中动脉的结构，下列哪项是错误的（ ）

    A. 内弹性膜明显

    B. 三层结构明显

    C. 环行平滑肌较多

    D. 内皮下层明显

    E. 外弹性膜明显

9. 以下关于静脉的描述中哪一项正确（ ）

    A. 管壁平滑肌丰富

    B. 管壁薄、管腔大

    C. 数量较少

    D. 弹性较好

    E. 三层分界明显

10. 血窦存在于（ ）

    A. 肝

    B. 脾

    C. 骨髓

    D. 某些内分泌腺

    E. 以上均对

11. 大动脉中膜基质的主要化学成分是（ ）

    A. 胶原蛋白

    B. 弹性蛋白

    C. 硫酸软骨素

    D. 硫酸角质素

    E. 肝素

12. 关于小动脉的描述哪项错误（ ）

    A. 管径 0.3~1mm

    B. 包括粗细不等的几级分支

    C. 属于肌性动脉

    D. 各级小动脉均无内弹性膜

    E. 是形成外周阻力的主要血管

13. 引起心肌兴奋的起搏点是（ ）

    A. 移行细胞

    B. 神经节细胞

    C. 起搏细胞

D. 束细胞

E. 外膜细胞

14. 毛细血管丰富的组织是（ ）

A. 平滑肌

B. 心肌

C. 硬脑膜

D. 肌腱

E. 骨组织

15. 血管壁的一般结构分为（ ）

A. 内皮、中膜、外膜

B. 内膜、中膜、外膜

C. 内弹性膜、中膜、外膜

D. 内皮、内弹性膜、外膜

E. 内膜、中膜、外弹性膜

16. 关于静脉的描述哪项错误（ ）

A. 所有静脉都有静脉瓣

B. 外膜较厚

C. 血容量大于动脉

D. 管壁薄

E. 管腔不规则

17. 关于小动脉哪项正确（ ）

A. 管径小于0.3mm

B. 属于肌性动脉

C. 一般无外弹性膜

D. 与血压的调节无关

E. 三层膜均不完整

18. 心骨骼是（ ）

A. 疏松结缔组织

B. 致密结缔组织

C. 骨

D. 软骨

E. 特殊的心肌

19. 关于心房钠尿肽哪项错误（ ）

A. 有利钠利尿作用

B. 有舒张血管作用

C. 由内皮细胞分泌

D. 在心房特殊颗粒内

E. 有降低血压的作用

20. 关于动脉内弹性膜的特征哪项错误（ ）

A. 为内膜和中膜的分界

B. 横断面常呈波纹状

C. 为胶原蛋白组成

D. 其上有许多小孔

E. 中动脉的内弹性膜较发达

（二）多选题

21. 不参与构成毛细血管的是（ ）

A. 内皮细胞

B. 巨噬细胞

C. 基膜

D. 结缔组织

E. 周细胞

22. 毛细血管结构中与物质交换有关的结构包括（ ）

A. 吞饮小泡

B. 相邻内皮细胞的细胞间隙

C. 外膜厚度

D. 细胞核的多少

E. 内皮窗孔

23. 属于肌性动脉的有（ ）

A. 大动脉

B. 中动脉

C. 小动脉

D. 主动脉

E. 颈总动脉

24. 血窦的结构特点是（ ）

A. 腔大而不规则

B. 内皮细胞之间间隙大

C. 内皮细胞多有孔

D. 均没有基膜

E. 内皮外有不完整的环形平滑肌

25. 连续毛细血管分布于（ ）

A. 内分泌腺

B. 脑和脊髓

C. 胃肠黏膜

D. 肺泡隔

E. 肌组织

26. 大动脉的结构特点（　　）
　　A. 内皮下层较厚
　　B. 内膜与中膜分界不清楚
　　C. 中膜也很厚
　　D. 中膜有大量弹性膜和少量胶原纤维
　　E. 外膜最厚

27. 中动脉管壁的内弹性膜（　　）
　　A. 可作为内膜与中膜的界线
　　B. 它的上面有很多小孔
　　C. 有利于血管的舒缩
　　D. 成分主要为弹性蛋白
　　E. 是中膜的一部分

28. 组成心传导系统的细胞包括（　　）
　　A. 传导细胞
　　B. 移行细胞
　　C. 水平细胞
　　D. 起搏细胞
　　E. 心肌细胞

29. 与伴行中动脉相比，中静脉管壁的组织结构特点是（　　）
　　A. 管径较粗，管腔较大
　　B. 管壁薄而柔软
　　C. 内弹性膜不发达或缺如
　　D. 外膜较厚
　　E. 中膜不含平滑肌

30. 心壁的分层包括（　　）
　　A. 心内膜
　　B. 心肌膜
　　C. 心外膜
　　D. 心瓣膜
　　E. 心骨骼

三、是非题

1. 心传导系统的细胞均属心肌纤维。（　　）
2. 所有血管从管腔腔面向外依次分为三层，即内膜、中膜和外膜。（　　）
3. 大动脉多为弹性动脉，其结构特点是富有弹性膜和弹性纤维。（　　）
4. 心房肌和心室肌都附着于心骨骼，两部分心肌相连续。（　　）
5. 所有静脉都有静脉瓣。（　　）
6. 静脉管壁大致也可分内膜、中膜和外膜三层，但三层界线不如动脉明显。（　　）
7. 中动脉、小动脉都属肌性动脉。（　　）
8. 在心、肺、肾、骨等器官，毛细血管网密集。（　　）
9. 动脉分为大动脉、中动脉、小动脉和微动脉四级，管径的大小和管壁的结构是渐变的，其间并无明显的分界。（　　）
10. 光镜下根据内皮细胞等构造的不同，可以把毛细血管分为三类：连续毛细血管、有孔毛细血管和血窦。（　　）

四、名词解释

1. W－P 小体
2. 周细胞
3. 蒲肯野纤维

五、叙述题

1. 简述毛细血管的结构及其分类。
2. 联系功能说明大、中、小动脉的结构特点。

参考答案

一、填空题

1. 心脏　动脉　毛细血管　静脉　淋巴管系统
2. 内膜　中膜　外膜
3. 内皮　基膜　周细胞　内皮细胞　成纤维细胞

4. 细　薄　广　最大　最高

5. 连续毛细血管　有孔毛细血管　血窦

6. 吞饮小泡　紧密　完整　结缔组织　肌组织　肺或神经系统

7. 贯穿胞质的内皮窗孔　完整　胃肠黏膜　某些内分泌腺　肾血管球

8. 窦状毛细血管　大　孔　间隙　不连续或无　肝　脾　骨髓

9. 大动脉　中动脉　小动脉　微动脉　中动脉　内膜　中膜　外膜

10. 较薄　平滑肌　肌性动脉

11. 较厚　弹性膜　弹性动脉　持续

12. 薄　大　塌陷　不规则

13. 心内膜　心肌膜　心外膜　内皮　内皮下层　心内膜下层

14. 起搏细胞　移行细胞　蒲肯野纤维

二、选择题

（一）单选题

1. E。解释：连续毛细血管的超微结构特点为内皮细胞相互连续，细胞间有紧密连接封闭了细胞间隙。基膜完整，胞质中有大量吞饮小泡。

2. B。解释：连续毛细血管主要以吞饮小泡方式在血液和组织液之间进行物质交换。

3. D。解释：毛细血管管径一般为 6 ~ 8μm，血窦较大，直径可达 40μm。毛细血管管壁主要由一层内皮和基膜组成。在内皮细胞与基膜之间散在有少量周细胞。

4. D。解释：W－P 小体可合成和贮存第Ⅷ因子相关抗原，这种物质与凝血有关。

5. D。解释：大动脉中膜有 40 ~ 70 层弹性膜，故又称弹性动脉。

6. C。解释：大动脉中膜有 40 ~ 70 层弹性膜，各层弹性膜由弹性纤维相连。

7. E。解释：在内皮细胞与基膜之间散在有一种扁而有突起的细胞，细胞突起紧贴在内皮细胞基底面，称周细胞。

8. D。解释：在较小的中动脉，此层很薄，因而与内皮相贴。

9. B。解释：静脉管壁大致也可分内膜、中膜和外膜三层，但三层界限不如动脉明显。静脉壁的平滑肌和弹性组织不及动脉丰富，结缔组织成分较多，故切片标本中的静脉管壁常呈塌陷状，管腔变扁或呈不规则。与伴行的动脉比管腔大管壁薄。

10. E。解释：血窦主要分布在大分子物质交换旺盛的器官如肝脏，以及血细胞不断穿过（进出）血管壁的器官如肝、脾及骨髓等。

11. C。解释：大动脉中膜很厚，成人大动脉有 40 ~ 70 层弹性膜，弹性膜之间有环行平滑肌和少量胶原纤维，基质的主要化学成分为硫酸软骨素。

12. D。解释：较大的小动脉，内膜有明显的内弹性膜。

13. C。解释：起搏细胞是心肌兴奋的起搏点。

14. B。解释：毛细血管是血液与周围组织进行物质交换的主要部位。代谢旺盛的器官如心、肺、肾等，毛细血管网很密；于代谢较低的如骨、肌腱和韧带等，毛细血管网稀疏。

15. B。解释：除毛细血管外，血管从管腔腔面向外依次分为三层，即内膜、中膜和外膜。

16. A。解释：管径 2mm 以上的静脉常有瓣膜。

17. B。解释：管径 0.3 ~ 1mm 的动脉称小动脉，也属肌性动脉。较大的小动脉，内膜有明显的内弹性膜，中膜有几层平滑肌纤维，外膜厚度与中膜相近，但一般缺乏外弹性膜。小动脉和微动脉的收缩或舒张，能显著地调节器官和组织内的血流量。

18. B。解释：在心房肌和心室肌之间，有由致密结缔组织组成的坚实的支架结构，称心骨骼。

19. C。解释：电镜下，可见部分心房肌纤维含电子致密的分泌颗粒，称心房特殊颗粒，内含心房钠尿肽。这种激素具有很强的利尿、排钠、扩张血管和降低血压的作用。

20. C。解释：内弹性膜是由弹性蛋白所形成的膜状结构，膜上有许多窗孔。常因血管壁的收缩而呈波纹状。一般内弹性膜可作为内膜与中膜的分界。

（二）多选题

21. B、D。解释：毛细血管管壁主要由一层内皮和基膜组成。在内皮细胞与基膜之间散在有周细胞。

22. A、B、E。解释：连续毛细血管主要以吞饮小泡方式在血液与组织间进行物质交换；有孔毛细血管的内皮窗孔有利于血管内外中、小分子物质的交换；而血窦内皮细胞之间较大的间隙，则利于大分子物质或血细胞出入血液。

23. B、C。解释：中动脉、小动脉属肌性动脉，大动脉是弹性动脉，主动脉、颈总动脉属大动脉。

24. A、B、C。解释：血窦管径较宽，大小形状不规则。内皮细胞间有较大的间隙，直径可达数百纳米，基膜不连续或完全缺如。

25. B、D、E。解释：连续毛细血管分布于结缔组织、肌组织、中枢神经系统、胸腺和肺等处。

26. A、B、C、D。解释：大动脉的外膜相对较薄。

27. A、B、D。解释：中动脉内弹性膜是内膜的一部分，平滑肌的收缩和舒张使血管管径缩小或扩大。

28. B、D。解释：组成心脏传导系统的细胞有起搏细胞、移行细胞和蒲肯野纤维。

29. A、B、C、D。解释：中静脉管径较粗，管腔较大，内膜薄，内弹性膜不明显。中膜比与其相伴行的中动脉薄得多，环行平滑肌纤维分布稀疏。外膜一般比中膜厚。

30. A、B、C。解释：心壁由心内膜、心肌膜和心外膜三层构成。

三、是非题

正确：1、3、6、7、9。

错误：

2. 解释：除毛细血管外，血管从管腔面向外依次分为三层，即内膜、中膜和外膜。

4. 解释：心房肌和心室肌分别附着于心骨路，两部分心肌不相连续。

5. 解释：管径 2mm 以上的静脉常有瓣膜。

8. 解释：于代谢旺盛的器官如心、肺、肾等，毛细血管网很密；于代谢较低的如骨、肌腱和韧带等，毛细血管网稀疏。

10. 解释：电镜下根据内皮细胞等构造的不同，可以把毛细血管分为三类：连续毛细血管、有孔毛细血管和血窦。

四、名词解释

1. W－P 小体是心血管系统内皮细胞中一种外包单位膜的杆状小体，内有平行细管，它可合成和贮存第Ⅷ因子相关抗原。

2. 周细胞散在于毛细血管内皮细胞与基膜之间，细胞扁平而有突起，突起紧贴在内皮细胞基底面。在毛细血管受到损伤时，周细胞可增殖，分化为内皮细胞和成纤维细胞，参与组织再生。

3. 蒲肯野纤维是组成房室束及其分支的特殊心肌细胞，比普通的心肌细胞短而宽，肌浆、线粒体和糖原丰富，肌原纤维少，且多位于细胞周边；细胞中央有 1～2

个核，细胞的末端与心肌纤维相连，其功能是传导冲动到整个心脏。

五、叙述题

1. 答：毛细血管管壁主要由一层内皮和基膜组成。在内皮细胞与基膜之间散在有周细胞。电镜下毛细血管分为三类：连续毛细血管、有孔毛细血管和血窦。①连续毛细血管特点为内皮细胞相互连续，细胞间有紧密连接封闭了细胞间隙；基膜完整；胞质中有大量吞饮小泡。主要分布于结缔组织、肌组织、肺泡隔和中枢神经系统等处。②有孔毛细血管特点为内皮细胞和基膜也是连续的，但内皮细胞不含核的部分极薄，有孔，孔上有隔膜覆盖；内皮窗孔有利于血管内外中、小分子交换。主要分布于胃肠黏膜、某些内分泌腺和肾血管球等处。③血窦特点为管腔较大，形状不规则；内皮细胞间间隙大；内皮细胞可有窗孔，有利于大分子物质和血细胞出入血液；基膜可有可无，或不连续。主要分布于肝、脾、骨髓和一些内分泌腺中。

2. 答：

（1）中动脉管壁中平滑肌相当丰富，又称肌性动脉。管壁分三层：

内膜：由内皮、内皮下层和内弹性膜构成。内皮下层为薄层结缔组织，有时有少量纵行平滑肌。内弹性膜是由弹性蛋白所形成的膜状结构，膜上有许多窗孔。

中膜：较厚，约占管壁厚度的一半，由 10～40 层环行平滑肌组成。平滑肌之间有一些弹性纤维和胶原纤维。平滑肌细胞可分泌多种蛋白质，形成结缔组织的纤维和基质。

外膜：由疏松结缔组织构成，除滋养血管外，还有较多神经纤维，它们伸入中膜平滑肌，调节血管的舒缩。中动脉的中膜和外膜交界处有明显的外弹性膜。

中动脉收缩性强，又是进入器官的门户性血管，因此它调节进入身体各部分和器官的血流量。

（2）大动脉又称弹性动脉，将心脏搏出的血液输送到肌性动脉。其结构特点是富有弹性膜和弹性纤维，弹性动脉的管径较大。其管壁结构特点如下：

内膜：也由内皮、内皮下层、内弹性膜构成。内皮下层较中动脉厚，含有胶原纤维、弹性纤维和少量平滑肌纤维。内弹性膜和中膜的弹性膜相连续。内膜与中膜分界不清。

中膜：很厚，成人大动脉有 40～70 层弹性膜，膜上有许多窗孔，各层弹性膜由弹性纤维相连。弹性膜之间有环行平滑肌和少量胶原纤维，基质的主要化学成分为硫酸软骨素。

外膜：相对较薄，由疏松结缔组织构成，含滋养血管、淋巴管和神经及少量平滑肌纤维。

由于弹性膜等的作用，当心脏收缩时，大动脉扩张、贮存部分血液，同时将血液的部分动能转化为弹性势能，而在心脏舒张时，大动脉的弹性膜收缩，驱使其贮存的血液流向下游，减小下游血管的脉压差，维持血液匀速、持续的流动。

（3）管径 0.3～1mm 的动脉称小动脉，也属肌性动脉。较大的小动脉，内膜有明显的内弹性膜，中膜有几层平滑肌纤维，外膜厚度与中膜相近，结构与中动脉相似，但一般缺乏外弹性膜。

小动脉总截面积大，当其收缩时，血流阻力明显增加，血压升高，小动脉的收缩或舒张，能显著地调节器官和组织内的血流量。

（张雷）

第八章 免疫系统

本章重点、难点

1. 免疫系统的构成成分、免疫系统功能

2. 淋巴细胞的分类、抗原呈递细胞、单核吞噬细胞系统

3. 胸腺皮质和髓质，胸腺细胞，胸腺上皮细胞、胸腺小体、血-胸屏障、胸腺功能

4. 淋巴结皮质和髓质、浅层皮质、副皮质区、皮质淋巴窦、髓索和髓窦、淋巴细胞再循环、淋巴结功能

5. 脾的被膜、红髓与白髓、脾索与脾窦、脾小体与动脉周围淋巴鞘、脾的功能

测试题

一、填空题

1. 免疫系统由 _____、_____、_____和_____构成。免疫系统的功能包括_____、_____和_____。

2. T淋巴细胞又分为三个亚群即_____、_____和_____。

3. 中枢淋巴器官包括_____和_____；外周淋巴器官有_____、_____和_____。

4. 淋巴结髓质结构有_____和_____；脾的红髓结构有_____和_____。

5. 淋巴结的功能有_____和_____；脾的功能包括_____、_____、_____和_____。

二、选择题

（一）单选题

1. 不属于免疫系统构成成分的是（ ）

    A. 淋巴器官

    B. 淋巴组织

    C. 免疫细胞

    D. 免疫活性分子

    E. 淋巴管

2. 以下不是免疫细胞的为（ ）

    A. 淋巴细胞

    B. 巨噬细胞

    C. NK细胞

    D. 内皮细胞

    E. 朗格汉斯细胞

3. 不是淋巴细胞的是（ ）

    A. T细胞

    B. NK细胞

    C. 效应T细胞

    D. 树突状细胞

    E. B细胞

4. 细胞毒性T细胞是（ ）

    A. Tc细胞

    B. Th细胞

    C. Ts细胞

    D. NK细胞

    E. K细胞

5. 根据淋巴组织的定义，淋巴组织内不存在的成分是（ ）

    A. 淋巴细胞

    B. 网状纤维

    C. 成纤维细胞

D. 巨噬细胞

E. 网状细胞

6. 执行体液免疫的最主要细胞是（ ）

    A. 巨噬细胞

    B. T 细胞

    C. B 细胞

    D. 肥大细胞

    E. 胸腺细胞

7. 关于胸腺的叙述，以下错误的是（ ）

    A. 能分泌胸腺素和胸腺生成素

    B. 培育各种初始的 T 淋巴细胞

    C. 分为皮质和髓质

    D. 细胞免疫的场所

    E. 髓质内可见胸腺小体

8. 有关淋巴结的叙述，错误的是（ ）

    A. 位于静脉回流的通路上

    B. 输入淋巴管通入被膜下窦

    C. 有门部

    D. 淋巴小结内主要为 B 细胞

    E. 副皮质区主要为 T 细胞

9. 淋巴结内的胸腺依赖区是（ ）

    A. 浅层皮质

    B. 副皮质区

    C. 淋巴小结

    D. 髓索

    E. 髓窦

10. 关于淋巴窦的叙述不正确的是（ ）

    A. 扁平内皮细胞围成

    B. 腔内含有巨噬细胞与淋巴细胞

    C. 有呈星状的内皮细胞支撑窦腔

    D. 皮窦与髓窦不相通

    E. 窦内流动淋巴

11. 脾内无以下结构（ ）

    A. 脾索

    B. 小梁

    C. 淋巴小结

    D. 动脉周围淋巴鞘

    E. 有孔型毛细血管

12. 脾的胸腺依赖区是（ ）

    A. 脾索

    B. 淋巴小结

    C. 边缘区

    D. 脾窦

    E. 中央动脉周围淋巴鞘

13. 不是脾脏功能的为（ ）

    A. 滤血

    B. 滤过淋巴

    C. 造血

    D. 储血

    E. 免疫应答

14. 单核吞噬细胞系统不包括（ ）

    A. 巨噬细胞

    B. 朗格汉斯细胞

    C. 尘细胞

    D. 破骨细胞

    E. 网状细胞

15. 胸腺小体位于（ ）

    A. 皮质

    B. 髓质

    C. 血管周隙

    D. 被膜

    E. 胸腺间隔

16. 不是胸腺基质细胞的为（ ）

    A. 胸腺细胞

    B. 巨噬细胞

    C. 肥大细胞

    D. 成纤维细胞

    E. 嗜酸性粒细胞

17. 关于胸腺皮质的叙述错误的是（ ）

    A. 以胸腺上皮细胞为支架

    B. 胸腺上皮细胞之间有桥粒连接

C. 胸腺细胞数量少

D. 相邻小叶之间的皮质不连续

E. H-E 染色切片皮质着色深

18. 淋巴结皮质不存在的结构有（ ）

    A. 淋巴小结

    B. 副皮质区

    C. 被膜下窦

    D. 小梁周窦

    E. 输入淋巴管

19. 淋巴结内细胞免疫的主要场所是（ ）

    A. 淋巴小结

    B. 淋巴窦

    C. 副皮质区

    D. 髓索

    E. 小梁

20. 脾的动脉周围淋巴鞘内的主要细胞是（ ）

    A. B 细胞

    B. T 细胞

    C. 巨噬细胞

    D. 交错突细胞

    E. 浆细胞

（二）多选题

21. 属于抗原呈递细胞的是（ ）

    A. 巨噬细胞

    B. 树突状细胞

    C. 肥大细胞

    D. 交错突细胞

    E. 微皱褶细胞

22. 次级淋巴小结可见（ ）

    A. 生发中心

    B. 暗区

    C. 明区

    D. 小结帽

    E. 弥散淋巴组织

23. 属于外周淋巴器官的是（ ）

    A. 胸腺

    B. 骨髓

    C. 淋巴结

    D. 脾脏

    E. 扁桃体

24. 胸腺的髓质内含有（ ）

    A. 大量的胸腺上皮细胞

    B. 少量胸腺细胞

    C. 胸腺小体

    D. 桥粒

    E. B 细胞

25. 皮质淋巴窦包括（ ）

    A. 被膜下淋巴窦

    B. 小梁周窦

    C. 边缘窦

    D. 髓窦

    E. 脾窦

26. 属于红髓的结构是（ ）

    A. 脾索

    B. 脾窦

    C. 淋巴小结

    D. 边缘区

    E. 动脉周围淋巴鞘

27. 能直接杀伤病毒感染细胞或肿瘤细胞的是（ ）

    A. Tc 细胞

    B. Th 细胞

    C. NK 细胞

    D. B 细胞

    E. 浆细胞

28. 关于胸腺小体的叙述正确的是（ ）

    A. 位于髓质

    B. 是胸腺髓质的特征性结构

    C. 小体内可见巨噬细胞、嗜酸性粒细胞

    D. 主要由扁平的胸腺上皮细胞构成

    E. 能分泌抗体

29. 关于胸腺细胞的叙述正确的是（　）
- A. 是指胸腺内分化发育的早期 T 细胞
- B. 在胸腺皮质内数量多，分布密集
- C. 部分胸腺细胞构成胸腺小体
- D. 大部分细胞发育形成初始 T 细胞
- E. 小部分发育为 B 细胞

30. 皮质淋巴窦内可见（　）
- A. 巨噬细胞
- B. 淋巴细胞
- C. 红细胞
- D. 星状内皮细胞
- E. 淋巴

三、是非题

1. 脾能滤过淋巴与血液。（　）
2. 淋巴结的髓质由髓索和髓窦组成。（　）
3. T 细胞行使体液免疫，B 细胞执行细胞免疫。（　）
4. 淋巴结皮质结构包括浅层皮质、副皮质区和皮质淋巴窦。（　）
5. 胸腺与骨髓是中枢淋巴器官。（　）
6. 淋巴小结内细胞成分最多的是 B 细胞。（　）
7. 脾的动脉周围淋巴鞘内的细胞成分最多的是 T 细胞。（　）
8. 当机体严重缺血或某些病理状态时，脾可以恢复造血能力。（　）
9. 脾和淋巴结中均有淋巴小结。（　）
10. 辅助性 T 细胞仅辅助细胞毒性 T 细胞。（　）

四、名词解释

1. 淋巴小结

2. 血－胸腺屏障
3. 白髓
4. 抗原呈递细胞
5. 脾索

五、叙述题

1. 何谓淋巴细胞再循环？其意义是什么？
2. 什么是单核吞噬细胞系统？其细胞成分有哪些？

参考答案

一、填空题

1. 淋巴器官　淋巴组织　免疫细胞　免疫活性分子　免疫防御　免疫监视　免疫稳定
2. 细胞毒性 T 细胞　辅助性 T 细胞　抑制性 T 细胞
3. 胸腺　骨髓　淋巴结　脾　扁桃体
4. 髓索　髓窦　脾索　脾窦
5. 滤过淋巴　免疫应答　滤过血液　免疫应答　造血　储血

二、选择题

（一）单选题

1. E。解释：免疫系统由淋巴器官、淋巴组织、免疫细胞和免疫活性分子组成。淋巴管不是免疫系统的构成成分。
2. D。解释：免疫细胞包括淋巴细胞、抗原呈递细胞（如：树突状细胞）和单核吞噬细胞系统（如：巨噬细胞、朗格汉斯细胞）。内皮细胞不属于免疫细胞。
3. D。解释：树突状细胞是抗原呈递细胞，而不是免疫细胞。
4. A。解释：Tc 是细胞毒性 T 细胞的英文（cytotoxic T cell）缩写。
5. C。解释：淋巴组织以网状组织为支

架，网眼中充满大量淋巴细胞及一些浆细胞、巨噬细胞和肥大细胞，但没有成纤维细胞。

6. C。解释：T细胞主要执行细胞免疫，B细胞主要执行体液免疫。

7. D。解释：中枢淋巴器官是产生并向外周淋巴器官输送淋巴细胞的器官，外周淋巴器官才是发生免疫应答的场所。

8. A。解释：淋巴结是位于淋巴回流的通路上。

9. B。解释：淋巴结的副皮质区主要由T细胞构成，T细胞来源于胸腺，所以此区又称为胸腺依赖区。

10. D。解释：淋巴从输入淋巴管进入被膜下窦和小梁周窦，部分渗入皮质淋巴组织，然后进入髓窦，部分经小梁周窦直接流入髓窦，继而汇入输出淋巴管。因此，皮质淋巴窦与髓窦是相通的。

11. E。解释：脾的毛细血管为血窦，而不是有孔型毛细血管。

12. E。解释：动脉周围淋巴鞘主要由T细胞构成，相当于淋巴结的副皮质区即胸腺依赖区。

13. B。解释：脾窦内流动的血液，而不是淋巴。因此，脾没有滤过淋巴的功能。

14. E。解释：网状细胞不是来源于单核细胞，所以网状细胞不属于单核吞噬细胞系统。

15. B。解释：胸腺小体位于髓质内。

16. A。解释：胸腺内有少量巨噬细胞、嗜酸性粒细胞、肥大细胞、成纤维细胞等，统称为胸腺基质细胞。

17. C。解释：胸腺皮质内胸腺上皮细胞多，占胸腺皮质细胞总数的85%~90%。

18. E。解释：输入淋巴管位于淋巴结被膜，不在淋巴结实质内。

19. C。解释：副皮质区内主要为T细胞，T细胞执行细胞免疫。

20. B。解释：动脉周围淋巴鞘主要为T细胞。

（二）多选题

21. A、B、D、E。解释：肥大细胞不具有抗原呈递作用，不是抗原呈递细胞。

22. A、B、C、D。解释：弥散淋巴组织与淋巴小结是两种不同形式的淋巴组织。

23. C、D、E。解释：胸腺和骨髓属于中枢淋巴器官，淋巴结、脾和扁桃体是外周淋巴器官。

24. A、B、C、D。解释：胸腺是产生T细胞的器官，不存在B细胞。

25. A、B。解释：皮质淋巴窦只包括被膜下窦和小梁周窦。

26. A、B。解释：红髓结构包括脾索与脾窦。

27. A、C。解释：能直接杀伤病毒感染细胞或肿瘤细胞的有Tc细胞和NK细胞。

28. A、B、C、D。解释：胸腺小体是胸腺髓质的特征性结构，位于髓质内，主要由扁平的胸腺上皮细胞构成，其内常见巨噬细胞、嗜酸性粒细胞和淋巴细胞。抗体是由浆细胞合成与分泌的。胸腺小体的上皮细胞不分泌抗体。

29. A、B。解释：胸腺细胞即胸腺内分化发育的各期T细胞，皮质中主要是早期胸腺细胞，且数量多，占胸腺皮质细胞总数的85%~90%，一般尚未成熟，因此对抗原尚无应答能力。在发育中的胸腺细胞，正处于被选择期，凡能与机体自身抗原相结合或与自身MHC抗原不相容的胸腺细胞（约占95%）将被淘汰或凋亡；只有5%的早期胸腺细胞能分化形成初始T细胞。胸腺细胞不能分化成B细胞。

30. A、B、D、E。解释：皮质淋巴窦内流动的是淋巴，其中含有巨噬细胞、淋巴细胞、星状内皮细胞，没有红细胞。

三、是非题

正确：2、4、5、6、7、8、9。

错误：

1. 解释：脾位于血液循环的通路上，而不是位于淋巴回流的通路上，所以脾只能滤过血液。

3. 解释：B细胞行使体液免疫，T细胞执行细胞免疫。

10. 解释：Th细胞既能辅助B细胞增强体液免疫应答，又能辅助Tc细胞进行细胞免疫应答。

四、名词解释

1. 淋巴小结又称淋巴滤泡，呈椭圆形小体，与周围的界限清楚，主要由B细胞密集构成，也含一定量的Th细胞。淋巴小结受抗原刺激后增大，并在中央出现一个浅染的区域，称生发中心。有生发中心的淋巴小结称次级淋巴小结，一般可分为暗区、明区和小结帽三部分。

2. 血液内的大分子物质不能进入胸腺皮质，因为皮质的毛细血管及其周围结构具有屏障作用，称血–胸腺屏障。由下列数层结构组成：①连续型毛细血管内皮及内皮细胞间有完整的紧密连接；②内皮基膜；③血管周隙，内有巨噬细胞；④胸腺上皮的基膜；⑤一层连续的胸腺上皮细胞突起包绕。血液内一般抗原物质和某些药物不易透过此屏障，这对维持胸腺内环境的稳定，保证胸腺细胞的正常发育起着极其重要的作用。

3. 在新鲜状态下，脾实质切面大部分呈红色，称红髓；其间有散在分布的灰白色点状区域，称白髓。白髓包括动脉周围淋巴鞘和淋巴小结两种结构。

4. 抗原呈递细胞是指能捕获、加工和处理抗原，并将抗原呈递给T细胞，使T细胞活化、增殖的一类免疫细胞，也是免疫应答起始阶段的重要辅佐细胞，一般分布在机体的许多部位，并有多种类型，主要有巨噬细胞和树突状细胞等。

5. 脾索由富含血细胞的淋巴组织构成，呈不规则的条索状并相连成网。脾索内含较多B细胞、浆细胞、巨噬细胞和树突状细胞。

五、叙述题

1. 答：外周淋巴器官和淋巴组织内的淋巴细胞可经淋巴管进入血流，循环于全身，它们又可通过弥散淋巴组织内的毛细血管后微静脉再返回淋巴器官或淋巴组织，如此周而复始，使淋巴细胞从一个淋巴器官到另一个淋巴器官，从一处淋巴组织至另一处淋巴组织。这种现象称为淋巴细胞再循环。淋巴细胞再循环有利于识别抗原，促进细胞间的协作，使分散于全身的免疫细胞成为一个相互关联的有机统一体。

2. 答：单核细胞和由其分化而来的具有吞噬功能的细胞统称为单核吞噬细胞系统。该系统包括血液的单核细胞、结缔组织和淋巴组织的巨噬细胞、骨组织的破骨细胞、神经组织的小胶质细胞、皮肤的朗格汉斯细胞、肝和肺中的巨噬细胞等，它们除了能捕获和呈递抗原，参与免疫应答（抗原呈递作用）外，还能以吞噬和清除抗原、合成和分泌多种免疫活性分子的形式参与免疫反应。

（雷亚宁）

第九章 消化系统

第一节 消化管

本节重点、难点：

1. 消化管的一般结构及其特点

2. 食管壁的结构特点

3. 胃底腺的组成、结构特点及其与功能的关系

4. 小肠各段的结构特点及小肠腺的组成。皱襞、绒毛和微绒毛的概念

5. 结肠的结构特点

测试题

一、填空题

1. 消化管的黏膜层可分为 _____、_____ 和 _____ 三层，外膜层有 _____ 和 _____ 二种，前者主要由 _____ 构成，后者由 _____ 和覆盖其表面的 _____ 构成。

2. 味蕾主要位于舌的 _____ 和 _____ 内，由 _____、_____ 和 _____ 细胞构成。

3. 牙由 _____、_____ 和 _____ 三部分组成。牙的中央为 _____，开口于牙根底部的 _____。牙根周围的组织称牙周组织，包括 _____、_____ 和 _____ 等。

4. 食管的上皮是 _____，食管腺位于 _____ 层，分泌 _____，外膜是 _____ 膜。

5. 胃黏膜表面覆以单层柱状上皮，主要由 _____ 细胞组成，上皮向 _____ 凹陷，形成胃底腺。胃底腺开口于 _____，由 _____、_____、_____、_____ 和 _____ 等五种细胞组成，其中分泌盐酸的是 _____。

6. 电镜下，胃底腺主细胞的主要特征是胞质内有丰富的 _____、_____ 和 _____，其功能是合成和分泌 _____；壁细胞在电镜下特征性的结构是含有 _____ 和 _____，其功能是分泌 _____ 和 _____，后者可促进回肠对 _____ 的重吸收。

7. 由于 _____、_____ 和 _____ 的形成，使小肠的吸收表面积增加数百倍。

8. 小肠腺由 _____、_____、_____、_____ 和 _____ 细胞组成。其中具有免疫防御功能的是 _____。

9. 小肠的黏膜皱襞由 _____ 和 _____ 构成，绒毛由 _____ 和 _____ 构成，微绒毛由 _____ 和 _____ 构成。

10. 小肠吸收的脂肪主要经 _____ 输送，单糖和氨基酸主要经 _____ 输送。

二、选择题

（一）单选题

1. 有关菌状乳头的特征的描述，错误的是（ ）

    A. 固有层内有丰富的血管

    B. 表面上皮有轻度角化

    C. 含有味蕾

    D. 散在于丝状乳头之间

    E. 肉眼观察呈红色

2. 有关丝状乳头的特征，错误的是（ ）

    A. 数量多，呈圆锥形

    B. 含有丰富的毛细血管

    C. 顶部上皮细胞轻度角化

    D. H-E 染色上皮顶端为烛火形

    E. 含有丰富的味蕾

3. 与舌苔的变化有关的结构是（　　）
   A. 轮廓乳头
   B. 丝状乳头
   C. 菌状乳头
   D. 固有层毛细血管
   E. 以上都是

4. 人体内最坚硬的结构是（　　）
   A. 牙本质
   B. 牙周组织
   C. 骨密质
   D. 牙釉质
   E. 牙骨质

5. 食管的上皮是（　　）
   A. 非角化的复层扁平上皮
   B. 轻度角化的复层扁平上皮
   C. 单层立方上皮
   D. 单层柱状上皮
   E. 单层扁平上皮

6. 关于食管的叙述，哪项错误（　　）
   A. 上皮为未角化的复层扁平上皮
   B. 食管腺位于黏膜下层
   C. 食管中段肌层既有骨骼肌又有平滑肌
   D. 肌层有肠肌神经丛
   E. 外膜为浆膜

7. 关于胃底腺的特征，错误的是（　　）
   A. 位于胃底及胃体部的黏膜固有层
   B. 为单管状腺
   C. 每个腺可区分为颈、体及底部
   D. 颈、体部以主细胞为主，底部以壁细胞为主
   E. 颈黏液细胞分布在颈部

8. 胃底腺主细胞的结构特点正确的是（　　）
   A. 大量滑面内质网及酶原颗粒
   B. 大量粗面内质网及酶原颗粒
   C. 大量线粒体及溶酶体
   D. 大量粗面内质网及溶酶体
   E. 高尔基体发达，无酶原颗粒

9. 胃的壁细胞合成盐酸的部位在（　　）
   A. 滑面内质网
   B. 细胞内分泌小管
   C. 线粒体
   D. 粗面内质网
   E. 高尔基复合体

10. 能分泌胃蛋白酶原的是（　　）
   A. 主细胞
   B. 壁细胞
   C. 胃肠胰内分泌细胞
   D. 杯形细胞
   E. 潘氏细胞

11. 胃内能分泌内因子，以促进维生素 B_{12} 吸收的细胞是（　　）
   A. 主细胞
   B. 壁细胞
   C. 颈黏液细胞
   D. 内分泌细胞
   E. 胃上皮细胞

12. 电镜下壁细胞内的小管泡系是指（　　）
   A. 线粒体
   B. 高尔基复合体
   C. 滑面内质网
   D. 粗面内质网
   E. 细胞内分泌小管

13. 组成小肠肠绒毛的结构是（　　）
   A. 上皮及固有层
   B. 上皮层
   C. 黏膜及黏膜下层
   D. 上皮细胞的胞膜及胞质
   E. 以上都不是

14. 下列哪种结构不属于肠绒毛轴心的成分（　　）

A. 毛细血管

B. 中央乳糜管

C. 平滑肌纤维

D. 黏膜下神经丛

E. 结缔组织

15. 具有免疫功能的细胞是（　）

A. 主细胞

B. 壁细胞

C. 胃肠胰内分泌细胞

D. 杯形细胞

E. 潘氏细胞

16. 关于中央乳糜管的描述，错误的是（　）

A. 属于小肠绒毛的结构

B. 与脂肪的吸收有关

C. 与单糖的吸收有关

D. 属于毛细淋巴管

E. 其内表面衬有单层扁平上皮

17. 小肠上皮表面的纹状缘在电镜下是（　）

A. 细胞衣

B. 纤毛

C. 微绒毛

D. 浓缩的细胞质

E. 细胞膜表面蛋白质

18. 关于十二指肠结构的描述，错误的是（　）

A. 固有层内有孤立淋巴小结

B. 绒毛中轴有中央乳糜管

C. 上皮含有杯形细胞

D. 十二指肠后壁的外膜为纤维膜

E. 十二指肠腺位于固有层

19. 潘氏细胞位于（　）

A. 小肠腺的底部

B. 固有层结缔组织

C. 肠绒毛上皮

D. 十二指肠腺

E. 小肠的上皮表面

20. 杯状细胞存在于（　）

A. 食管和小肠的黏膜上皮

B. 胃和结肠的黏膜上皮

C. 结肠和小肠的黏膜上皮

D. 食管和胃的黏膜上皮

E. 食管和气管的黏膜上皮

21. 大肠的主要特征是（　）

A. 上皮含有许多杯状细胞

B. 固有膜有许多大肠腺

C. 无肠绒毛

D. 外纵肌增厚形成结肠带

E. 以上都是

（二）多选题

22. 小肠肠绒毛中与吸收功能直接有关的结构是（　）

A. 中央乳糜管

B. 杯形细胞

C. 浆细胞

D. 网状纤维

E. 有孔毛细血管

23. 有关小肠特征的描述，正确的是（　）

A. 有环形皱襞

B. 上皮表面有纹状缘

C. 有大量肠绒毛

D. 黏膜固有层内有神经丛

E. 小肠腺位于黏膜下层

24. 属于小肠腺的细胞是（　）

A. 浆细胞

B. 内分泌细胞

C. 杯形细胞

D. 吸收细胞

E. 未分化细胞

25. 与消化管的免疫功能有关的是（　）

A. 潘氏细胞

B. 浆细胞

C. 杯形细胞

D. 集合淋巴小结

E. 孤立淋巴小结

26. 壁细胞的结构特征是（ ）

A. 胞质嗜酸性

B. 有发达的小管泡系

C. 有丰富的线粒体

D. 有丰富的溶酶体

E. 有细胞内分泌小管

27. 胃的主细胞可分泌（ ）

A. 内因子

B. 胃泌素

C. 胃蛋白酶原

D. 盐酸

E. 凝乳酶

28. 胃的壁细胞分泌（ ）

A. 内因子

B. 酸性黏多糖

C. 胃泌素

D. 盐酸

E. 防御素

29. 在黏膜下层含有腺体的器官是（ ）

A. 十二指肠

B. 空肠

C. 食管

D. 胃

E. 结肠

30. 下列关于十二指肠的描述，正确的是（ ）

A. 绒毛较宽，呈叶状

B. 黏膜下层有腺体

C. 肌层分内环、外纵两层

D. 固有层内有集合淋巴小结

E. 上皮表面有明显的纹状缘

31. 下列与增加表面积有关的结构有（ ）

A. 细胞内分泌小管

B. 肠绒毛

C. 纹状缘

D. 黏膜皱襞

E. 中央乳糜管

32. 杯形细胞存在于（ ）

A. 胃的上皮

B. 回肠上皮

C. 小肠腺

D. 结肠上皮

E. 食管的上皮

33. 外膜为浆膜的是（ ）

A. 胃

B. 食管

C. 十二指肠后壁

D. 阑尾

E. 空肠

34. 消化管的神经丛位于（ ）

A. 黏膜层

B. 黏膜肌层

C. 黏膜下层

D. 肌层

E. 外膜层

35. 关于结肠的描述，正确的是（ ）

A. 无肠绒毛

B. 无杯状细胞

C. 有较多的大肠腺

D. 肌层为内环外纵两层

E. 外膜层为纤维膜

36. 分泌黏液的细胞有（ ）

A. 杯状细胞

B. 潘氏细胞

C. 胃表面上皮细胞

D. 幽门腺细胞

E. 未分化细胞

37. 参与黏膜皱襞形成的结构是（ ）

A. 黏膜的上皮和固有层

B. 黏膜肌层

C. 黏膜下层

D. 肌层

E. 外膜层

三、是非题

1. 消化管各段黏膜层是差异最大、功能最重要的部分。（　）

2. 正常情况下，胃上皮表面覆盖着一层黏液 - 碳酸氢盐屏障，它是由胃黏膜上皮细胞产生的含大量 HCO_3^- 的不可溶性黏液凝胶构成。（　）

3. 细胞内分泌小管是胃的壁细胞内特有的结构，与盐酸的合成有关。（　）

4. 胃的肌层由内环、外纵两层平滑肌组成。（　）

5. 在光镜下，主细胞的胞质呈嗜酸性，壁细胞的胞质呈嗜碱性。（　）

6. 肠绒毛是由黏膜和黏膜下层向肠腔突起形成的。（　）

7. 纹状缘在电镜下是由细胞表面密集而规则的微绒毛构成，是小肠扩大吸收表面积的重要结构。（　）

8. 十二指肠腺位于黏膜下层，其分泌物含有丰富的消化酶。（　）

9. 大肠区别于小肠的主要特点是无绒毛，无潘氏细胞，有丰富的大肠腺和杯形细胞。（　）

10. 潘氏细胞是一种内分泌细胞，能分泌激素，以促进小肠的吸收功能。（　）

四、名词解释

1. 主细胞
2. 壁细胞
3. 黏液 - 碳酸氢盐屏障
4. 纹状缘
5. 潘氏细胞

五、叙述题

1. 简述各段消化管结构的异同点。
2. 试述胃的主细胞与壁细胞的结构及其功能。

3. 试比较小肠与结肠黏膜的结构特点及其与功能的关系。

4. 试述小肠腺的组成、结构特点及功能。

5. 试述小肠绒毛的形成、结构和功能。

参考答案

一、填空题

1. 上皮　固有层　黏膜肌层　纤维膜　浆膜　疏松结缔组织　薄层结缔组织　间皮

2. 菌状乳头　轮廓乳头　味觉细胞　支持细胞　基细胞

3. 牙冠　牙根　牙颈　牙髓腔　牙根孔　牙周膜　牙槽骨骨膜　牙龈

4. 复层扁平上皮　黏膜下　黏液　纤维

5. 表面黏液　固有层　胃小凹　主细胞　壁细胞　颈黏液细胞　内分泌细胞　未分化细胞　壁细胞

6. 粗面内质网　高尔基复合体　酶原颗粒　胃蛋白酶原　细胞内分泌小管　微管泡系统　盐酸　内因子　维生素 B_{12}

7. 环行皱襞　肠绒毛　微绒毛

8. 吸收细胞　杯形细胞　潘氏细胞　内分泌细胞　未分化　潘氏细胞

9. 黏膜　黏膜下层　上皮　固有层　细胞膜　细胞质

10. 中央乳糜管　毛细血管

二、选择题

（一）单选题

1. B。解释：菌状乳头表面上皮不角化。

2. E。解释：味蕾主要位于菌状乳头和轮廓乳头。

3. B。解释：丝状乳头表面角化上皮与

唾液及食物残渣等一起构成舌苔。

4. D。解释：牙釉质是人体内最坚硬的组织。

5. A。解释：食管的上皮为非角化的复层扁平上皮，主要具有保护的作用。

6. E。解释：食管外膜为纤维膜，与周围组织相连，得以固定。

7. D。解释：胃底腺的颈、体部以壁细胞为主，底部以主细胞为主。

8. B。解释：主细胞胞质内含有较多酶原颗粒。酶原为蛋白质，粗面内质网与其合成功能有关。

9. B。解释：细胞内分泌小管与壁细胞的盐酸合成功能有关。

10. A。解释：只有主细胞有此功能。

11. B。解释：只有壁细胞有此功能。

12. C。解释：壁细胞内有许多管泡状的滑面内质网，称小管泡系统，其结构随细胞功能状态而改变。

13. A。解释：肠绒毛是由上皮和固有层向肠腔突出而形成

14. D。解释：黏膜下神经丛位于黏膜下层，故不构成绒毛的成分。

15. E。解释：潘氏细胞是组成小肠腺的细胞之一，具有免疫的功能。

16. C。解释：中央乳糜管与脂肪的吸收有关。

17. C。解释：纹状缘在电镜下由密集的微绒毛组成，可扩大小肠吸收的表面积。

18. E。解释：十二指肠腺位于黏膜下层。

19. A。解释：潘氏细胞位于小肠腺的底部，是组成小肠腺的细胞之一。

20. C。解释：在小肠和结肠及气管内表面的上皮中，均含有较多杯状细胞，胃和食管的上皮无此细胞。

21. E。解释：ABCD 均为大肠的特点，故选 E。

（二）多选题

22. A、E。解释：中央乳糜管与脂肪的吸收有关，葡萄糖和氨基酸则通过毛细血管吸收，而其中 A、B 和 D 均与吸收功能无关。

23. A、B、C。解释：因固有层内无神经丛，而小肠腺则位于固有层。

24. B、C、D、E。解释：浆细胞是结缔组织的细胞，不属于小肠腺的成分。

25. A、B、D、E。解释：杯形细胞分泌黏液，无免疫功能，而其他均为有免疫功能的细胞或结构。

26. A、B、C、E。解释：D 错，因壁细胞无吞噬作用，故溶酶体不发达。

27. C、E。解释：其中 C 和 E 两种物质由主细胞分泌，故为正确答案，而 A 和 D 是由胃的壁细胞分泌。胃泌素则由内分泌细胞分泌。

28. A、D。解释：其中只有 A 和 D 是由胃的壁细胞分泌。

29. A、C。解释：消化管只有食管和十二指肠的黏膜下层分别含有食管腺和十二指肠腺。

30. A、B、C、E。解释：D 错，因小肠的集合淋巴小结只位于回肠。

31. A、B、C、D。解释：其中 A 为胃的壁细胞表面细胞膜向细胞内凹陷形成的结构，可扩大细胞表面积；B、C 和 D 均为小肠增加吸收表面积的结构。

32. B、D。解释：在消化管，只有小肠和大肠的上皮及肠腺含有杯状细胞，故 B、C 和 D 正确。

33. A、D、E。解释：食管和十二指肠后壁不位于腹腔，外膜为纤维膜，使其固定于周围组织。

34. C、D。解释：消化管的黏膜下层有黏膜下神经丛，肌层有肠肌神经丛，又称肌间神经丛，而其他各层均无神经丛。

35. A、C、D。解释：结肠上皮中含有丰富的杯状细胞，分泌黏液，起润滑作用。外膜为光滑的浆膜，故 B 和 E 错。

36. A、C、D。解释：潘氏细胞分泌防御素，未分化细胞为干细胞，能分化为多种细胞，其余的均为分泌黏液细胞。

37. A、B、C。解释：黏膜皱襞是由黏膜和黏膜下层向肠腔突起形成，故除肌层和外膜外，其余均为其中成分。

三、是非题

正确：1、2、3、7、9。

错误：

4. 解释：胃的肌层为内斜、中环、外纵三层平滑肌。

5. 解释：在光镜下，主细胞的胞质呈嗜碱性，壁细胞的胞质呈嗜酸性。

6. 解释：肠绒毛是由上皮和固有层向肠腔突起形成的。

8. 解释：十二指肠腺的分泌物主要为黏液。

10. 解释：潘氏细胞主要具有免疫和防御的功能。

四、名词解释

1. 主细胞又称胃酶细胞，分布于腺的体部和底部。细胞呈柱形或锥体形，核圆形位于基部，胞质基部嗜碱性，顶部充满酶原颗粒。酶原颗粒为圆形或卵圆形，外包单位膜，其内含的胃蛋白酶原，经盐酸的作用转变成有活性的胃蛋白酶，能水解蛋白质。

2. 壁细胞又称泌酸细胞，多分布在胃底腺上段，细胞较大，呈卵圆形或三角形，核圆位于细胞中央，胞质呈强嗜酸性。胞质内有许多管泡状滑面内质网，称微管泡系统，壁细胞的功能主要是合成和分泌盐酸，人的壁细胞尚可分泌一种糖蛋白，称

内因子，与维生素 B_{12} 结合成复合物，使维生素 B_{12} 不被水解酶消化。

3. 该屏障主要由胃黏膜表面细胞产生的一层含大量 HCO_3^- 的不可溶性黏液凝胶构成。凝胶可减慢 H^+ 和胃蛋白酶的逆向弥散，HCO_3^- 可与 H^+ 发生中和反应，因而凝胶层内的 pH 值呈梯度差异，近腔面 pH 约为 2，近上皮侧 pH 为 7。黏液 – 碳酸氢盐屏障的破坏是消化性溃疡发病的病理生理学基础。

4. 纹状缘位于小肠吸收细胞的游离面，光镜下呈暗红色条纹状。电镜下显示纹状缘是由细胞表面密集而规则的微绒毛构成。每个吸收细胞有微绒毛 2000～3000 根，使细胞游离面面积扩大约 30 倍。

5. 潘氏细胞位于肠腺基部，细胞较大，呈锥体形。该细胞最显著的特征是顶部胞质含粗大的嗜酸性分泌颗粒。潘氏细胞分泌颗粒内含有与防御功能有关的蛋白，颗粒内容物释放入小肠腺腔，对肠道微生物有杀灭作用，故潘氏细胞是一种具有免疫功能的细胞。

五、叙述题

1. 答：消化管各段因执行的功能不同，在结构上各有其特点，但大体相似。

(1) 消化管壁的结构共性：消化管一般均可分为四层，从内向外依次为黏膜、黏膜下层、肌层和外膜。①黏膜：是消化管各段结构差异最大和功能最重要的部分，黏膜由上皮、固有层和黏膜肌层三层组成。上皮在消化管的最内层，消化管两端（口腔、咽、食管及肛门）为复层扁平上皮，其余部分均为单层柱状上皮。固有层由细密的结缔组织组成，含有丰富的淋巴组织和免疫细胞，并含大量的小型消化腺及小血管、淋巴管等。黏膜肌层由薄层平滑肌组成。②黏膜下层：主要是疏松结缔组织，

内含丰富的血管、淋巴管、黏膜下神经丛和淋巴组织等。③肌层：除消化管两端（口腔、咽、部分食管及肛门）为骨骼肌外，其余各部均为平滑肌，一般分为内环行肌和外纵行肌两层，两层之间有少量结缔组织和肠肌神经丛。④外膜：大部分消化管（胃、大部分小肠及部分大肠）的外膜为浆膜，由薄层结缔组织及表面的单层扁平上皮（间皮）构成；咽、食管和大肠末端的外膜仅由疏松结缔组织组成，称为纤维膜。

（2）各段消化管结构主要的特异性：①食管的上皮是复层扁平上皮，其黏膜下层有分泌黏液的食管腺，外膜是纤维膜。②胃的固有层含大量的胃底腺，其肌层为内斜、中环、外纵三层。③小肠的黏膜层向肠腔突起，形成肠绒毛，其吸收细胞表面具有密集的微绒毛，以扩大表面积。在十二指肠的黏膜下层有十二指肠腺，回肠的固有膜有集合淋巴小结。④大肠无肠绒毛，上皮含有丰富的杯形细胞，固有层含有大量的大肠腺。其外纵肌局部增厚形成结肠带。

2. 答：胃的主细胞与壁细胞是构成胃底腺的主要细胞。

（1）主细胞：又称胃酶细胞，分布于腺的体部和底部。细胞呈柱形或锥体形，核圆形，位于基部。胞质基部嗜碱性，顶部充满酶原颗粒。电镜观察，细胞表面有短而不规则的微绒毛，核基部胞质内含有大量粗面内质网，核上方有发达的高尔基复合体，酶原颗粒外包单位膜，内含胃蛋白酶原，经盐酸的作用转变成有活性的胃蛋白酶，能水解蛋白质成䏃和胨及少量多肽与氨基酸。婴儿的主细胞还分泌凝乳酶，有利于乳汁的分解。

（2）壁细胞：又称泌酸细胞，数量较少，多分布在胃底腺上段，细胞较大，呈卵圆形或三角形，核圆形，位于细胞中央，胞质呈强嗜酸性，普通染色呈红色。电镜观察，细胞膜向胞质内凹陷形成大量迂曲分支的小管系统，称细胞内分泌小管，从小管腔面伸出许多细长的微绒毛，扩大了壁细胞的表面积。胞质内尚有许多管泡状滑面内质网，称小管泡系统。胞质还有较多的线粒体。壁细胞的功能主要是合成和分泌盐酸，它能激活胃蛋白酶原成为胃蛋白酶，并有杀菌作用，还能刺激胃肠胰内分泌细胞的分泌和促进胰液的分泌。人的壁细胞尚可分泌一种糖蛋白，称内因子，它与维生素 B_{12}（抗恶性贫血因子或称外因子）结合成复合物，使维生素 B_{12} 不被水解酶消化。

3. 答：小肠黏膜的结构与其功能相适应，具有以下特点：

（1）小肠黏膜及黏膜下层向肠腔突起形成环行皱襞，肠绒毛是由上皮和固有膜向肠腔突出而形成，是小肠特有的结构，它们使小肠表面积扩大 20～30 倍。绒毛中轴含有中央乳糜管，与脂肪的吸收有关。其周围还有丰富的毛细血管，与氨基酸及单糖的吸收有关。

（2）小肠上皮的吸收细胞游离面有明显的纹状缘，电镜下纹状缘是由细胞表面密集而规则的微绒毛构成。它使小肠表面积扩大约 30 倍。微绒毛表面尚有一层细胞衣，内含多种水解酶，促进食物的进一步分解和吸收。

（3）固有层中有小肠腺，其中杯状细胞分泌黏液，潘氏细胞是一种与免疫功能有关的细胞，而未分化细胞是上皮的干细胞，可增殖补充顶部经常脱落的上皮细胞。

（4）固有层中含有丰富的淋巴组织，其中包括分散的淋巴细胞、孤立淋巴小结及集合淋巴小结，它们与抗原物质进行免疫应答，可防御有害物质的侵害。

（5）在十二指肠的黏膜下层，含有十二指肠腺，可保护黏膜免受酸性胃液和胰液的消化和侵蚀。

大肠与小肠相比较，具有以下特点：

（1）黏膜表面无肠绒毛。

（2）固有膜内有丰富的大肠腺。

（3）上皮及大肠腺中有丰富的杯形细胞，分泌黏液以润滑黏膜。

（4）外纵肌局部增厚，形成结肠带。

4. 答：小肠腺是小肠上皮向固有层内凹陷所形成的管状腺。肠腺与肠绒毛上皮是连续的，故肠腺直接开口于肠腔。构成肠腺的细胞除吸收细胞、杯状细胞及内分泌细胞外，还有潘氏细胞、未分化细胞。

（1）吸收细胞：呈高柱状，核卵圆形位于细胞基部。细胞游离面有明显的纹状缘，电镜下表明纹状缘是由细胞表面密集而规则的微绒毛构成。吸收细胞的主要功能是吸收已消化的营养物质。

（2）杯状细胞：细胞呈高脚酒杯状，胞质内充满黏原颗粒，散在分布于柱状细胞之间，分泌黏液，有润滑和保护肠黏膜的作用。

（3）潘氏细胞：细胞较大，呈锥体形。该细胞最显著的特征是顶部胞质含粗大的嗜酸性分泌颗粒，颗粒含有与防御功能有关的蛋白，包括防御素、溶菌酶等，对肠道微生物有杀灭作用。

（4）未分化细胞：细胞较小，呈柱状，胞质嗜碱性，电镜下具有分泌蛋白质细胞的结构特点。未分化细胞是肠上皮的干细胞，细胞不断地增殖并向上方迁移，分化成吸收细胞和其他肠腺细胞，并补充肠绒毛顶部经常脱落的上皮细胞。

5. 答：小肠黏膜表面有许多细小突起，称肠绒毛，它是由黏膜上皮和固有层向肠腔突出而成的结构。肠绒毛的表面为单层柱状上皮（肠上皮），中轴为疏松结缔组织。肠绒毛中轴的固有层内含有1~2条纵行的毛细淋巴管（中央乳糜管），肠上皮吸收的脂肪微粒主要经中央乳糜管运送。在乳糜管周围有丰富的有孔毛细血管网，肠上皮吸收的氨基酸与单糖主要由此进入血流。肠绒毛还有来自黏膜肌层的少数平滑肌纤维，它可使肠绒毛产生收缩运动，以利于营养物质的吸收和淋巴、血液的运行。肠绒毛使小肠表面积大为增加。

（徐维蓉）

第二节 消化腺

本节重点、难点：

1. 腮腺、舌下腺、下颌下腺的结构特点

2. 胰腺外分泌部、内分泌部的结构和功能。

3. 肝小叶的结构、组成及功能

4. 门管区的结构

5. 肝血循环特点及与肝功能的关系

测试题

一、填空题

1. 唾液腺的腺泡分为_____、_____和_____三种类型。腮腺为_____腺，只含_____腺泡。

2. 胰腺外分泌部由_____和_____组成；内分泌部又称_____，其内含有_____、_____和_____细胞，其中分泌胰岛素的是_____细胞。

3. 肝门管区结缔组织内含有_____、_____和_____三种管道，它们分别是_____、_____和_____在肝内的分支。

4. 肝小叶是肝的_____单位，由_____、_____、_____和_____构成。

5. 肝血窦位于_____之间，血液从肝小叶_____流向_____，汇入_____。

6. 窦周隙位于_____和_____之间，内含_____细胞，该细胞有_____的功能，病理条件下可产生_____。

二、选择题

（一）单选题

1. 下列哪项不属于胰腺的结构（　）
    A. 浆液性腺泡
    B. 黏液性腺泡
    C. 泡心细胞
    D. 闰管
    E. 胰岛

2. 分泌胰高血糖素的细胞是（　）
    A. A 细胞
    B. B 细胞
    C. C 细胞
    D. PP 细胞
    E. D 细胞

3. 下列哪项不是胰岛细胞的分泌物（　）
    A. 胰高血糖素
    B. 生长抑素
    C. 胰岛素
    D. 胰蛋白酶
    E. 胰多肽

4. 关于胰岛的叙述，哪项错误（　）
    A. 由内分泌细胞组成的细胞团
    B. H-E 切片中可见 A、B、D、PP 四型细胞
    C. 细胞间有丰富的毛细血管
    D. 胰岛大小不等
    E. 位于腺泡之间

5. 在肝细胞，合成多种血浆蛋白质的结构是（　）
    A. 粗面内质网
    B. 滑面内质网

C. 溶酶体
    D. 微体
    E. 线粒体

6. 下列哪项不属于门管区的结构（　）
    A. 小叶间静脉
    B. 小叶间动脉
    C. 小叶间淋巴管
    D. 小叶下静脉
    E. 小叶间胆管

7. 窦周隙存在于（　）
    A. 肝细胞与肝血窦内皮细胞之间
    B. 肝血窦内皮细胞之间
    C. 相邻肝细胞通道之间
    D. 肝血窦内皮细胞与肝巨噬细胞之间
    E. 肝细胞和胆小管之间

8. 胆汁由哪种细胞产生（　）
    A. 肝细胞
    B. 胆囊上皮细胞
    C. 胆小管上皮细胞
    D. 肝血窦内皮细胞
    E. 肝管上皮细胞

9. 肝细胞内与胆汁合成分泌有关的细胞器是（　）
    A. 线粒体
    B. 滑面内质网
    C. 粗面内质网
    D. 溶酶体
    E. 微体

10. 关于肝门管区三种管道，哪项错误（　）
    A. 小叶间动脉来自肝动脉
    B. 小叶间静脉来自肝静脉
    C. 小叶间胆管汇合成肝管
    D. 三种管道互相伴行
    E. 三种管道在门管区内可有分支

11. 胆小管位于（　）

A. 肝板之间

B. 窦周隙

C. 相邻肝细胞之间

D. 门管区

E. 肝板与窦周间隙间

12. 组成胆小管管壁的细胞是 （   ）

A. 成纤维细胞

B. 库普弗细胞

C. 肝细胞

D. 贮脂细胞

E. 内皮细胞

13. 肝细胞分泌胆汁最先进入 （   ）

A. 肝血窦

B. 窦周隙

C. 中央静脉

D. 胆小管

E. 小叶间胆管

14. 肝脏内能生成胶原纤维的细胞是
（   ）

A. 肝细胞

B. 血窦内皮细胞

C. 库普弗细胞

D. 贮脂细胞

E. 大颗粒淋巴细胞

15. 肝血窦的特点是 （   ）

A. 内皮细胞有窗孔、有基膜，腔
内有贮脂细胞

B. 内皮细胞有窗孔、无基膜，腔
内有巨噬细胞

C. 内皮细胞有窗孔、无基膜，腔
内有贮脂细胞

D. 内皮细胞无窗孔、有基膜，腔
内有巨噬细胞

E. 内皮细胞无窗孔、无基膜，腔
内有大颗粒淋巴细胞

（二）多选题

16. 属于混合性腺的腺体是 （   ）

A. 腮腺

B. 下颌下腺

C. 舌下腺

D. 十二指肠腺

E. 胰腺

17. 胰腺外分泌部的特征是 （   ）

A. 腺泡为浆液性腺泡

B. 腺泡腔内有泡心细胞

C. 腺泡细胞无肌上皮细胞

D. 闰管长

E. 无分泌管

18. 胰腺外分泌部可分泌 （   ）

A. 胰淀粉酶

B. 胰脂肪酶

C. 胰蛋白酶原

D. 胰岛素

E. 胰高血糖素

19. 泡心细胞的特点是 （   ）

A. 位于腺泡腔内

B. 扁平或立方形

C. 胞质染色浅

D. 分泌胰岛素

E. 分泌胰蛋白酶

20. 胰岛 A 细胞 （   ）

A. 主要位于胰岛周边

B. 分泌胰高血糖素

C. 是胰岛内数量最多的细胞

D. 功能低下时可引起血糖升高

E. H-E 染色容易区分

21. 胰岛 B 细胞 （   ）

A. 主要位于胰岛中央

B. 分泌胰高血糖素

C. 是胰岛内数量最多的细胞

D. 功能低下时可引起血糖升高

E. H-E 染色容易区分

22. 肝门管区内含有 （   ）

A. 小叶间动脉

B. 小叶间静脉

C. 小叶间胆管

D. 小叶下静脉

E. 中央静脉

23. 组成肝小叶的结构有（　）

    A. 中央静脉

    B. 肝板

    C. 肝血窦

    D. 胆小管

    E. 小叶间静脉

24. 有关肝细胞的描述哪些正确（　）

    A. 细胞多面体形

    B. 核大而圆、居中，多倍体细胞多，有较多的双核细胞

    C. 胞质嗜酸性，含散在的嗜碱性物质

    D. 各种细胞器丰富而发达

    E. 具有强大的再生能力

25. 肝细胞的功能面有（　）

    A. 血窦面

    B. 肝板面

    C. 胆小管面

    D. 门管区面

    E. 肝细胞连接面

26. 肝窦周隙内含有（　）

    A. 胶原纤维

    B. 神经纤维

    C. 血浆

    D. 肝巨噬细胞

    E. 贮脂细胞

27. 肝血窦的血液来自（　）

    A. 小叶下静脉

    B. 小叶间静脉

    C. 小叶间动脉

    D. 中央静脉

    E. 小叶间胆管

28. 关于肝巨噬细胞哪些正确（　）

    A. 位于肝血窦内

    B. 贮存维生素

    C. 清除细菌、异物及衰老和损伤

的血细胞

    D. 参与调节机体免疫应答

    E. 突起可穿过内皮窗孔和细胞间隙伸入窦周隙

29. 肝细胞内滑面内质网与哪些功能有关（　）

    A. 胆汁合成

    B. 脂类代谢

    C. 糖代谢

    D. 激素代谢

    E. 白蛋白合成

30. 下列管道的腔面哪些被覆单层扁平上皮（　）

    A. 中央静脉

    B. 肝血窦

    C. 小叶间胆管

    D. 胆小管

    E. 小叶间动脉

三、是非题

1. 胆小管的管壁由单层立方上皮组成。（　）

2. 肝巨噬细胞来自血液单核细胞，胞质内含有大量溶酶体、吞噬体等。（　）

3. 肝细胞呈多面体，胞质呈嗜酸性，含有散在嗜碱性团块；核大而圆，核仁 1～2 个。（　）

4. 贮脂细胞存在于肝血窦内。（　）

5. 下颌下腺为纯浆液性腺。（　）

6. 腮腺和胰腺外分泌部结构类似，为纯浆液腺，腺泡中央可见泡心细胞。（　）

7. 胰腺内分泌部含有多种内分泌细胞，所以可以分泌多种消化酶。（　）

8. 胰岛 B 细胞分泌胰高血糖素，A 细胞分泌胰岛素。（　）

9. 胰腺 PP 细胞分泌的胰多肽可抑制胃肠运动、胰液分泌及胆囊收缩作用。（　）

10. 肝细胞内粗面内质网发达，成群分布，可合成多种重要的血浆蛋白。（　）

四、名词解释

1. 胰岛
2. 窦周隙
3. 胆小管
4. 肝血窦
5. 肝巨噬细胞
6. 肝小叶
7. 门管区

五、叙述题

1. 简述胰腺外分泌部的结构和功能。
2. 试述肝小叶的结构。
3. 试述肝细胞的超微结构及其功能。
4. 简述肝内血液循环途径及胆汁排出通路。

参考答案

一、填空题

1. 浆液性腺泡　黏液性腺泡　混合性腺泡　纯浆液性　浆液性
2. 腺泡　导管　胰岛　A 细胞　B 细胞　D 细胞　PP 细胞　B 细胞
3. 小叶间动脉　小叶间静脉　小叶间胆管　肝动脉　门静脉　肝管
4. 基本结构和功能　中央静脉　肝索　肝血窦　胆小管
5. 肝板　周边　中央　中央静脉
6. 肝血窦　肝细胞　贮脂　摄取和贮存维生素 A　胶原纤维

二、选择题

（一）单选题

1. B。解释：胰腺为纯浆液性腺，无黏液性腺泡。

2. A。解释：A 细胞分泌胰高血糖素。

3. D。解释：胰蛋白酶由外分泌部的腺泡细胞分泌。

4. B。解释：胰岛各种细胞需用特殊染色显示，H-E 染色切片中不易区分。

5. A。解释：肝细胞的粗面内质网可合成多种血浆蛋白质。

6. D。解释：小叶下静脉单独行走于小叶间结缔组织内，不与其他管道伴行。门管区内可见小叶间淋巴管。

7. A。解释：窦周隙存在于肝细胞与肝血窦内皮细胞之间。

8. A。解释：胆汁由肝细胞的滑面内质网产生。

9. B。解释：同 8 题。

10. B。解释：小叶间静脉是门静脉的分支。

11. C。解释：胆小管由相邻肝细胞的膜局部凹陷形成，穿行于肝板内。

12. C。解释：相邻肝细胞的细胞膜局部凹陷组成胆小管管壁。

13. D。解释：肝细胞分泌的胆汁最先进入胆小管。

14. D。解释：肝脏内能生成胶原纤维的细胞是贮脂细胞。

15. B。解释：肝血窦的结构特点是内皮细胞有窗孔、无基膜，腔内有巨噬细胞。

（二）多选题

16. B、C。解释：腮腺、胰腺外分泌部为纯浆液性腺，十二指肠腺为黏液性腺。

17. A、B、C、D、E。解释：全对。

18. A、B、C。解释：胰岛素、胰高血糖素由胰岛细胞分泌。

19. A、B、C。解释：泡心细胞分泌水和碳酸氢盐等多种电解质。

20. A、B。解释：A 细胞分泌胰高血糖素，使血糖升高，其功能低下时可引起血糖下降。

21. A、C、D。解释：B 细胞分泌胰岛素，使血糖下降，其功能低下时胰岛素分泌减少从而引起血糖升高。

22. A、B、C。解释：肝门管区内有小叶间动脉、小叶间静脉、小叶间胆管三种管型。

23. A、B、C、D。解释：中央静脉、肝板、肝血窦、胆小管共同组成肝小叶的立体结构。

24. A、B、C、D、E。解释：均正确。

25. A、C、E。解释：肝细胞的功能面有血窦面、胆小管面、肝细胞连接面。

26. C、E。解释：窦周隙位于肝血窦内皮细胞与肝细胞之间，其内有贮脂细胞。血窦内的血浆经内皮细胞窗孔及内皮细胞之间的间隙进入窦周隙。

27. B、C。解释：肝血窦的血液来自小叶间静脉、小叶间动脉，分别提供营养物和氧。

28. A、C、D、E。解释：贮脂细胞贮存维生素 A。

29. A、B、C、D。解释：滑面内质网有多种酶系，能进行各种有机物的连续合成、分解、结合、转化反应。白蛋白在粗面内质网内合成。

30. A、B、E。解释：小叶间胆管的管壁为单层立方上皮，胆小管的管壁为肝细胞膜。

三、是非题

正确：2、3、9、10。

错误：

1. 解释：胆小管的管壁由肝细胞膜构成。

4. 解释：贮脂细胞位于窦周隙内，肝巨噬细胞位于肝血窦内。

5. 解释：下颌下腺是以浆液性腺泡为主的混合腺。

6. 解释：腮腺及胰腺外分泌部均为浆液腺，但腮腺腺泡内无泡心细胞。

7. 解释：胰腺外分泌部腺泡细胞分泌多种消化酶。内分泌细胞分泌激素。

8. 解释：胰岛 A 细胞分泌胰高血糖素，B 细胞分泌胰岛素。

四、名词解释

1. 胰岛在胰腺的内分泌部，由内分泌细胞组成。人胰岛主要有 A、B、D、PP 四种细胞。A 细胞分泌胰高血糖素，使血糖升高。B 细胞分泌胰岛素，使血糖降低。D 细胞分泌生长抑素，抑制 A、B 细胞的分泌。PP 细胞最少，分泌胰多肽，可抑制胃肠运动、胰液分泌及胆囊收缩。

2. 窦周隙是肝血窦内皮细胞与肝细胞之间的狭小间隙，又称 Disse 间隙，是肝细胞与血液之间进行物质交换的场所。窦周隙内有贮脂细胞。

3. 胆小管是穿行于肝板内的微细管道，相互连接成网。电镜观察胆小管由相邻肝细胞的质膜局部凹陷形成，有微绒毛突入管腔。肝细胞分泌的胆汁进入胆小管，汇入肝闰管、小叶间胆管等。

4. 肝血窦位于肝板之间的陷窝内，腔大而不规则，相互吻合成网，是肝小叶内血液流动的通道。小叶间动脉和小叶间静脉血液从肝小叶周边输入肝血窦，血窦内的血流单向性流动汇入中央静脉。肝血窦壁由内皮细胞围成，窦腔内有肝巨噬细胞。

5. 肝巨噬细胞又称库普弗细胞，来自血液内单核细胞，具有变形运动和活跃的吞饮、吞噬能力，在清除从门静脉进入肝的病原微生物、异物，清除衰老血细胞及监视肿瘤等方面发挥重要作用。

6. 肝小叶是肝脏的基本结构和功能单位，由中央静脉、肝板、肝血窦、胆小管等结构组成。具有合成分泌胆汁、多种蛋白质等多类物质，参与糖、脂类、药物、激素等的代谢，有防御、造血的功能。

7. 门管区是相邻肝小叶之间呈三角形或不规则形的结缔组织小区，其内有小叶间动脉、小叶间静脉和小叶间胆管三种管道伴行，又称汇管区。

五、叙述题

1. 答：胰腺外分泌部为浆液性复管泡状腺，由腺泡和导管构成，外分泌部分泌胰液。胰液为水样性液体，内含大量的碳酸氢盐及多种消化酶。

（1）腺泡：由一层锥体形的腺泡细胞构成，外有基膜，无肌上皮细胞。腺泡细胞核圆形，位于细胞基部。基部胞质嗜碱性，顶部胞质中有酶原颗粒，H-E 染色呈嗜酸性。电镜下腺泡细胞见丰富的粗面内质网、游离核糖体和发达的高尔基复合体。酶原颗粒聚集在细胞顶部，内含多种消化酶。腺泡腔内有泡心细胞，它们是伸入腺泡腔内的闰管上皮细胞。腺泡细胞分泌多种消化酶，如胰蛋白酶原、胰糜蛋白酶原、胰淀粉酶、胰脂肪酶等。

（2）导管：闰管较长，与腺泡相连，管腔小，无纹状管，闰管直接汇合成小叶内导管。小叶内导管在小叶间汇合成小叶间导管，最后汇集成一条主导管，贯穿胰腺全长，在胰头部与胆总管汇合，开口于十二指肠乳头。从小叶内导管至主导管，管腔逐渐增大，上皮由单层立方渐变为单层柱状，主导管为单层高柱状上皮，上皮内可见杯状细胞。导管上皮细胞（包括泡心细胞）可分泌大量的水和碳酸氢盐等多种电解质。

2. 答：肝小叶是肝脏的基本结构和功能单位，呈多角形棱柱体，横切面为多边形，每个肝小叶中央有一条沿其长轴走行的中央静脉，肝细胞以中央静脉为中心，呈放射状排列，形成肝板，其断面呈索状称肝索，肝板相互吻合成网。肝小叶的周围有一层环行肝板，称为界板。肝板之间的不规则空隙内有肝血窦，血窦经肝板上的孔互相连通。相邻肝细胞的细胞膜凹陷形成微细的胆小管，穿行于肝板内并互相连接成网。肝板、肝血窦和胆小管围绕中央静脉共同组成肝小叶的复杂的立体网络结构。

3. 答：肝细胞是肝的主要细胞，具有多种功能。肝细胞大，呈多面体形，有相邻肝细胞的连接面、胆管面和肝血窦面三种功能面。胆管面和肝血窦面有发达的微绒毛使表面积增大，有利于细胞从血液中吸收或向血液释放物质。肝细胞间有桥粒和缝隙连接，防止胆汁溢入血液。胞质内富含各种细胞器，并含有糖原、脂滴及色素等多种内含物。

功能：①线粒体多，为细胞的功能活动不断提供能量。②粗面内质网丰富，合成白蛋白、纤维蛋白原、凝血酶原、脂蛋白等血浆蛋白，经肝细胞的血窦面释放入血。③滑面内质网丰富，有多种酶系，可进行各种有机物的连续合成、分解、结合、转化反应，包括胆汁合成、脂类代谢、糖代谢、激素代谢，以及从肠道吸收的大量的有机异物的生物转化等。④高尔基复合体发达，主要分布在胆小管周围和核附近，参与肝细胞的胆汁合成，蛋白质加工、贮存及溶酶体的形成。⑤溶酶体数量多，消化水解细胞内的代谢物质和退化的细胞器，以维持肝细胞结构的自我更新，并参与肝细胞的物质转运和贮存。⑥过氧化物酶将细胞代谢中产生的过氧化氢还原为水，有解毒作用。

4. 答：

（1）肝内血液循环途径：肝脏由门静脉和肝动脉双重供血。门静脉是肝的功能血管入肝后反复分支，在肝小叶之间形成小叶间静脉，其终末支汇入肝血窦。肝动脉是肝的营养血管，入肝后反复分支，在肝小叶之间形成小叶间动脉，与小叶间静脉伴行，其终末支也汇入肝血窦，故肝血窦内含有门静脉和肝动脉的混合血液。血窦内的血液进入窦周隙与肝细胞进行物质交换后，从小叶周边流向中央，汇入中央静脉，继而汇合成小叶下静脉、肝静脉出肝。

（2）肝内胆汁排出通路：肝细胞分泌胆汁排入胆小管，胆汁沿胆小管从肝小叶中央向周边运送，进入肝闰管出小叶，注入小叶间胆管，小叶间胆管向肝门方向汇集，至肝门汇成左、右肝管出肝。

肝内血液循环、胆汁排出通路示意图：

（张立群）

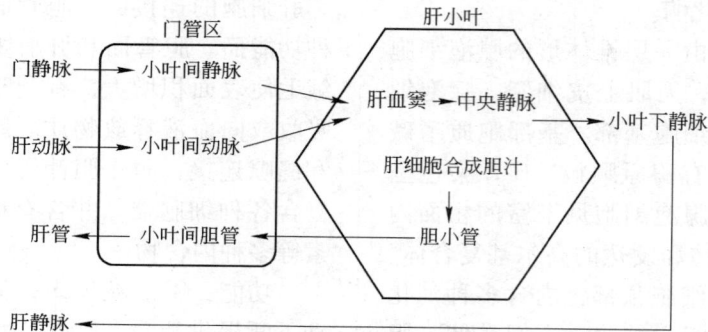

肝内血液循环、胆汁排出通路示意图

第十章 呼吸系统

本章重点、难点：

1. 气管及主支气管的三层结构

2. 肺实质导气管和呼吸部的组成和结构特点

3. 肺泡的结构：Ⅰ型肺泡细胞和Ⅱ型肺泡细胞的结构和功能

4. 气血屏障、肺泡隔、肺泡巨噬细胞的结构及功能

5. 肺血循环特点

测试题

一、填空题

1. 终末细支气管的管壁结构特点是上皮为 _____，无 _____，无 _____，无 _____，平滑肌形成_____。

2. 肺叶支气管以下的导气部依次称为 _____、_____、_____ 和 _____。

3. 肺泡上的_____起侧支通气作用；肺泡隔内的纤维中以_____纤维最丰富。

4. 肺泡壁薄，由_____ 和_____组成，相邻肺泡之间的结缔组织称_____。

5. 气血屏障由 _____、_____、_____、_____、_____ 和_____构成。

6. 肺的结构单位是_____，每叶肺约有_____个。

7. 肺有两组血液循环管道，即_____ 和_____，从血循环意义上看，前者是_____，后者是_____。

二、选择题

（一）单选题

1. Ⅱ型肺泡细胞在电镜下的主要结构特点是（ ）

    A. 表面微绒毛多

    B. 分泌颗粒内含嗜锇性板层小体

    C. 线粒体相当丰富

    D. 粗面内质网发达

    E. 溶酶体多

2. 与呼吸性细支气管结构比较肺泡管的主要特征为（ ）

    A. 平滑肌薄

    B. 管腔较大

    C. 管壁结构少、呈结节状膨大

    D. 覆以单层立方或单层扁平上皮

    E. 存在少量的软骨组织

3. 关于肺泡的结构特征哪些项错误（ ）

    A. 多面形有开口的囊泡

    B. 肺泡上皮细胞由Ⅰ型和Ⅱ型两种细胞组成

    C. 相邻肺泡之间的组织称为肺泡隔

    D. 肺泡隔中有平滑肌和毛细血管网

    E. 相邻的肺泡之间经肺泡孔相通

4. 关于Ⅰ型肺泡细胞的描述哪项错误（ ）

    A. Ⅰ型肺泡细胞较Ⅱ型肺泡细胞少

    B. 细胞宽大而扁薄

    C. 细胞器相当丰富

    D. 吞饮小泡甚多

    E. 细胞表面较光滑

5. 气管管壁可分为三层，由内向外分别是（ ）

A. 黏膜、肌层和外膜

B. 上皮、固有层、黏膜肌

C. 黏膜、黏膜下层和外膜

D. 黏膜上皮、黏膜肌和外膜

E. 黏膜、固有层和外膜

6. 肺内支气管各级分支中，管壁内有明显环行平滑肌的管道主要是（　）

A. 段支气管和小支气管

B. 小支气管和细支气管

C. 细支气管和终末细支气管

D. 终末细支气管和呼吸性细支气管

E. 段支气管

7. 肺内分泌表面活性物质的细胞是（　）

A. Ⅰ型肺泡细胞

B. Ⅱ型肺泡细胞

C. 肺泡巨噬细胞

D. 杯状细胞

E. 小颗粒细胞

8. 关于肺巨噬细胞的叙述哪项错误（　）

A. 见于肺泡隔和肺泡腔内

B. 来源于淋巴细胞

C. 吞噬吸入的尘粒后可称为尘细胞

D. 净化肺的重要细胞

E. 来源于单核细胞

9. 肺小叶由何结构的各级分支和肺泡组成（　）

A. 肺叶支气管

B. 肺段支气管

C. 细支气管

D. 终末细支气管

E. 呼吸性细支气管

10. 平衡肺泡间气体流量的结构是（　）

A. 肺泡孔

B. 小支气管

C. 肺泡管

D. 气血屏障

E. 肺泡囊

11. 肺泡的结构特点错误的是（　）

A. 多面形或半球状有开口的囊泡

B. 由Ⅰ型肺泡细胞构成

C. 相邻肺泡间有结缔组织

D. 肺泡隔中有丰富的弹性纤维

E. 相邻肺泡间有孔相通

（二）多选题

12. 肺的导气部包括（　）

A. 小支气管

B. 细支气管

C. 终末细支气管

D. 呼吸性细支气管

E. 以上都是

13. 呼吸道的黏液性分泌物来自（　）

A. 黏液性腺体

B. 分泌细胞

C. 杯状细胞

D. 小颗粒细胞

E. 肥大细胞

14. 肺泡囊的结构特征包括（　）

A. 多个肺泡的共同开口处

B. 有弹性纤维

C. 管壁已无平滑肌

D. 肺泡隔末端结节状膨大明显

E. 以上都是

15. 与肺的气体交换功能密切相关的血管是（　）

A. 肺动脉

B. 肺静脉

C. 支气管动脉

D. 支气管静脉

E. 肺泡隔毛细血管

16. 关于肺泡隔的描述哪些错误（　）

A. 相邻肺泡间的薄层结缔组织

B. 与肺气体交换作用无直接关系

C. 有内分泌作用，调节肺泡直径

D. 含丰富的弹性纤维及少量胶原纤维、网状纤维

E. 含巨噬细胞、浆细胞、肥大细胞和成纤维细胞等

17. 肺内尘细胞的去路是（　）

A. 沉积于肺泡腔内

B. 由肺泡上皮细胞不断吞噬

C. 与黏液一起排向喉部而被咳出

D. 沉积于肺的间质内

E. 经淋巴管沉积于肺门淋巴结内

18. 从叶支气管至小支气管，管壁结构变化规律是（　）

A. 上皮内杯状细胞渐增多

B. 纤毛消失

C. 腺体逐渐减少

D. 软骨片逐渐减少

E. 环行平滑肌渐明显

19. 支气管哮喘病时，环行平滑肌发生痉挛性收缩的管道主要是（　）

A. 段支气管

B. 小支气管

C. 细支气管

D. 终末细支气管

E. 呼吸细支气管

20. 终末细支气管的结构特点是（　）

A. 上皮是单层柱状，有少量纤毛细胞

B. 有完整的环行平滑肌

C. 黏膜皱襞明显

D. 有少量腺体和软骨

E. 上皮内有少量杯状细胞

21. Ⅰ型肺泡细胞（　）

A. 宽大而扁平

B. 有孔

C. 相邻细胞间无连接结构

D. 基底面无基膜

E. 参与组成气血屏障

22. 新生儿呼吸窘迫综合征的原因是（　）

A. Ⅱ型肺泡细胞发育不良，功能障碍

B. Ⅰ型肺泡上皮细胞发育不良，功能障碍

C. 气道堵塞

D. 表面活性物质合成和分泌障碍

E. 肺泡表面张力增大，肺泡不能扩张

三、是非题

1. Ⅰ型肺泡细胞具有分裂增殖能力，损伤后可自行分裂增殖进行修复。（　）

2. 老年人肺气肿是由于肺泡隔内的胶原纤维退化，肺泡隔支持作用减弱而致的。（　）

3. 气管和支气管严重病变者，假复层纤毛柱状上皮可转化为复层扁平上皮，称此为上皮化生。（　）

4. Ⅰ型肺泡上皮细胞含有嗜锇性板层小体，形成表面活性物质。（　）

5. 终末细支气管管壁因有肺泡开口，故可进行气体交换。（　）

6. 肺泡隔内的毛细血管为有孔型，利于气体交换。（　）

7. 从肺导气部至呼吸部的管壁结构变化中，上皮的纤毛消失在先，杯状细胞消失在后。（　）

8. Ⅰ型肺泡细胞数量较Ⅱ型肺泡细胞多，故前者覆盖肺泡表面的绝大部分。（　）

9. 新生儿呼吸窘迫综合征是由于肺表面活性物质产生不足或缺如，以致肺泡表面张力增大，肺泡扩张困难所致。（　）

10. 肺泡巨噬细胞来源于中性粒细胞，具有活跃的吞噬功能，起着主要的防御作

用。（　）

11. 肺泡隔是由相邻肺泡上皮及它们之间的结缔组织共同组成的。（　）

12. Ⅱ型肺泡细胞立方形或圆形，覆盖肺泡的大部分表面，是进行气体交换的部位。（　）

四、名词解释

1. 肺小叶
3. 肺泡囊
4. 肺泡隔
5. blood – air　barrier
6. Ⅱ型肺泡细胞

五、叙述题

1. 简述气管管壁的组织结构。
2. 试述从气管至终末细支气管各段的结构变化。
3. 试述肺泡的结构及其与气体交换的关系。
4. 试述肺的导气部管壁结构变化的规律。

参考答案

一、填空题

1. 单层纤毛柱状　杯状细胞　混合腺体　软骨片　环形

2. 段支气管　小支气管　细支气管　终末细支气管

3. 肺泡孔　弹性

4. 上皮　基膜　肺泡隔

5. 肺泡表面液体层　Ⅰ型肺泡细胞肺泡上皮基膜　薄层结缔组织　毛细血管内皮　内皮基膜

6. 肺小叶　50～80

7. 肺循环　支气管循环　功能性血循环　营养性血循环

二、选择题

（一）单选题

1. B。解释：嗜锇性板层小体是Ⅱ型肺泡细胞的特征性结构。

2. C。解释：呼吸性细支气管结构以管壁为主；肺泡管结构以肺泡开口为主，残存管壁呈结节状膨大。

3. D。解释：肺泡隔内含丰富的毛细血管网、大量弹性纤维及肺巨噬细胞，无平滑肌。

4. C。解释：Ⅰ型肺泡细胞吞饮小泡较多，但细胞器不发达。

5. C。解释：与消化管比较，气管管壁无肌层；与泌尿管道、生殖管道比较，气管管壁中层为黏膜下层而非肌层。

6. C。解释：细支气管和终末细支气管有明显环行平滑肌，在自主神经支配下舒缩，调节进入肺小叶的气流量，故又称小气道平滑肌，支气管哮喘时收缩明显。

7. B。解释：嗜锇性板层小体是Ⅱ型肺泡细胞的特征性结构，内含肺泡表面活性物质。

8. B。解释：肺巨噬细胞属单核吞噬细胞系统，来源于单核细胞而非淋巴细胞。

9. C。解释：每一条细支气管连同它的各级分支及其肺泡组成一个尖朝向肺门、底朝向肺表面的锥体形的肺小叶。

10. A。解释：肺泡孔为相邻肺泡间的气体通道，故可平衡肺泡间气体流量。

11. B。解释：肺泡上皮由Ⅰ、Ⅱ型两种肺泡细胞构成。

（二）多选题

12. A、B、C。解释：呼吸性细支气管属呼吸部，而不是导气部。

13. A、C。解释：呼吸道的腺体是混合性腺，其中的黏液性腺细胞分泌黏液；杯状细胞是单细胞腺，亦分泌黏液。

14. A、B、C。解释：肺泡管残存管壁呈结节状膨大，而不是肺泡囊。

15. A、B、E。解释：肺循环是功能性血循环，运输气体到肺泡隔毛细血管处进行气体交换；支气管循环则是营养血管，主要功能是营养管壁。

16. B、C。解释：肺泡隔内含丰富的毛细血管网、大量弹性纤维及肺巨噬细胞，与肺呼吸、气体交换和防御功能密切相关，而无调节肺泡直径的能力。

17. C、D、E。解释：肺内尘细胞可位于肺泡腔内，而非沉积，且不能被肺泡上皮细胞吞噬清除。

18. C、D、E。解释：从叶支气管至小支气管，杯状细胞、腺体、软骨片均逐渐减少，而环行平滑肌则相对增加。

19. C、D。解释：细支气管和终末细支气管的环行平滑肌在支气管哮喘时发生痉挛性收缩，导致气道狭窄，出现缺氧症状。

20. A、B、C。解释：终末细支气管管壁内杯状细胞、腺体和软骨片均已消失。

21. A、E。解释：Ⅰ型肺泡细胞较Ⅱ型肺泡细胞数量少，但其宽大而扁平，覆盖肺泡表面积达95%，参与气体交换。

22. A、D、E。解释：新生儿呼吸窘迫综合征又称透明膜病，可因Ⅱ型肺泡细胞发育不良，表面活性物质合成和分泌障碍，导致肺泡表面张力增大，肺泡不能扩张，出现呼吸困难等症状。

三、是非题

正确：3、9。

错误：

1. 解释：Ⅰ型肺泡细胞无分裂增殖能力，损伤后由Ⅱ型肺泡细胞分裂增殖进行修复。

2. 解释：肺泡隔内含大量弹性纤维，而不是胶原纤维。

4. 解释：Ⅱ型肺泡上皮细胞含有嗜锇性板层小体。

5. 解释：终末细支气管属导气部，管壁上无肺泡开口。

6. 解释：肺泡隔内的毛细血管为连续毛细血管，而不是有孔型。

7. 解释：肺导气部至呼吸部的管壁结构变化中，上皮的纤毛和杯状细胞的变化无前后之分。

8. 解释：Ⅰ型肺泡细胞较Ⅱ型肺泡细胞数量少，但其宽大而扁平，覆盖肺泡表面积达95%。

10. 解释：肺巨噬细胞属单核吞噬细胞系统，来源于单核细胞。

11. 解释：肺泡隔是指相邻肺泡上皮之间的结缔组织，不包括肺泡上皮。

12. 解释：Ⅰ型肺泡细胞为扁平形，覆盖肺泡的大部分表面，是进行气体交换的部位。

四、名词解释

1. 每一细支气管连同其各级分支及末端的肺泡组成一个肺小叶，锥体形，尖向肺门，底向肺表面，为肺的结构单位。每叶肺约有50~80个肺小叶。

2. 肺泡囊与肺泡管相连，是几个肺泡共同围成的一个囊状结构，相邻肺泡开口之间没有结节状膨大。

3. 相邻肺泡上皮之间有薄层结缔组织，称肺泡隔，内含丰富的毛细血管网，大量弹性纤维及肺巨噬细胞。弹性纤维影响肺的换气功能。肺巨噬细胞分布广泛，具有活跃的吞噬功能，可吞噬进入肺泡的细菌、尘粒及细胞碎片。

4. blood-air barrier 为肺泡隔毛细血管血液中的 CO_2 与肺泡腔内的 O_2 进行气体交换所通过的结构，也叫呼吸膜。包括下列几层结构：肺泡表面液体层、Ⅰ型肺泡细胞、肺泡上皮基膜、薄层结缔组织（有的部位没有此层）、毛细血管基膜及其内皮。

5. Ⅱ型肺泡细胞是肺泡上皮的一种，散在于Ⅰ型细胞之间。细胞为立方形或圆形，核圆，细胞质着色浅，呈泡沫状。胞质中含有同心圆或平行排列的板层结构，称嗜锇性板层小体，小体内含磷脂。Ⅱ型肺泡细胞释放肺泡表面活性物质，可降低肺泡表面张力，稳定肺泡直径。

五、叙述题

1. 答：气管管壁分为黏膜、黏膜下层、外膜。①黏膜：上皮为假复层柱状纤毛上皮，纤毛可向外界摆动，细胞间夹有杯状细胞，分泌黏液，黏着灰尘，固有膜中有大量弹性纤维，无黏膜肌层。②黏膜下层：疏松结缔组织，有大量气管腺（混合腺），可润滑气管。③外膜：C形透明软骨环与纤维连接成气管支架，缺口上有横向平滑肌，可调节管腔与气量。

2. 答：气管至终末细支气管各段为气体通道，随着气管分支为主支气管、叶支气管和小支气管，管径变小，管壁变薄，三层分界变得不明显。而上皮仍为假复层纤毛柱状，但逐渐变薄；杯状细胞和腺体都逐渐减少；软骨变为软骨片，而平滑肌纤维相对增多，呈现为不完整的环行平滑肌束。分支内径约1mm时即为细支气管，上皮变成单层纤毛柱状，杯状细胞、腺体和软骨片逐渐减少或消失，环行平滑肌更为明显，黏膜常形成皱襞。内径为0.5mm时，称终末细支气管，上皮为单层柱状，

主要细胞为无纤毛的克拉拉细胞，杯状细胞、腺体和软骨片全部消失，有完整的环行平滑肌。

3. 答：肺泡是半球形小囊或多面形的囊状结构，开口于呼吸性细支气管、肺泡管或肺泡囊，是肺进行气体交换的场所。肺泡壁薄，相邻肺泡间由薄层结缔组织形成的肺泡隔，内含毛细血管、弹性纤维及多种细胞等。相邻肺泡间经肺泡孔相连通，肺泡壁由肺泡上皮及基膜组成。①由两种肺泡上皮细胞组成，Ⅰ型肺泡细胞为气体交换提供了广大面积；Ⅱ型肺泡上皮分泌肺泡表面活性物质，降低肺泡表面张力，稳定肺泡的直径。②肺泡隔，含丰富的毛细血管，有利氧气和二氧化碳的气体交换；大量的弹性纤维，使肺泡具有弹性，在肺泡回缩时起重要作用。③肺泡孔，是相邻肺泡间的通道，当某个终末细支气管阻塞时，可通过肺泡孔建立侧支通气道。④气-血屏障的结构组成与气体交换的关系密切，是气体交换的场所。

4. 答：肺的导气部包括小支气管、细支气管和终末细支气管，随管道的不断分支，管腔渐细，管壁结构变化的规律如下：①上皮细胞由假复层纤毛柱状逐渐变成单层柱状上皮；②杯状细胞逐渐变少至完全消失；③腺体逐渐减少至全部消失；④软骨组织呈不规则片状并逐渐减少至消失；⑤平滑肌细胞由分散排列逐渐增多，到终末细支气管时平滑肌形成了完整的环形肌层。

（郭勇）

第十一章　泌尿系统

本章重点、难点：

1. 泌尿小管的组成
2. 肾单位的组成、结构及功能
3. 球旁复合体的组成、结构及功能
4. 肾间质的组成
5. 排尿管道的组成及结构

测试题

一、填空题

1. 泌尿小管是由单层上皮构成的管道，包括_____和_____两部分。

2. 肾小囊两层间的腔隙称_____，与_____管腔相通。

3. 肾小囊外层是_____上皮，又称肾小囊壁层。肾小囊脏层细胞体有许多大小不等的突起，称_____。

4. 根据肾小体在皮质的位置，肾单位可分为_____和_____两种。

5. 肾小管分为_____、_____和_____三部分。

6. 近曲小管上皮细胞为_____，胞体较大，细胞界限_____，胞核圆形靠近基底部，胞质_____。

7. 远端小管上皮细胞呈_____，细胞界限_____，胞质呈_____，核位于近管腔面，细胞基部纵纹明显，无刷状缘。

8. 集合小管可分为_____、_____、_____三段。

9. 球旁复合体包括_____、_____、_____。

10. 当血液流经血管球毛细血管时，血浆中的部分成分经_____、_____和_____而滤入肾小囊腔内，所经过的这三层结构称为滤过膜或滤过屏障。

二、选择题

（一）单选题

1. 一个肾小叶的组成是（　　）
   A. 一个髓放线及其周围的皮质迷路
   B. 一个肾柱及其周围肾锥体
   C. 一条集合小管及与之相连的肾小管及肾小体
   D. 一个皮质迷路区及其周围的髓放线
   E. 一个肾锥体及其周围的皮质

2. 泌尿小管的组成是（　　）
   A. 肾单位和集合小管
   B. 肾单位和肾小体
   C. 肾小体和肾小管
   D. 肾小管和肾单位
   E. 肾小管和集合小管

3. 浅表肾单位的特点是（　　）
   A. 袢短，伸于髓质外带，细段长
   B. 袢长，伸至髓质外带，细段短
   C. 袢长，伸至髓质内带，细段长
   D. 肾小体位于皮质深层，数量少，细段短，袢短
   E. 以上都不对

4. 关于肾小体内各部的结构关系，下述哪项是错误的（　　）
   A. 肾小囊脏层紧包毛细血管袢
   B. 肾小囊脏层与壁层之间为肾小

囊腔

C. 肾小囊是肾小管盲端凹陷而成的双层囊

D. 在肾小体的血管极处，血管球与微动脉、微静脉相连

E. 肾小囊与近端小管相连通

5. 肾血管球的血管是（　　）

A. 血窦

B. 微动脉

C. 有孔型毛细血管

D. 连续型毛细血管

E. 毛细血管后微静脉

6. 肾小球滤过膜的组成是（　　）

A. 毛细血管有孔内皮、肾球囊脏层和壁层

B. 足细胞次级突起间的裂孔膜、基膜、肾球囊壁层

C. 足细胞次级突起间的裂孔、基膜、球内系膜细胞

D. 毛细血管有孔内皮及基膜、球内系膜细胞

E. 毛细血管有孔内皮及基膜、足细胞次级突起间的裂孔膜

7. 球旁细胞由下列哪种成分变化而来（　　）

A. 入球小动脉壁上的内皮细胞

B. 出球小动脉壁上的内皮细胞

C. 入球小动脉壁上的平滑肌

D. 出球小动脉壁上的平滑肌

E. 未分化的间充质细胞

8. 光镜下，所见近曲小管上皮细胞基部的纵纹，是由于上皮细胞基部有（　　）

A. 大量纵向排列的微丝、微管

B. 明显的质膜内褶，内褶间胞质内有许多纵行排列的线粒体

C. 大量纵行排列的小管和小泡

D. 质膜内褶，褶间胞质内有大量的粗面内质网

E. 许多侧突的分支

9. 关于膀胱的结构，下述哪项错误（　　）

A. 黏膜有许多皱襞，衬以变移上皮

B. 上皮细胞的层数和形态随功能状况而异

C. 基膜很薄，光镜下不易分辨

D. 其外膜均为纤维膜

E. 肌层很厚，大致可分为三层

10. 近端小管上皮细胞在光镜下细胞分界不清的主要原因是（　　）

A. 细胞在 H-E 染色中嗜酸性太强，染色太深

B. 细胞侧面有许多侧突，并与相邻细胞的侧突互相嵌合

C. 上皮细胞间太拥挤

D. 细胞重叠以致在光镜下看不清

E. 相邻细胞膜太薄，细胞侧面桥粒太多

11. 皮质迷路是指（　　）

A. 伸入相邻两肾锥体之间的皮质

B. 从肾锥体底部呈辐射状伸入皮质的条纹

C. 髓放线之间的皮质

D. 肾小体所在部位

E. 近曲小管所在部位

12. 浅表肾单位的特点之一为（　　）

A. 数量多

B. 细段长

C. 肾小体较大

D. 髓袢长

E. 位于皮质深部

13. 球旁细胞可分泌（　　）

A. 激肽释放酶

B. 激肽

C. 肾素

D. 血管紧张素

E. 前列腺素

14. 下列除哪项外为肾单位所属结构（　　）

A. 肾小体
B. 近端小管
C. 弓形集合小管
D. 细段
E. 远端小管

15. 下列关于致密斑的特征描述哪项错误（　　）

A. 是一椭圆形斑
B. 由近端小管曲部上皮在血管球极侧分化形成
C. 细胞排列较紧密，核近细胞游离缘
D. 细胞为柱状
E. 为离子感受器

16. 原尿形成的部位是（　　）

A. 近端小管
B. 远端小管
C. 细段
D. 集合管
E. 肾小体

17. 上皮细胞游离面刷状缘明显的是（　　）

A. 近端小管曲部
B. 远端小管曲部
C. 近端小管直部
D. 远端小管直部
E. 集合管

18. 抗利尿激素和醛固酮的作用部位是（　　）

A. 近端小管和远端小管
B. 近端小管和髓袢
C. 近端小管和集合管
D. 髓袢和集合管
E. 远端小管和集合管

19. 近端小管上皮细胞与扩大管腔表面

积，增加重吸收有关的结构是（　　）

A. 刷状缘
B. 纤毛
C. 质膜内褶
D. 侧突
E. 基底膜

20. 关于球内系膜细胞的描述，下列哪项错误（　　）

A. 是一种梭形的肌上皮细胞
B. 合成基膜和系膜的基质成分
C. 参与基膜的更新和清除沉淀在基膜上的沉积物
D. 包绕血管球毛细血管基膜
E. 球内系膜细胞具有一定的收缩功能，可调节毛细血管的管径。

21. 肾内可感受远端小管内滤液中 Na^+ 浓度的变化的细胞是（　　）

A. 球旁细胞
B. 致密斑
C. 球内系膜细胞
D. 球外系膜细胞
E. 足细胞

（二）多选题

22. 参与滤过屏障组成的是（　　）

A. 毛细血管有孔内皮
B. 基膜
C. 足细胞的次级突起
D. 裂孔膜
E. 血管系膜

23. 有利于滤过的因素有（　　）

A. 肾血流量大
B. 血管球内的压力较高
C. 血管球的毛细血管是有孔型
D. 髓袢
E. 肾血管通路中先后形成两次毛细血管

24. 近曲小管的光镜结构特点有（　　）

A. 上皮细胞体积大

B. 细胞质嗜酸性强

C. 细胞锥体形

D. 游离面上有刷状缘

E. 上皮细胞分界不清

25. 球旁复合体的组成部分是（　）

A. 球旁细胞

B. 球内系膜细胞

C. 间质细胞

D. 致密斑

E. 球外系膜细胞

26. 毛细血管球的特征有（　）

A. 是介于两条微动脉之间的毛细血管

B. 入球微动脉入肾小体后即分支并形成许多毛细血管袢，袢间有血管系膜连接

C. 入球微动脉一般比出球微动脉细而长

D. 血管球的毛细血管内皮均为有孔型

E. 毛细血管内皮孔上无隔膜

27. 关于足细胞超微结构特点（　）

A. 胞体发出的初级突起再分出许多次级突起

B. 相邻足细胞的次级突起成指状相嵌交叉

C. 足细胞的次级突起紧贴于毛细血管基膜外面

D. 突起内有微丝，次级突起间的裂孔上有裂孔膜

E. 来源于巨噬细胞

28. 远端小管光镜下的结构特点（　）

A. 细胞矮小，胞质染色浅

B. 基部纵纹明显

C. 核位于中央或近腔面

D. 细胞分界不清

E. 无刷状缘

29. 肾单位的组成包括（　）

A. 肾小体

B. 集合小管

C. 近端小管

D. 细段

E. 远端小管

30. 肾小体包含（　）

A. 肾小囊壁层

B. 血管系膜细胞

C. 致密斑

D. 血管球

E. 肾小囊脏层

31. 肾小体的结构特点（　）

A. 肾小体是肾单位起始部膨大的小球

B. 血管球由许多毛细血管袢组成

C. 血管球的毛细血管属连续毛细血管

D. 肾小囊脏层由足细胞构成

E. 肾小囊壁层由单层扁平上皮构成

32. 肾小球滤过膜的结构特点（　）

A. 滤过膜中的基膜为均质状薄膜，带有正电荷

B. 毛细血管有孔内皮的通透性最大

C. 足细胞突起中微丝的收缩可影响裂孔膜的通透性

D. 滤过膜的通透性决定于孔的大小与物质的直径之比

E. 足细胞突起间的裂孔膜是肾小体滤过作用的主要屏障

33. 关于细段的结构特点（　）

A. 浅表肾单位的细段较短，参与组成髓袢降支

B. 髓旁肾单位的细段长，由降支再返折上行，再参与构成升支

C. 管壁为单层扁平上皮

D. 细胞游离面有许多短小的微绒毛

E. 由于细段的管壁薄，有利于水和离子通透

34. 致密斑的结构特点（ ）

A. 可感受远端小管内滤液中 Na^+ 浓度的变化

B. 为近曲小管一侧的上皮细胞增高紧密排列而成

C. 为椭圆形斑状结构

D. 致密斑的大部分与球外系膜细胞相接触

E. 核椭圆形，位于细胞顶部

35. 分布于髓放线内的有（ ）

A. 直集合小管

B. 细段

C. 近端小管直部

D. 乳头管

E. 远端小管直部

36. 肾小囊的结构特点（ ）

A. 广泛分布于肾实质内，形似杯状双层囊

B. 外层为单层扁平上皮与近端小管上皮相连接

C. 脏层为包绕毛细血管的足细胞

D. 肾小囊壁层在肾小体尿极处向内转折为肾小囊脏层

E. 内有血管球

三、是非题

1. 肾皮质伸入肾锥体之间的部分称为肾间质。（ ）

2. 每个肾小体和一条与它相连的肾小管是尿液形成的结构和功能单位，称肾单位。（ ）

3. 肾小体血管球的毛细血管为连续毛细血管。（ ）

4. 肾小囊壁由内、外两层组成，外层是单层立方上皮，又称肾小囊壁层。（ ）

5. 血管球基膜是位于血管球毛细血管内皮与足细胞突起及裂孔膜之间的均质状膜，在血管系膜侧基膜缺如，内皮直接与系膜相邻接。（ ）

6. 近端小管曲部上皮细胞游离面的刷状缘由密集排列的微绒毛组成。（ ）

7. 细段管壁为单层扁平上皮。（ ）

8. 球旁细胞主要由入球微动脉行至血管极处，其管壁中的内皮细胞转变为上皮样细胞而成。（ ）

9. 致密斑是指近曲小管曲部在近血管极一侧的细胞呈高柱状排列紧密，形成的椭圆形隆起。（ ）

10. 肾盂黏膜的表面为变移上皮细胞。（ ）

四、名词解释

1. 泌尿小管
2. 肾单位
3. 肾小体
4. 血管球
5. 滤过屏障
6. 髓袢
7. 球旁细胞
8. 致密斑

五、叙述题

1. 简述肾血液循环的特点。
2. 简述近曲小管的光镜结构。
3. 简述远端小管的光镜结构。
4. 简述细段的结构特点。
5. 试述肾小囊的结构。

参考答案

一、填空题

1. 肾小管 集合小管

2. 肾小囊腔　近曲小管
3. 单层扁平　足细胞
4. 浅表肾单位　髓旁肾单位
5. 近端小管　细段　远端小管
6. 锥形或立方形　不清　嗜酸性强
7. 立方形　清楚　弱酸性
8. 弓形集合小管　直集合小管　乳头管
9. 球旁细胞　致密斑　球外系膜细胞
10. 有孔内皮　毛细血管基膜　足细胞裂孔膜

二、选择题

（一）单选题

1. A。解释：每一个髓放线及其周围相邻接的皮质迷路组成一个肾小叶。

2. E。解释：泌尿小管是由单层上皮构成的管道，包括肾小管和集合小管两部分。

3. E。解释：浅表肾单位的肾小体位于皮质浅部，髓袢较短。

4. D。解释：血管球为肾小囊内一团盘曲的毛细血管，一条入球微动脉从血管极进入肾小囊后，形成袢状毛细血管网，毛细血管袢最后汇集成一条出球微动脉，从血管极离开肾小囊。

5. C。解释：血管球的毛细血管属有孔型，孔径约为 50～100nm，内皮小孔无隔膜封闭。

6. E。解释：有孔内皮、毛细血管基膜、足细胞裂孔膜这三层结构称为滤过膜。

7. C。解释：球旁细胞是入球微动脉行至血管极处，其管壁中的平滑肌细胞转变为上皮样细胞而成。

8. B。解释：近曲小管的细胞基底面有发达的质膜内褶，内褶间的胞质内有许多纵行排列的杆状线粒体，构成光镜下的纵纹。

9. D。解释：膀胱外膜大多为疏松结缔组织，仅膀胱顶部为浆膜。

10. B。解释：近曲小管细胞的侧面有许多侧突，相邻细胞的侧突相互嵌合，基部的侧突可伸入相邻细胞的质膜内褶空隙内，构成广泛的细胞间迷路。

11. C。解释：在髓放线之间的肾皮质称皮质迷路。

12. A。解释：浅表肾单位的肾小体位于皮质浅部，髓袢较短，仅伸达外髓质，数量较多，占总数85%。

13. C。解释：球旁细胞胞质内有大量均质状分泌颗粒，内含肾素，可以通过胞吐方式释放到周围间质中。

14. C。解释：肾单位由肾小体和肾小管构成。肾小管可分为近端小管、细段和远端小管三部分。

15. B。解释：致密斑由远端小管曲部近血管极一侧的细胞变为高柱状，形成一直径 40～70μm 的椭圆形隆起。

16. E。解释：肾小体类似一个滤过器，当血液流经血管球毛细血管时，经滤过膜进入肾小囊腔内的滤过液称原尿。

17. A。解释：近曲小管上皮细胞游离面有刷状缘，细胞基部有纵纹。

18. E。解释：醛固酮可促进肾远曲小管和集合管吸收水、Na^+ 同时排出 K^+。

19. A。解释：刷状缘由密集排列的微绒毛组成，可扩大管腔表面积约36倍，有利于重吸收。

20. A。解释：球内系膜细胞是一种形状不规则的多突起细胞，突起长短不一，核小，染色较深。

21. B。解释：致密斑是一种离子感受器，可感受远端小管内滤液中 Na^+ 浓度的变化。

（二）多选题

22. A、B、D。解释：当血液流经血管球毛细血管时，由于血管球毛细血管内血压较高，血浆中的部分成分经有孔内皮、毛细血管基膜、足细胞裂孔膜而滤入肾小囊腔内，所经过的这三层结构称为滤过膜或滤过屏障。

23.A、B、C。解释：当血液流经血管球毛细血管时，由于血管球毛细血管内血压较高，血浆中的部分成分经有孔内皮、毛细血管基膜、足细胞裂孔膜而滤入肾小囊腔内。髓袢和肾血管通路中先后形成两次毛细血管与尿液浓缩有关。

24.A、B、C、D、E。解释：近曲小管在尿极与肾小囊壁层上皮相续，其上皮细胞为锥形或立方形，胞体较大，细胞界限不清，胞核圆形靠近基底部，胞质嗜酸性强，游离面有刷状缘，细胞基部有纵纹。

25.A、B、E。解释：球旁复合体由球旁细胞、致密斑和球外系膜细胞组成，位于肾小体血管极所形成的三角区。

26.A、B、D、E。解释：血管球为肾小囊内一团盘曲的毛细血管，一条入球微动脉从血管极进入肾小囊后，先分成4～5个分支，然后每支再分出许多小支，形成袢状毛细血管网，每个毛细血管袢之间有血管系膜支持。毛细血管袢最后汇集成一条出球微动脉，从血管极离开肾小囊。由于入球微动脉的管径比出球微动脉粗，使得毛细血管内的血压较其他部位的毛细血管内血压高。血管球的毛细血管属有孔型，内皮小孔无隔膜封闭。

27.A、B、C、D。解释：电镜观察，足细胞从细胞体伸出几个大的初级突起，每个初级突起又发出许多指状小的次级突起，有的次级突起还可发出少量的三级突起。相邻足细胞的次级突起呈抱指状相互嵌合，形成栅栏状，紧贴在血管球基膜外面。突起之间留有宽约25nm的裂孔，其上有一层4～6nm厚的裂孔膜。

28.A、B、C、E。解释：远端小管上皮细胞呈立方形，细胞体积比近端小管的细胞小，细胞界限清楚，胞质呈弱酸性，着色较浅，核位于中央或近管腔面，细胞基部纵纹明显，无刷状缘。远端小管直部的管径约30μm，上皮细胞基部的质膜内褶很发达，褶深可达细胞顶部。

29.A、C、D、E。解释：肾单位由肾小体和肾小管构成。

30.A、B、D、E。解释：肾小体由血管球和肾小囊构成，致密斑位于肾小体外。

31.A、B、D、E。解释：肾小体由血管球和肾小囊构成，血管球的毛细血管属有孔毛细血管。

32.B、C、D。解释：滤过膜对大分子物质的通透性与物质的分子半径、电荷及形状因素有关。基膜中的糖胺多糖以带负电荷的硫酸肝素为主，毛细血管内皮腔面及足细胞表面也都带有负电荷。滤过膜的通透性具有对分子大小和电荷的双重选择性，在滤过膜的三层结构中，血管球基膜是最主要的屏障结构。足细胞突起内有许多微丝，微丝收缩可改变裂孔的大小，影响滤液的通透。

33.A、B、C、E。解释：浅表肾单位的细段较短，参与组成髓袢降支，髓旁肾单位的细段较长，由降支再反折上行，参与构成升支。细段管壁为单层扁平上皮，细胞含核部分突向管腔，胞质染色浅，细胞游离面只有一些短小的微绒毛。由于细段的管壁薄，有利于水和离子通透。

34.A、C、D、E。解释：致密斑由远端小管曲部近血管极一侧的细胞变为高柱状，形成一直径40～70μm的椭圆形隆起。此处细胞排列紧密，核椭圆形，位于细胞顶部。致密斑处的基膜常不完整，细胞基部有细小的突起，与邻近细胞的突起镶嵌连接，致密斑的大部分与球外系膜细胞相接触，仅少部分区域与入球微动脉和出球微动脉相接触。致密斑是一种离子感受器，可感受远端小管内滤液中 Na^+ 浓度的变化。

35. A、B、C、E。解释：乳头管位于肾锥体。

36. A、B、C、E。解释：肾小囊是肾小管起始部膨大凹陷而成的双层盲囊，内有血管球。肾小囊两层间的腔隙称肾小囊腔，与近曲小管管腔相通。其外层是单层扁平上皮，又称肾小囊壁层，它在肾小体尿极处与近端小管曲部的上皮相连续，在血管极处向内转折为肾小囊脏层。肾小囊脏层细胞称足细胞。

三、是非题

正确：2、5、6、7、10。

错误：

1. 解释：肾皮质伸入肾锥体之间的部分称为肾柱。

3. 解释：肾小体血管球的毛细血管为有孔毛细血管。

4. 解释：肾小囊壁由内、外两层组成，外层是单层扁平上皮，又称肾小囊壁层。

8. 解释：球旁细胞主要由入球微动脉行至血管极处，其管壁中的平滑肌细胞转变为上皮样细胞而成。

9. 解释：致密斑是指远端小管曲部在近血管极一侧的细胞呈高柱状排列紧密，形成的椭圆形隆起。

四、名词解释

1. 泌尿小管是由单层上皮构成的管道，包括肾小管和集合小管两部分。

2. 肾单位由肾小体和肾小管构成。

3. 肾小体是肾单位的起始部，由血管球和肾小囊构成，近似球形。

4. 血管球为肾小囊内一团盘曲的有孔型毛细血管，一条入球微动脉从血管极进入肾小囊后，分支形成袢状毛细血管网，最后汇集成一条示球微动脉。每个毛细血管袢之间有血管系膜支持。

5. 当血液流过血管球毛细血管时，血浆内的成分必须经过有孔内皮、毛细血管基膜、足细胞裂孔膜而滤入肾小囊腔内，这三层结构合称为滤过膜或滤过屏障。

6. 近端小管直部、细段和远端小管直部形成一个"U"形袢，称髓袢。

7. 入球微动脉进入肾小囊处，其管壁平滑肌细胞转变为上皮样细胞，称球旁细胞。胞质中有大量均质状分泌颗粒，内含肾素。

8. 远端小管曲部近血管极一侧的细胞变为高柱状，形成一椭圆形斑，称致密斑。它是一种离子感受器，可感受远端小管内滤液中 Na^+ 浓度的变化。

五、叙述题

1. 答：肾血液循环有如下特点：①肾动脉直接来自腹主动脉，血管粗短，血压较高，血流量大；②肾小体入球微动脉的管径大于出球微动脉，血管球的血压较高，有利于滤过；③形成两次毛细血管网；④直小血管与髓袢伴行，有利于髓袢和集合小管的重吸收和尿液浓缩。

2. 答：近曲小管的光镜结构：近曲小管管腔小而不规则，上皮细胞为锥形或立方形，胞体较大，细胞界限不清，胞核圆形，靠近基底部，胞质嗜酸性强，游离面有刷状缘，细胞基部有纵纹。

3. 答：远端小管的光镜结构：远端小管的管径比近端小管细，管腔相对大而规则。管壁上皮细胞呈立方形，细胞体积比近端小管的细胞小，细胞界限清楚，胞质呈弱酸性，着色较浅，核位于近管腔面，细胞基部纵纹明显，无刷状缘。

4. 答：细段的结构特点：细段管径最细，约为 $12\mu m$，位于髓放线及肾锥体内。

浅表肾单位的细段较短，参与组成髓袢降支，髓旁肾单位的细段较长，由降支再反折上行，参与构成升支。细段管壁为单层扁平上皮，细胞含核部分突向管腔，胞质染色浅，细胞游离面只有一些短小的微绒毛。

5. 答：肾小囊是肾小管起始部膨大凹陷而成的双层盲囊，内有血管球。肾小囊两层间的腔隙称肾小囊腔，与近曲小管管腔相通。其外层是单层扁平上皮，又称肾小囊壁层，它在肾小体尿极处与近端小管曲部的上皮相连续，在血管极处向内转折为肾小囊脏层。肾小囊脏层细胞胞体有许多大小不等的突起，称足细胞。相邻足细胞的次级突起呈抱指状相互嵌合，形成栅栏状，紧贴在血管球基膜外面。突起之间留有宽约 25nm 的裂孔，裂孔上有一层 4 ~ 6nm厚的裂孔膜。

（葛刚锋）

第十二章 皮 肤

本章重点、难点：

1. 皮肤的一般结构，表皮的分层及表皮的细胞形态、类型和基本功能

2. 角质形成细胞的角质化过程以及皮肤附属器的类型、结构特点和功能

3. 皮下组织的结构和参与皮肤免疫的各种细胞，以及它们在免疫中的主要作用

4. 皮肤附属器中毛的结构为本章的难点

测试题

一、填空题

1. 皮肤覆盖身体表面，由 _____ 和 _____ 组成，借皮下组织与深部组织相连。

2. 表皮由角化的 _____ 构成，其主要由 _____ 细胞和 _____ 细胞组成，后者又包括 _____、_____ 和 _____ 三种细胞。

3. 表皮从基底面至游离面可分为五层，依次为 _____、_____、_____、_____ 和 _____。

4. 黑素细胞主要位于表皮的 _____ 层，而朗格汉斯细胞主要位于表皮的 _____ 层。

5. 真皮位于表皮的深面，有浅至深分为两层，即 _____ 和 _____。

6. 真皮的乳头层内具有的神经感受器是 _____，而网织层具有的神经感受器是 _____。

7. 毛分为 _____、_____ 和 _____ 三部分，其中 _____ 是毛的生长点，_____

对毛的生长起诱导和营养作用。

8. 毛和毛囊斜长在皮肤内，与皮肤表面呈 _____ 的一侧，有一束连于毛囊和真皮乳头层的平滑肌，称为 _____，收缩时可使毛竖立。

9. 汗腺为 _____ 腺，可分为 _____ 和 _____ 两种，其中，受性激素调节的是 _____。

10. 皮脂腺是一种 _____ 腺，位于 _____ 和 _____ 之间；其导管上皮为 _____，多开口于 _____。

二、选择题

（一）单选题

1. 关于皮肤的结构特征错误的是（　　）

    A. 皮肤由表皮和真皮组成

    B. 真皮的乳头层借基膜与表皮相连

    C. 皮肤内含有真皮衍生物如皮脂腺和汗腺

    D. 真皮的浅层为乳头层，深层为网织层

    E. 真皮网织层由粗大的胶原纤维束和弹性纤维组成

2. 下列哪项不属于角质形成细胞的结构（　　）

    A. 伯贝克颗粒

    B. 角蛋白丝

    C. 张力丝

    D. 板层颗粒

    E. 透明角质颗粒

3. 关于表皮基底细胞的描述，不正确

的是（ ）

    A. 为单层立方形的细胞

    B. 是表皮的干细胞

    C. 含角蛋白丝

    D. 含丰富的游离核糖体

    E. 含有较多的板层颗粒

4. 下列哪项不属于皮肤的功能（ ）

    A. 感受刺激

    B. 产生维生素 B_{12}

    C. 调节体温

    D. 排出代谢废物

    E. 防御保护

5. 表皮角质细胞的结构特点是（ ）

    A. 充满角蛋白，无细胞器，核固缩

    B. 充满角蛋白，细胞器少，核固缩

    C. 充满角蛋白，无核，无细胞器

    D. 充满角蛋白，无核，无细胞器，细胞膜加厚

    E. 充满角蛋白，无核，细胞器少，细胞膜加厚

6. 在生理情况下，皮肤的表皮细胞不断死亡和脱落，又不断地由哪层细胞繁殖补充（ ）

    A. 基底层

    B. 棘层

    C. 颗粒层

    D. 基底层和棘层

    E. 基底层和乳头层

7. 表皮基底细胞与基膜之间的连接结构是（ ）

    A. 桥粒

    B. 半桥粒

    C. 紧密连接

    D. 中间连接

    E. 缝隙连接

8. 构成表皮渗透屏障的主要成分是

（ ）

    A. 张力丝

    B. 细胞间桥粒

    C. 张力原纤维

    D. 板层颗粒内容物

    E. 透明角质颗粒内容物

9. 板层颗粒最初出现于表皮哪一层

（ ）

    A. 基底层

    B. 棘层

    C. 颗粒层

    D. 透明层

    E. 角质层

10. 板层颗粒内容物主要为（ ）

    A. 中性糖蛋白

    B. 脂蛋白

    C. 糖脂

    D. 类固醇

    E. 糖脂和固醇

11. 有关黑素细胞错误的是（ ）

    A. 有多个突起

    B. 胞体大多位于棘层内

    C. 胞质内的黑素体转化为黑素颗粒

    D. 黑素颗粒移入细胞突起内

    E. 将黑素颗粒输送给角质形成细胞

12. 具有免疫作用的细胞是（ ）

    A. 基底层细胞

    B. 棘层细胞

    C. 黑素细胞

    D. 朗格汉斯细胞

    E. 梅克尔细胞

13. 皮肤内能够感受触觉刺激的细胞是

（ ）

    A. 角化细胞

    B. 棘细胞

    C. 黑素细胞

D. 朗格汉斯细胞

E. 梅克尔细胞

14. 白化病的病因是（　　）

A. 表皮内无黑素细胞

B. 表皮内黑素细胞数量过少

C. 黑素细胞不能形成黑色素

D. 黑素细胞分布不均

E. 黑素颗粒小

15. 下列何种颗粒无膜包被（　　）

A. 板层颗粒

B. 透明角质颗粒

C. 中心致密颗粒

D. 黑素颗粒

E. 伯贝克颗粒

16. 关于真皮网织层的特征哪项错误（　　）

A. 含有大量的细胞

B. 血管较多

C. 有汗腺、皮脂腺

D. 有神经纤维束和神经末梢

E. 有淋巴管网

17. 关于真皮乳头层的特征错误的是（　　）

A. 是真皮向表皮突入形成的许多乳头状突起

B. 为薄层结缔组织

C. 内含毛细血管网

D. 由大量胶原纤维束和弹性纤维交错构成

E. 含有触觉小体

18. 下列哪项不属于皮肤的附属器（　　）

A. 毛发

B. 皮脂腺

C. 环层小体

D. 汗腺

E. 指、趾甲

19. 关于外泌汗腺的叙述错误的是（　　）

A. 属单曲管状腺

B. 分泌部为单层立方或锥体细胞

C. 导管部为两层立方形细胞

D. 腺细胞与基膜间有肌上皮细胞

E. 其分泌受性激素影响，于青春期分泌较旺盛

（二）多选题

20. 下列哪项为棘层的结构特点（　　）

A. 位于颗粒层的上方

B. 由多层多边形细胞构成

C. 细胞表面伸出细短的突起

D. 细胞间有半桥粒相连

E. 细胞内无角蛋白丝

21. 关于颗粒层的描述正确的是（　　）

A. 细胞内含有板层颗粒

B. 细胞内含有透明角质颗粒

C. 无细胞核和细胞器

D. 透明角质颗粒内含糖脂和固醇

E. 由单层矮柱状细胞构成

22. 关于角质细胞的描述正确的是（　　）

A. 细胞呈扁平形

B. 是完全角化的死细胞

C. 没有细胞核

D. 细胞内含角蛋白

E. 细胞内有黑素颗粒

23. 黑素颗粒的功能是（　　）

A. 影响皮肤的颜色

B. 吸收紫外线

C. 营养角质形成细胞

D. 保护深层组织免受辐射损伤

E. 参与机体免疫功能

24. 关于伯贝克颗粒的描述错误的是（　　）

A. 位于朗格汉斯细胞内

B. 是朗格汉斯细胞的特征性颗粒

C. 颗粒有膜包被

D. 颗粒呈圆盘形或扁囊形

E. 颗粒内含糖脂和固醇

25. 关于梅克尔细胞的描述错误的是（ ）

A. 分布于颗粒层内

B. 来源于单核细胞

C. 细胞呈多边形

D. 突起细长

E. 与神经末梢紧密接触

26. 顶泌汗腺的特点有（ ）

A. 有特定的分布部位

B. 开口于毛囊上段

C. 腺细胞分泌物较浓稠

D. 导管部有肌上皮细胞

E. 青春期后分泌功能活跃

三、是非题

1. 皮肤的附属器包括：毛、甲、汗腺、皮脂腺和乳腺。（ ）

2. 皮肤是人体最大的器官之一，具有屏障、保护、排泄、调节体温、感觉、吸收和参与免疫应答等功能。（ ）

3. 角质形成细胞从基底部向上移动过程中，细胞形态和结构发生进行性变化，最终从立方形、多边形的活细胞变为扁平的充满角蛋白的死细胞，此过程称角质形成。（ ）

4. 皮肤由表皮、真皮、皮下组织三部分构成。（ ）

5. 皮肤是人体重要的感觉器官和体温调节器官，有丰富的神经末梢分布。（ ）

6. 梅克尔细胞的主要特征是具有似网球拍形状的伯贝克颗粒，此颗粒有膜包被。（ ）

7. 真皮乳头层内可见触觉小体，网织层内可见环层小体。（ ）

8. 大汗腺可以分泌多种无机盐和水分。（ ）

9. 皮肤受到损伤后进行的修复愈合，称补偿性再生，其再生过程和修复时间因受伤的面积和深度而有不同。（ ）

10. 游离的神经末梢仅存在于皮肤的真皮内，而皮肤表皮不能感受到触觉刺激。（ ）

四、名词解释

1. 黑素颗粒

2. 真皮乳头

3. 基底细胞

4. 竖毛肌

5. 朗格汉斯细胞

五、叙述题

1. 非角质形成细胞有哪几种？简述它们的分布、结构特征及功能。

2. 简述顶泌汗腺与外泌汗腺的结构与功能。

3. 简述毛的结构及毛发的生长和更新。

4. 叙述表皮的分层及其与表皮角化形成的关系。

参考答案

一、填空题

1. 表皮 真皮

2. 复层扁平上皮 角质形成 非角质形成 黑素细胞 朗格汉斯细胞 梅克尔细胞

3. 基底层 棘层 颗粒层 透明层 角质层

4. 基底 棘

5. 乳头层 网织层

6. 触觉小体 环层小体

7. 毛干 毛根 毛球 毛球 毛乳头

8. 钝角 竖毛肌

9. 单曲管状 外泌汗腺（或局泌汗

腺）顶泌汗腺（或大汗腺）顶泌汗腺（或大汗腺）

10. 泡状腺　毛囊　竖毛肌　复层扁平上皮　毛囊

二、选择题

（一）单选题

1. C。解释：皮肤内有由表皮衍生而来的附属器，如毛、皮脂腺、汗腺和指（趾）甲等。

2. A。解释：朗格汉斯细胞的主要特征是具有特殊形状的伯贝克颗粒，而朗格汉斯细胞属于非角质形成细胞。

3. E。解释：电镜下，棘层细胞胞质中可见许多卵圆形的板层颗粒。

4. B。解释：皮肤与外界直接接触，能阻挡细菌等异物侵入，防止体液丢失，具有重要的屏障和保护作用。皮肤内含有丰富的感觉神经末梢，能感受外界的多种刺激。此外，还具有调节体温，排出代谢产物等功能。

5. D。解释：角质层由多层扁平无核的角质细胞组成。细胞已完全角化死亡，电镜下，细胞内充满角蛋白丝和均质状基质。胞膜内面附有不溶性蛋白质，使细胞膜增厚而坚固。

6. A。解释：基底层由一层矮柱状或立方形基底细胞组成。基底细胞是表皮的干细胞，不断分裂增殖并向浅层推移，分化为表皮其余几层细胞。

7. B。解释：基底细胞之间以桥粒相连，基底面以半桥粒与基膜相连。

8. D。解释：板层颗粒中的脂类物以胞吐方式排放到细胞间隙，形成膜状结构，构成了防止物质透过表皮的重要屏障。

9. B。解释：电镜下棘层细胞胞质中可见许多卵圆形板层颗粒，直径约 100~300nm。

10. E。解释：板层颗粒有界膜包被，主要含有糖脂、非酯化固醇及溶酶体酶。

11. B。解释：黑素细胞具有细长突起，其胞体散在于基底细胞之间，突起伸入基底细胞和棘细胞之间。

12. D。解释：朗格汉斯细胞能捕获皮肤中的抗原物质，伯贝克颗粒参与抗原的处理，处理后形成抗原肽 – MHC 分子复合物分布于细胞表面，并将其呈递给淋巴细胞，引发免疫应答。

13. E。解释：电镜下，梅克尔细胞基底面可与盘状的感觉神经末梢紧密接触，而且胞质中的小泡也多聚集在细胞的基底部，形成类似于突触的结构，故认为该细胞是感觉细胞，能感受触觉或其他机械性刺激。

14. C。解释：白化患者的黑素细胞数量正常，但细胞内缺乏酪氨酸酶，不能把酪氨酸转化成黑色素，故皮肤及毛发呈白色。

15. B。解释：电镜下，透明角质颗粒无膜包裹，呈致密均质状，角蛋白丝可包绕在透明角质颗粒周围或穿入其中。

16. A。解释：网状层的结缔组织内有粗大的胶原纤维束交织成网，弹性纤维丰富，此层内还有较多的血管、淋巴管和神经束。毛囊皮脂腺和汗腺也多存在于网织层内。

17. D。解释：乳头层是紧靠表皮的薄层结缔组织，乳头内含有丰富的毛细血管，有些乳头内含有触觉小体等神经末梢。网织层内有粗大的胶原纤维束交织成网，弹性纤维丰富。

18. C。解释：皮肤内有由表皮衍生而来的附属器，如毛、皮脂腺、汗腺和指（趾）甲等，而环层小体不属于皮肤的附属器。

19. E。解释：外泌汗腺导管由真皮进

入表皮后呈螺旋状走行，开口于皮肤表面的汗孔。顶泌汗腺的分泌受性激素影响，于青春期分泌较旺盛。

（二）多选题

20. B、C。解释：棘层由 4～10 层多边形棘细胞组成，深部细胞呈多边形，向浅层逐渐变扁，细胞表面伸出许多棘状突起，相邻棘细胞突起镶嵌，并以大量桥粒相连。胞质内含有丰富的角蛋白丝，常呈束分布，并附着于桥粒上。

21. A、B。解释：颗粒层由 3～5 层扁平的梭形细胞组成，细胞核与细胞器逐渐退化，胞质内板层颗粒增多。此层细胞主要特点为胞质出现许多透明角质颗粒，电镜下，颗粒无膜包裹，呈致密均质状，角蛋白丝可包绕在透明角质颗粒周围或穿入其中。

22. A、B、C、D。解释：角质层由多层扁平无核的角质细胞组成。细胞已完全角化死亡，光镜下呈嗜酸性的均质状，轮廓不清。电镜下，细胞内充满角蛋白丝和均质状基质。胞膜内面附有不溶性蛋白质，使细胞膜增厚而坚固。

23. A、B、D。解释：黑素细胞胞质内含有黑素体，它由高尔基复合体形成，内含酪氨酸酶，能将酪氨酸转化为黑色素。黑色素能吸收紫外线，可防止深部组织遭受辐射损伤。黑白人种间的黑素细胞数量无明显差别，肤色的深浅，主要取决于黑素细胞合成黑色素的能力与黑素颗粒的分布。

24. D、E。解释：朗格汉斯细胞的主要特征是具有似网球拍形状的伯贝克颗粒，有膜包被。

25. A、B、C、D。解释：梅克尔细胞位于基底细胞之间，呈扁平形，有短指状突起。电镜下，其胞核呈不规则形，胞质内有许多有膜的含致密核芯的小泡，细胞

基底面可与盘状的感觉神经末梢紧密接触，而且胞质中的小泡也多聚集在细胞的基底部，形成类似于突触的结构。

26. A、B、C、E。解释：顶泌汗腺主要分布于腋窝、乳晕、外阴部和肛门周围等处的皮肤内。导管较细而直，由两层上皮细胞围成，开口于毛囊上段，分泌物较浓稠，被细菌分解后则产生臭味。大汗腺的分泌受性激素影响，于青春期分泌较旺盛。

三、是非题

正确：2、3、5、7、9。

错误：

1. 解释：乳腺并非皮肤的附属物。

4. 解释：皮肤由表皮和真皮组成，借皮下组织与深部组织相连。

6. 解释：朗格汉斯细胞的主要特征是具有似网球拍形状的伯贝克颗粒，此颗粒有膜包被，而并非是梅克尔细胞的特征。

8. 解释：大汗腺的分泌物较浓稠，主要为多种有机化合物。

10. 解释：皮肤表皮中的梅克尔细胞基底面可与盘状的感觉神经末梢紧密接触，形成类似于突触的结构，能感受触觉或其他机械性刺激。

四、名词解释

1. 黑素细胞胞质内含有黑素体，它由高尔基复合体形成，内含酪氨酸酶，能将酪氨酸转化为黑色素。当黑色素体充满黑色素后则称黑素颗粒。黑色素能吸收紫外线，可防止深部组织遭受辐射损伤

2. 乳头层向表皮基底部突出形成真皮乳头，使表皮与真皮的连接面扩大，有利于两者牢固连接，并有利于从真皮组织液中获得营养。

3. 基底细胞核圆形或椭圆形，相对较

大，染色较浅，核仁明显。胞质内由于有丰富的游离核糖体而呈嗜碱性。基底细胞是表皮的干细胞，可以不断分裂增殖并向浅层推移，分化为表皮其余几层细胞。

4. 毛与皮肤表面呈一定角度倾斜生长，在毛根与表皮表面呈钝角的一侧有皮脂腺，其下方有一束斜行的平滑肌，称竖毛肌，收缩时可使毛竖立。

5. 朗格汉斯细胞来源于单核细胞，为具有树枝状突起的细胞，主要散在于棘细胞之间。胞核着色深，胞质很浅。朗格汉斯细胞是一种抗原提呈细胞，在对抗侵入皮肤的病毒和监视癌变细胞方面起重要作用，并在排斥移植的异体组织中起重要作用。

五、叙述题

1. 答：非角质形成细胞散在于角质形成细胞之间，包括黑素细胞、朗格汉斯细胞和梅克尔细胞。

（1）黑素细胞：胞体散在于基底细胞之间，具有细长突起，突起伸入基底细胞和棘细胞之间。电镜下，黑素细胞与角质形成细胞之间无桥粒连接，细胞质内含有丰富的游离核糖体、粗面内质网和发达的高尔基复合体。胞质内还含黑素体，能将酪氨酸转化为黑色素。当黑素体充满黑色素后则称黑素颗粒。黑色素能吸收紫外线，防止深部组织遭受辐射损伤。黑、白人种间的黑素细胞数量无明显差别，肤色的深浅主要取决于黑素细胞合成黑色素的能力与黑素颗粒的分布。

（2）朗格汉斯细胞来源于单核细胞，为具有树枝状突起的细胞，主要散在于棘细胞之间。细胞胞核着色深，胞质很浅。电镜下，胞质含有较多的溶酶体，无角蛋白丝和桥粒等，主要特征是具有似网球拍形状的伯贝克颗粒。朗格汉斯细胞是一种抗原提呈细胞，在对抗侵入皮肤的病毒和监视癌变细胞方面起重要作用，并在排斥移植的异体组织中起重要作用。

（3）梅克尔细胞位于基底细胞之间，呈扁平形，有短指状突起。电镜下，它与角质形成细胞之间有桥粒相连，胞核呈不规则形，胞质内有有膜的含致密核芯的小泡，细胞基底面可与盘状的感觉神经末梢紧密接触，胞质中的小泡多聚集在细胞的基底部，形成类似于突触的结构，故认为该细胞是感觉细胞，能感受触觉或其他机械性刺激。

2. 答：汗腺可分为外泌汗腺和顶泌汗腺两种。

（1）外泌汗腺又称局泌汗腺，遍布于全身的大部分皮肤内，手掌和足底较多。外泌汗腺为单曲管状腺，分泌部盘曲成团，位于真皮深层和皮下组织中，周围有较厚的基膜。腺细胞为一层，细胞大小不一，呈锥体形。导管由两层立方形细胞围成，细胞较小，胞质弱嗜碱性。导管由真皮进入表皮后呈螺旋状走行，开口于皮肤表面的汗孔。腺细胞分泌的汗液，主要为水分，还有钠、钾、氯、乳酸盐和尿素等。外泌汗腺的分泌对调节体温、湿润皮肤和排泄含氮废物等均具有重要作用。汗腺的分泌主要受胆碱能神经支配。

（2）顶泌汗腺又称大汗腺，主要分布于腋窝、乳晕、外阴部和肛门周围等处的皮肤内。分泌部较粗，管腔大，盘曲成团。腺细胞为立方形或矮柱状，核圆形，胞质嗜酸性。导管较细而直，也由两层上皮细胞围成。开口于毛囊上段，分泌物较浓稠，主要为多种有机化合物，被细菌分解后则产生臭味。分泌过盛而致气味过浓时，则产生狐臭。大汗腺的分泌受性激素影响，于青春期分泌较旺盛。

3. 答：毛分为毛干、毛根和毛球三部

分。露在皮肤外的为毛干，埋在皮肤内的为毛根，包在毛根外面的上皮和结缔组织形成管状的鞘为毛囊。毛根和毛囊末端膨大为毛球。毛球底面内陷，含有毛细血管和神经的结缔组织突入其中形成毛乳头。毛球的上皮细胞为干细胞，称毛母质，这些细胞不断分裂增殖向上移动，逐渐形成毛根和上皮根鞘的细胞。毛的生长周期分为生长期和静止期。生长期的毛每日约生长0.2mm，其毛母质细胞分裂增殖，毛球膨大，毛乳头血供丰富。当由生长期转入静止期时，毛球和毛乳头变小萎缩，毛母质细胞停止增殖，毛根角化萎缩，并向表皮推移，随后与毛乳头分离，在旧毛脱落之前，于毛囊基部形成新的毛母质细胞和毛球，继而形成新毛。

4. 答：表皮角质形成细胞从基底面向表面依次为基底层、棘层、颗粒层、透明层及角质层。

（1）基底层由一层矮柱状或立方形基底细胞组成。在有色皮肤内还可见黄褐色的黑素颗粒。基底细胞之间以桥粒相连，基底面以半桥粒与基膜相连。基底细胞是表皮的干细胞，在皮肤的创伤愈合中，该层细胞具有重要的再生修复作用。

（2）棘层由4~10层多边形棘细胞组成，细胞较大，细胞表面伸出许多棘状突起，相邻棘细胞突起以大量桥粒相连。电镜下，胞质中还可见许多卵圆形的板层颗粒，主要含有糖脂、非酯化固醇及溶酶体酶。颗粒中的脂类物以胞吐方式排放到细胞间隙，形成膜状结构，构成了防止物质透过表皮的重要屏障。

（3）颗粒层由3~5层扁平的梭形细胞组成，细胞核与细胞器逐渐退化，胞质内板层颗粒增多。此层细胞主要特点是胞质出现许多形状不规则、强嗜碱性的透明角质颗粒，电镜下，颗粒无膜包裹，呈致密均质状，角蛋白丝可包绕在透明角质颗粒周围或穿入其中。

（4）透明层由2~3层扁平的细胞组成。细胞界限不清，细胞核和细胞器均已消失。此层细胞为均质透明状，呈嗜酸性，折光性强。胞质内充满角蛋白丝，细胞的超微结构与角质层相似。

（5）角质层由多层扁平无核的角质细胞组成。细胞已完全角化死亡，光镜下呈嗜酸性，均质状，轮廓不清。电镜下，细胞内充满角蛋白丝和均质状基质。胞膜内面附有不溶性蛋白质，使细胞膜增厚而坚固。细胞间隙充满由板层颗粒所释放的脂类物质。表层细胞间的桥粒消失，细胞连接松散，脱落后即成为皮屑。角质层具有阻止外界物质侵害和防止体内水分丢失等保护作用。

从表皮的基底层到角质层是角质形成细胞的增殖、分化、移动、角化和脱落的动态变化过程。最初为表皮细胞内角蛋白丝、板层颗粒及透明角质颗粒的形成，继而角蛋白丝与透明角质颗粒结合形成角蛋白，沉积于细胞内，板层颗粒向细胞间隙释放内容物，形成多层膜状结构，细胞器及细胞核逐渐退化消失，最后形成角质层。

（任君旭　吕　洋）

第十三章　眼和耳

本章重点、难点：

1. 眼球壁的结构，角膜、视网膜的结构
2. 眼球内容物的结构、功能
3. 内耳的结构，壶腹嵴、球囊斑、椭圆囊斑的结构与功能
4. 内耳螺旋器的结构与功能

测试题

一、填空题

1. 眼球壁从外至内依次为_____、_____和_____三层结构。

2. 角膜由前至后分为五层，其中内有丰富的游离感觉神经末梢为_____；角膜中最厚的一层为_____，主要由大量的_____平行排列，形成与表面平行的_____结构。

3. 巩膜与角膜相交处向前内侧伸出环嵴状突起称_____，在其前外侧，有一环行的管道称_____，其内侧为_____。二者是_____循环的重要结构。

4. 血管膜位于_____的内侧，由疏松结缔组织构成。由前至后依次为_____、_____和_____。

5. 虹膜上皮由前后两层细胞组成，前层为_____，位于瞳孔边缘细胞呈环行排列称_____，收缩时使瞳孔缩小；其外侧细胞呈放射状排列称_____，收缩时使瞳孔开大。

6. 视网膜视部由外向内依次由_____、_____、_____和_____四层细胞组成。

在视网膜后极有两个特殊部位分别称_____和_____。

7. 视细胞又称_____，是视觉的第一级神经元，属于双极神经元。细胞由_____、_____和_____三部分组成。视细胞分为_____和_____两种。

8. 中央凹是视网膜最薄的部分，只有_____和_____，中央凹是视觉最_____的部位。

9. 内耳由套叠的两组管道组成，走行弯曲称_____。外部为_____，内部为_____。

10. 膜迷路由_____、_____、_____组成。膜迷路管壁的黏膜由_____和_____构成，某些部位的黏膜增厚，_____特化形成_____或_____感受器。

11. 膜蜗管的横切面呈三角形，上壁为_____；外侧壁为_____，又称_____，与内淋巴的产生有关；下壁由_____和_____共同构成。

12. 膜半规管壶腹部的一侧黏膜增厚，形成圆嵴状隆起称_____。其胶质膜较厚，形成圆顶状的_____。

二、选择题

（一）单选题

1. 角膜上皮是（　）
   - A. 单层扁平上皮
   - B. 复层扁平上皮
   - C. 单层柱状上皮
   - D. 单层立方上皮
   - E. 变移上皮

2. 与屈光无关的结构是（　）

A. 房水
B. 晶状体
C. 玻璃体
D. 虹膜
E. 角膜

3. 视网膜细胞层，由外向内依次为（　　）

A. 色素上皮细胞、节细胞、视细胞、双极细胞
B. 视细胞、色素上皮细胞、节细胞、双极细胞
C. 色素上皮细胞、视细胞、节细胞、双极细胞
D. 色素上皮细胞、视细胞、双极细胞、节细胞
E. 节细胞、双极细胞、色素上皮细胞、视细胞

4. 角膜上皮感觉敏锐主要是因为（　　）

A. 上皮内有感觉细胞
B. 上皮内有丰富的触觉小体
C. 上皮内有丰富的环层小体
D. 上皮内有丰富的游离神经末梢
E. 上皮薄

5. 关于巩膜的描述哪一项错误（　　）

A. 呈瓷白色透明
B. 由致密结缔组织构成
C. 粗大的胶原纤维相互交织成网
D. 是眼球壁的重要保护层
E. 是纤维膜的主要组成部分

6. 关于血管膜的描述哪一项错误（　　）

A. 血管膜位于纤维膜的内侧
B. 由疏松结缔组织构成
C. 富含血管和色素细胞
D. 薄而柔软
E. 由前至后依次为虹膜、睫状体和视网膜

7. 关于虹膜的描述哪一项错误（　　）

A. 位于角膜后方为环状薄膜
B. 周边与睫状体相连，中央为瞳孔
C. 虹膜由前向后分三层
D. 虹膜基质为薄层的结缔组织
E. 虹膜上皮细胞形成瞳孔括约肌和瞳孔开大肌

8. 关于色素上皮细胞描述哪项错误（　　）

A. 为单层柱状细胞
B. 上皮基底面紧贴玻璃膜
C. 胞质内含许多粗大的黑素颗粒可吸收紫外线
D. 可吞噬视细胞脱落下来的膜盘
E. 色素上皮细胞具有储存维生素A的功能

9. 关于视细胞描述哪项错误（　　）

A. 又称感光细胞
B. 细胞分为胞体、外突和内突三部分
C. 外突中段有一缩窄将其分为内节和外节
D. 外节为感光部位，含有大量平行排列的扁平状膜盘
E. 内突末端主要与节细胞形成突触联系

10. 下列哪项不符合视杆细胞的特点（　　）

A. 数量较多，胞体细长，核小、染色深，
B. 外突呈杆状，内突末端膨大呈球状
C. 顶端衰老的膜盘不脱落
D. 膜盘上镶嵌的感光蛋白称视紫红质，感受弱光
E. 当人体维生素A不足时，视紫红质缺乏，导致弱光视力减退

11. 下列哪项不是视锥细胞特点（ ）
    A. 外突呈圆锥形，分内外两节
    B. 外节膜盘上嵌有视色素
    C. 膜盘不断脱落，由内节产生补充
    D. 轴突与双极细胞相连
    E. 视锥细胞可位于中央凹

12. 含视紫红质、感暗光和弱光的细胞是（ ）
    A. 色素上皮细胞
    B. 视锥细胞
    C. 视杆细胞
    D. 双极细胞
    E. 节细胞

13. 视网膜感受强光和色觉的细胞是（ ）
    A. 视杆细胞
    B. 视锥细胞
    C. 双极细胞
    D. 节细胞
    E. 色素上皮细胞

14. 不符合视网膜中央凹的特点是（ ）
    A. 位于黄斑中央的浅凹
    B. 是视网膜最薄的部分
    C. 只有色素上皮细胞和视杆细胞
    D. 侏儒节细胞之间形成一对一的联系，能精确传导视觉信息
    E. 是视觉最敏锐的部位

15. 老年性白内障主要是由于（ ）
    A. 晶状体上皮细胞在赤道部逐渐变成长柱状称晶状体纤维
    B. 中心部的纤维衰老变硬，胞核消失，含水量减少，形成晶状体核
    C. 晶状体内无血管和神经，靠房水供给营养
    D. 晶状体弹性减退，透明度降低
    E. 晶状体混浊

16. 分泌房水的主要部位是（ ）
    A. 虹膜
    B. 睫状小带
    C. 脉络膜
    D. 睫状体非色素上皮细胞
    E. 角膜内皮

17. 关于房水功能描述错误的是（ ）
    A. 具有屈光作用
    B. 营养玻璃体
    C. 营养虹膜
    D. 营养角膜
    E. 营养晶状体

18. 螺旋器位于（ ）
    A. 膜半规管
    B. 膜蜗管
    C. 膜前庭
    D. 骨螺旋板
    E. 椭圆囊

19. 螺旋器中感受听觉的细胞是（ ）
    A. 内柱细胞
    B. 内指细胞
    C. 外柱细胞
    D. 外指细胞
    E. 毛细胞

20. 与位觉感觉无关的结构是（ ）
    A. 螺旋器
    B. 椭圆囊斑
    C. 球囊斑
    D. 位砂膜
    E. 壶腹嵴

21. 参与声波传导的结构是（ ）
    A. 血管纹
    B. 骨螺旋板
    C. 螺旋韧带
    D. 基底膜
    E. 位砂膜

22. 感受直线运动的结构是（ ）

A. 壶腹嵴

B. 椭圆囊

C. 螺旋器

D. 球囊

E. 椭圆囊和球囊

23. 感受身体或头部的旋转运动的结构是（　　）

A. 壶腹嵴

B. 椭圆囊

C. 螺旋器

D. 球囊

E. 椭圆囊和球囊

24. 哪个部位的腔面不形成位觉和听觉感受器（　　）

A. 前庭

B. 膜蜗管

C. 椭圆囊

D. 球囊

E. 膜半规管

25. 晶状体纤维是（　　）

A. 胶原纤维

B. 胶原原纤维

C. 弹性纤维

D. 胶原原纤维和弹性纤维

E. 以上都不是

（二）多选题

26. 巩膜的结构特点是（　　）

A. 有大量胶原纤维束相互交织

B. 血管、色素很丰富

C. 有成纤维细胞

D. 呈瓷白色不透明

E. 质地坚硬

27. 关于角膜上皮的描述哪些正确（　　）

A. 是未角化的复层扁平上皮

B. 基部凹凸不平

C. 再生能力较强

D. 较厚，由前至后分 8 ~ 10 层

E. 与球结膜的上皮相延续

28. 角膜透明的重要因素是（　　）

A. 角膜上皮薄

B. 上皮细胞排列整齐

C. 角膜基质胶原原纤维直径一致平行排列

D. 基质含适量水分

E. 角膜内无血管

29. 眼球的屈光装置包括（　　）

A. 晶状体

B. 玻璃体

C. 房水

D. 睫状体

E. 角膜

30. 参与分泌产生房水的结构有（　　）

A. 虹膜血管内的血液

B. 视网膜血管内的血液

C. 睫状体非色素上皮细胞

D. 虹膜上皮细胞

E. 睫状体血管内的血液

31. 视杆细胞的特点是（　　）

A. 外节呈杆状

B. 膜盘不脱落

C. 膜盘与胞膜不分离

D. 感受弱光

E. 含感光物质称视紫红质

32. 视锥细胞的特点是（　　）

A. 外节呈锥状

B. 顶部膜盘衰老不断脱落

C. 膜盘与胞膜不分离

D. 感受强光和色觉刺激

E. 视色素由内节不断合成

33. 构成螺旋器的主要细胞是（　　）

A. 柱细胞

B. 指细胞

C. 毛细胞

D. 血管纹的细胞

E. 基细胞

34. 关于螺旋器的描述哪些是正确的（　　）
  A. 由支持细胞和毛细胞构成
  B. 是膜迷路黏膜上皮特化形成的结构
  C. 位于基底膜上
  D. 毛细胞位于指细胞顶部
  E. 指细胞有支托毛细胞的作用

35. 视网膜色素上皮的功能是（　　）
  A. 吞噬膜盘
  B. 保护视细胞
  C. 起屏障作用
  D. 参与视紫红质形成
  E. 起绝缘作用

36. 内耳的结构是（　　）
  A. 由套叠的两组管道组成
  B. 外部为骨迷路，内部为膜迷路
  C. 膜迷路管壁的黏膜由单层扁平上皮和结缔组织构成
  D. 上皮细胞特化形成听觉或位觉感受器
  E. 内、外淋巴相通

37. 下列哪些细胞见于黄斑中央凹（　　）
  A. 视锥细胞
  B. 视杆细胞
  C. 节细胞
  D. 双极细胞
  E. 色素上皮细胞

38. 视盘的特点是（　　）
  A. 为节细胞轴突穿出处
  B. 表面突起呈乳头状
  C. 无视细胞
  D. 有色素上皮层
  E. 此处视力最敏锐、最精确

39. 听弦（　　）
  A. 位于前庭膜内
  B. 位于膜蜗管基底膜内

  C. 为特殊的弹性纤维
  D. 蜗底部的听弦比蜗顶部的短
  E. 与传入的声波发生共振

40. 壶腹嵴的结构和功能是（　　）
  A. 感受直线变速运动
  B. 上皮由支持细胞和毛细胞组成
  C. 支持细胞分泌物形成壶腹帽
  D. 感受身体或头部旋转变速运动
  E. 感觉头部静止时的位觉

三、是非题

1. 角膜的最内层和最外层均为上皮，外层是复层上皮，内层是单层上皮。（　　）

2. 角膜基质为角膜中最厚的一层，约占角膜的90%。主要由大量的胶原纤维平行排列，形成与表面平行的胶原板层结构。（　　）

3. 虹膜的瞳孔括约肌和瞳孔开大肌是平滑肌。（　　）

4. 脉络膜为血管膜的后2/3部分，衬于巩膜内面，是富含血管和色素细胞的疏松结缔组织。最内一层为均质的薄膜与视网膜相贴，由纤维和基质组成，称玻璃膜。（　　）

5. 视细胞又称感光细胞，是视觉的第一级神经元，属于多极神经元。（　　）

6. 视杆细胞外突呈杆状，故称视杆，内突末端膨大呈球状。外节中的膜盘与表面细胞膜分离，形成独立的膜盘。（　　）

7. 视杆细胞膜盘上镶嵌的感光蛋白称视紫红质，当视紫红质缺乏时，导致色盲。（　　）

8. 视锥细胞形态与视杆细胞近似，外突短粗呈圆锥形，故称视锥。视锥外节的膜盘感光物质称视色素，感受强光和颜色。（　　）

9. 黄斑是视网膜后极的一浅黄色区域，正对视轴处，中央有一浅凹，称中央凹。

中央凹是视网膜最薄的部分，只有色素上皮细胞和视杆细胞。（　　）

10. 玻璃体位于晶状体、睫状体与视网膜之间，外包透明的玻璃体膜，玻璃体流失可再生。（　　）

11. 视神经乳头位于视网膜后极，黄斑的鼻侧，是视神经穿出眼球部位，此处缺乏视细胞，故又称盲点。（　　）

12. 膜迷路腔内充满内淋巴，膜迷路与骨迷路之间的腔隙充满外淋巴，内、外淋巴互不相通。内淋巴由膜蜗管的血管纹产生，淋巴有营养内耳和传递声波等作用。（　　）

13. 螺旋器基底膜中含有大量的弹性纤维称听弦。（　　）

14. 壶腹嵴也是位觉感受器，感受身体直线变速运动。（　　）

15. 位觉斑感受身体的直线变速运动和静止状态。（　　）

四、名词解释

1. 角膜基质
2. 巩膜静脉窦
3. 视网膜中央凹
4. 视盘
5. 房水
6. 螺旋器
7. 血管纹
8. 位觉斑
9. 壶腹嵴

五、叙述题

1. 比较两种视细胞的结构与功能。
2. 试述位觉感受器的结构与功能。

参考答案

一、填空题

1. 纤维膜　血管膜　视网膜

2. 角膜上皮　角膜基质　胶原原纤维　胶原板层

3. 巩膜距　巩膜静脉窦　小梁网　房水

4. 纤维膜　虹膜　睫状体　脉络膜

5. 肌上皮细胞　瞳孔括约肌　瞳孔开大肌

6. 色素上皮细胞层　视细胞层　双极细胞层　节细胞层　黄斑　中央凹

7. 感光细胞　胞体　外突　内突　视杆细胞　视锥细胞

8. 色素上皮细胞　视锥细胞　敏感

9. 迷路　骨迷路　膜迷路

10. 膜蜗管　膜前庭　膜半规管　单层扁平上皮　结缔组织　上皮细胞　听觉　位觉

11. 前庭膜　螺旋韧带　血管纹　骨螺旋板　基底膜

12. 壶腹嵴　壶腹帽

二、选择题

（一）单选题

1. B。解释：角膜上皮为复层扁平上皮。

2. D。解释：虹膜不参与屈光作用。

3. D。解释：色素上皮细胞、视细胞、双极细胞、节细胞。

4. D。解释：游离神经末梢丰富是角膜上皮感觉敏锐的主要原因。

5. A。解释：巩膜为呈瓷白色不透明的结构。

6. E。解释：由前至后依次为虹膜、睫状体和脉络膜。

7. D。解释：虹膜基质为较厚的结缔组织。

8. A。解释：为单层立方细胞。

9. E。解释：内突末端主要与双极细胞形成突触联系。

10. C。解释：顶端衰老的膜盘不断脱落。

11. C。解释：膜盘不脱落。

12. C。解释：视杆细胞。

13. B。解释：视锥细胞。

14. C。解释：只有色素上皮细胞和视锥细胞。

15. E。解释：晶状体混浊。

16. D。解释：睫状体非色素上皮细胞分泌房水。

17. C。解释：房水不营养虹膜。

18. B。解释：螺旋器位于膜窝管。

19. E。解释：毛细胞是螺旋器中感受听觉的细胞。

20. A。解释：螺旋器是听觉感觉的结构。

21. D。解释：基底膜参与声波传导。

22. E。解释：椭圆囊和球囊是感受直线运动的结构。

23. A。解释：壶腹嵴是感受身体或头部的旋转运动的结构。

24. A。解释：位觉和听觉感受器是膜迷路局部黏膜增厚形成，前庭属于骨迷路。

25. E。解释：晶状体纤维是指晶状体囊内侧长柱状的晶状体上皮细胞而言。

（二）多选题

26. A、C、D、E。解释：巩膜呈瓷白色不透明，由致密结缔组织构成，粗大的胶原纤维相互交织成网，成纤维细胞是结缔组织内主要细胞成分，巩膜质地坚硬。

27. A、C、E。解释：为未角化的复层扁平上皮，由 5～6 层排列整齐的细胞构成。基底层细胞平坦，为一层矮柱状细胞，其再生能力很强，损伤后容易修复。上皮内有丰富的游离感觉神经末梢，角膜边缘与球结膜的上皮相续。

28. A、B、C、D、E。解释：角膜为透明的圆盘状结构，角膜中央较薄，角膜中

不含血管，其营养由角膜缘血管和房水供应。角膜组织结构主要由大量的胶原原纤维平行排列，形成与表面平行的胶原板层结构，基质中含较多的水分。角膜基质结构特点是角膜透明的重要原因。

29. A、B、C、E。解释：眼球的屈光装置包括房水、晶状体和玻璃体，均无色透明，与角膜共同组成眼的屈光装置。

30. C、E。解释：房水为无色透明的液体，由睫状体的血管渗出和非色素上皮细胞分泌而成。其他结构与房水分泌无关。

31. A、D、E。解释：视杆细胞外突呈杆状，故称视杆，外节中的膜盘与表面细胞膜分离，形成独立的膜盘。而顶端衰老的膜盘不断脱落，膜盘上镶嵌的感光蛋白称视紫红质，感受弱光。

32. A、C、D、E。解释：视锥细胞外突短粗呈圆锥形，故称视锥。视锥外节的膜盘大多与细胞膜不分离，顶端膜盘也不脱落，而感光物质则不断更新。其感光物质称视色素，感受强光和颜色。

33. A、B、C。解释：螺旋器又称柯蒂氏器，是听觉感受器，由支持细胞和毛细胞组成，支持细胞包括柱细胞和指细胞两种。

34. A、B、C、D、E。解释：螺旋器是膜迷路黏膜上皮特化形成的结构，位于膜蜗管的基底膜上。由支持细胞和毛细胞构成，毛细胞位于指细胞顶部，指细胞有支托毛细胞的作用。

35. A、B、C。解释：视网膜色素上皮为单层立方的色素上皮细胞构成，胞质内含许多粗大的黑素颗粒和吞噬体，黑素颗粒可吸收紫外线，以防止强光对视细胞的损伤；吞噬体为视细胞脱落下来的膜盘。色素上皮细胞还具有储存维生素 A 的功能并构成视网膜的保护性屏障。

36. A、B、C、D。解释：内耳由套叠

的两组管道组成，走行弯曲称迷路。外部为骨迷路，内部为膜迷路，膜迷路悬系在骨迷路内。膜迷路管壁的黏膜由单层扁平上皮和结缔组织构成，某些部位的黏膜增厚，上皮细胞特化形成听觉或位觉感受器。膜迷路腔内充满内淋巴，膜迷路与骨迷路之间的腔隙充满外淋巴，内、外淋巴互不相通。

37. A、E。解释：中央凹是视网膜最薄的部分，只有色素上皮细胞和视锥细胞。视锥细胞与侏儒双极细胞、侏儒节细胞之间形成一对一的联系，能精确传导视觉信息。而双极细胞和节细胞均斜向外周排列，故光线可直接落在视锥细胞上。因此，中央凹是视觉最敏锐的部位。

38. A、B、C。解释：视盘又称视神经乳头，是视神经穿出眼球部位（视神经由节细胞的轴突构成），此处缺乏视细胞，称之为盲点。

39. B、D。解释：听弦为螺旋器基底膜中大量的胶原样细丝，听弦从蜗轴向外呈放射状排列，由于基底膜从蜗底至蜗顶逐渐增宽，听弦也随之增长，听弦越长，故蜗底的基底膜能与高频振动发生共振，蜗顶的基底膜能与低频振动发生共振。

40. B、C、D。解释：壶腹嵴其基本结构和位觉斑相似，上皮由支持细胞和毛细胞组成，壶腹嵴的胶质膜较厚，形成圆顶状的壶腹帽，壶腹帽由支持细胞分泌的糖蛋白形成。壶腹嵴也是位觉感受器，感受身体或头部的旋转变速运动。

三、是非题

正确：1、4、6、8、11、12、15。

错误：

2. 解释：角膜基质为角膜中最厚的一层，约占角膜的90%。主要由大量的胶原原纤维平行排列，形成与表面平行的胶原板层结构。

3. 解释：虹膜的瞳孔括约肌和瞳孔开大肌不是平滑肌，是肌上皮细胞构成。

5. 解释：视细胞又称感光细胞，是视觉的第一级神经元，属于双极神经元。

7. 解释：视杆细胞膜盘上镶嵌的感光蛋白称视紫红质，当视紫红质缺乏时，导致夜盲。

9. 解释：黄斑是视网膜后极的一浅黄色区域，正对视轴处，中央有一浅凹，称中央凹。中央凹是视网膜最薄的部分，只有色素上皮细胞和视锥细胞。

10. 解释：玻璃体位于晶状体、睫状体与视网膜之间，外包透明的玻璃体膜，玻璃体流失不能再生。

13. 解释：螺旋器基底膜中含有大量的胶原样细丝称听弦。

14. 解释：壶腹嵴也是位觉感受器，感受身体或头部的旋转变速运动。

四、名词解释

1. 角膜基质为角膜中最厚的一层，约占角膜的90%。主要由大量的胶原原纤维平行排列，形成与表面平行的胶原板层结构，邻层之间的纤维排列方向相互垂直。每层之间有合成纤维、基质的成纤维细胞，基质中含较多的水分。角膜基质结构特点是角膜透明的重要原因。

2. 巩膜静脉窦是位于巩膜距前外侧的环行管道，管壁由内皮、不完整的基膜和薄层结缔组织构成。巩膜静脉窦内侧为小梁网，小梁网之间的孔隙为小梁间隙，小梁间隙与巩膜静脉窦相通，是房水循环的重要结构。

3. 在视网膜后极的一浅黄色区域称黄斑。黄斑正对视轴处，中央有一浅凹，称中央凹。中央凹是视网膜最薄的部分，只有色素上皮细胞和视锥细胞。视锥细胞与侏儒双极细胞、侏儒节细胞之间形成一对一的联系，能精确传导视觉信息。而双极细胞和节细胞均斜向外周排列，故光线可直接落在视锥细胞上。因此，中央凹是视觉最敏锐的部位。

4. 视盘又称视神经乳头，视神经乳头位于黄斑的鼻侧，是视神经穿出眼球部位，此处缺乏视细胞，故又称盲点。

5. 房水为无色透明的液体，充满于眼房内，由睫状体的血管渗出和非色素上皮细胞分泌而成。房水从后房经瞳孔至前房，继而在前房角经小梁间隙进入巩膜静脉窦，最终回流入血循环。房水具有屈光作用，并可营养晶状体和角膜以及维持眼压。

6. 螺旋器是听觉感受器，位于膜蜗管的基底膜上，由支持细胞和毛细胞组成。支持细胞包括柱细胞和指细胞，内柱细胞和外柱细胞之间形成一个三角形的内隧道，内隧道的内侧有内指细胞，排成 1 行；外侧有外指细胞，排成 3～4 行；内、外指细胞分别支托内、外毛细胞，使毛细胞与指细胞对应。毛细胞的顶部有排列规则的静纤毛即听毛，基部与蜗神经的末梢形成突触。

7. 膜蜗管的横切面呈三角形，有上、中、下三个壁。其外侧壁为螺旋韧带，由增厚的骨膜形成，表面为复层柱状上皮，上皮内含有毛细血管，称血管纹，与内淋巴的产生有关。

8. 膜前庭由椭圆囊和球囊组成。椭圆囊外侧壁和球囊前壁的黏膜局部增厚，呈斑块状，分别称椭圆囊斑和球囊斑，是位觉感受器，故又称位觉斑。位觉斑表面平坦，由支持细胞和毛细胞组成。位觉斑感受身体的直线变速运动和静止状态。

9. 膜半规管壶腹部的一侧黏膜增厚，形成圆嵴状隆起，称壶腹嵴。其基本结构和位觉斑相似，上皮由支持细胞和毛细胞组成，毛细胞的动纤毛和静纤毛埋藏于胶质膜内，壶腹嵴的胶质膜较厚，形成圆顶状的壶腹帽。壶腹帽由支持细胞分泌的糖蛋白形成，浮在毛细胞表面，前庭神经中的传入纤维末梢分布于毛细胞的基部形成突触。壶腹嵴也是位觉感受器，感受身体或头部的旋转变速运动。

五、叙述题

1. 答：视细胞包括视杆细胞和视锥细胞，又称感光细胞，是视觉的第一级神经元，属于双极神经元。细胞分为胞体、外突和内突三部分。胞体是细胞核所在部位。外突中段有一缩窄将其分为内节和外节，内节是合成蛋白质的部位，有丰富的线粒体、粗面内质网和高尔基复合体。外节为感光部位，含有大量平行排列的扁平状膜盘，它们是由外节基部一侧的胞膜向胞质内陷折叠而成，膜中含有能感光的镶嵌蛋白质；内突末端主要与双极细胞形成突触联系。

（1）视杆细胞：数量较多，胞体细长，核小、染色深，外突呈杆状，故称视杆，内突末端膨大呈球状。外节中的膜盘与表面细胞膜分离，形成独立的膜盘。膜盘由基部不断产生，并逐渐推移至外节顶端，而顶端衰老的膜盘不断脱落，被色素上皮细胞吞噬。膜盘上镶嵌的感光蛋白称视紫红质，感受弱光。视紫红质由 11－顺视黄醛和视蛋白组成。维生素 A 是合成 11－顺视黄醛的原料，当人体维生素 A 不足时，视紫红质缺乏，导致弱光视力减退，称夜盲症。

（2）视锥细胞：数量较少，形态与视杆细胞近似，核较大，染色较浅，外突短粗呈圆锥形，故称视锥。内突末端膨大呈足状，可与一个或多个双极细胞形成突触。视锥外节的膜盘大多与细胞膜不分离，顶端膜盘也不脱落,而感光物质则不断更新。其感光物质称视色素,感受强光和颜色。视色素也由 11 - 顺视黄醛和视蛋白构成,只是视蛋白结构与视杆细胞的不同。人类有三种视锥细胞,分别含有红敏色素、绿敏色素、蓝敏色素,感受红、绿、蓝光。色盲患者,是由于缺乏相应的特殊视锥细胞所至,如若缺少红敏色素(或绿敏色素)的视锥细胞,则不能分辨红(或绿)色,为红(或绿)色盲。临床中红色盲和绿色盲者较为多见,蓝色盲则极少见。

2. 答:位觉感受器位于膜前庭和膜半规管内,由局部黏膜增厚特化形成。包括椭圆囊斑、球囊斑、壶腹嵴。位觉斑的上皮内都由支持细胞和毛细胞组成,毛细胞位于支持细胞之间,是一种感觉神经元,细胞的游离面有动、静纤毛,基部有突出小泡,与前庭神经末梢形成突触。

(1)椭圆囊斑和球囊斑的支持细胞为高柱状,胞质顶部有分泌颗粒,其分泌物在位觉斑表面形成一层胶质膜,称位砂膜,内有细小的碳酸钙结晶,即位砂。由于毛细胞的纤毛伸入位砂膜内,位砂的比重远大于内淋巴,在重力或直线变速运动作用下,位砂膜可发生移位,从而使纤毛弯曲,球囊斑和椭圆囊斑互成直角,所以,不管身体处在何种位置,都会有毛细胞受到刺激而兴奋。椭圆囊斑和球囊斑感受身体的直线变速运动和静止状态。

(2)壶腹嵴毛细胞的动纤毛和静纤毛埋藏于胶质膜内,壶腹嵴的胶质膜较厚,形成圆顶状的壶腹帽,壶腹帽由支持细胞分泌的糖蛋白形成,浮在毛细胞表面,由于 3 个半规管互相垂直排列,所以,不管身体或头部怎样旋转,都会有半规管内淋巴流动使壶腹帽偏斜,从而刺激毛细胞产生兴奋,经前庭神经传入中枢。壶腹嵴感受身体或头部的旋转变速运动。

(王微微)

· 123 ·

第十四章 内分泌系统

本章重点、难点：

1. 甲状腺的组织学结构和功能

2. 肾上腺的组织学结构和功能

3. 脑垂体（腺垂体为重点、神经垂体为难点）的组织学结构和功能

测试题

一、填空题

1. 甲状腺表面有结缔组织_____。结缔组织将实质分成许多小叶，小叶内有_____和_____。

2. 甲状腺滤泡由_____围成，滤泡腔内含有_____。

3. _____细胞合成和分泌甲状腺激素，_____细胞分泌降钙素。

4. 肾上腺皮质从外向内分三个带，_____带，分泌_____；_____带，分泌_____；_____带，主要分泌_____。

5. 肾上腺髓质细胞又称为_____细胞，分泌_____和_____。

6. 腺垂体远侧部嗜酸性细胞分泌_____和_____。

7. 促肾上腺皮质激素由_____细胞分泌，该激素可促进肾上腺皮质_____细胞分泌_____。

8. 视上核神经内分泌细胞合成_____，又称_____。主要作用肾_____小管和集合管重吸收_____。室旁核主要合成_____。

9. 甲状腺的功能受垂体远侧部_____细胞分泌的_____调控。

10. 内分泌细胞根据其分泌物的类型可分为_____激素细胞和_____激素细胞两种。前者胞质内与合成激素有关的超微结构有_____和_____，以及有膜包被的_____。后者超微结构特点是细胞质内含有大量的_____、_____和_____，内含合成激素的原料胆固醇。

11. 内分泌腺的特征是腺细胞排列成_____、_____或呈_____。腺细胞周围有丰富的_____。分泌物称_____，分泌后进入_____周流全身。外分泌腺与内分泌腺比较，不同的是由_____和_____两部分组成，其分泌物经_____至体表或器官腔内。

12. 垂体由_____和_____两部分组成，前者的远侧部可见_____、_____、和_____三种不同形态和功能的细胞，前者分泌_____和_____，后者分泌_____、_____和_____。

二、选择题

（一）单选题

1. 肢端肥大症是由垂体哪种细胞分泌过盛引起的（ ）

    A. 垂体细胞

    B. 嗜碱性细胞

    C. 嗜酸性细胞

    D. 嫌色细胞

    E. 下丘脑神经内分泌细胞

2. 腺垂体分为（ ）

    A. 前叶和后叶

    B. 远侧部、结节部、中间部

    C. 前叶和漏斗部

    D. 远侧部、中间部和漏斗

E. 以上都不对

3. 垂体细胞是（ ）

    A. 内分泌细胞

    B. 神经元

    C. 神经内分泌细胞

    D. 神经胶质细胞

    E. APUD 细胞

4. 分泌甲状旁腺激素的细胞是（ ）

    A. 主细胞

    B. 嗜碱性细胞

    C. 滤泡旁细胞

    D. 嗜酸性细胞

    E. 嗜中性细胞

5. 盐皮质激素由何处分泌（ ）

    A. 肾上腺球状带

    B. 肾上腺束状带

    C. 肾上腺网状带

    D. 垂体结节部

    E. 垂体远侧部

6. 糖皮质激素主要分泌处是（ ）

    A. 肾上腺球状带

    B. 肾上腺束状带

    C. 肾上腺网状带

    D. 垂体结节部

    E. 垂体远侧部

7. 细胞质内含有嗜铬颗粒的细胞是（ ）

    A. 肾上腺皮质细胞

    B. 促肾上腺皮质激素细胞

    C. 卵巢门细胞

    D. 交感神经节细胞

    E. 肾上腺髓质细胞

8. 生长激素由何处分泌（ ）

    A. 垂体远侧部

    B. 垂体神经部

    C. 视上核

    D. 室旁核

    E. 垂体中间部

9. 分泌促肾上腺皮质激素的细胞是（ ）

    A. 肾上腺球状带细胞

    B. 肾上腺束状带细胞

    C. 垂体远侧部嗜碱性细胞

    D. 垂体远侧部嗜酸性细胞

    E. 垂体中间部滤泡细胞

10. 垂体远侧部腺细胞主要受下列哪种激素调节（ ）

    A. 下丘脑视上核分泌的激素

    B. 下丘脑室旁核分泌的激素

    C. 赫令氏体释放的激素

    D. 神经垂体分泌的激素

    E. 下丘脑弓状核分泌的激素

11. 抗利尿激素合成于（ ）

    A. 下丘脑弓状核（漏斗部）

    B. 下丘脑结节部

    C. 下丘脑视上核和室旁核

    D. 下丘脑视上核

    E. 下丘脑中间部

12. 女性体内产生雄激素的细胞是：（ ）

    A. 肾间质细胞

    B. 胰岛细胞

    C. 肾上腺网状带细胞

    D. 肾上腺束状带细胞

    E. 甲状旁腺细胞

13. 甲状腺滤泡旁细胞分泌（ ）

    A. 松弛素

    B. 催乳素

    C. 生长激素

    D. 降钙素

    E. 甲状腺素

14. 不属于腺垂体远侧部的结构是（ ）

    A. 嗜酸性细胞

    B. 嗜碱性细胞

    C. 赫令体

D. 嫌色细胞

E. 窦状毛细血管

15. 分泌生长激素的是 （　　）

A. 垂体远侧部嗜酸性细胞

B. 垂体远侧部嗜碱性细胞

C. 下丘脑视上核细胞

D. 下丘脑室旁核细胞

E. 垂体细胞

16. 分泌卵泡刺激素的是 （　　）

A. 促甲状腺激素细胞

B. 促性腺激素细胞

C. 促肾上腺皮质激素细胞

D. 催乳激素细胞

E. 嗜酸性细胞

17. 分泌降钙素的细胞是 （　　）

A. 甲状腺滤泡上皮细胞

B. 滤泡旁细胞

C. 甲状旁腺主细胞

D. 甲状旁腺嗜酸性细胞

E. 以上都不是

18. 关于内分泌腺的描述错误的是 （　　）

A. 所有的内分泌细胞部存在于内分泌腺中

B. 腺细胞排列成索状、团状或围成滤泡

C. 腺细胞之间有丰富的毛细血管网

D. 腺细胞的分泌物称为激素

E. 分泌物经血液循环或组织液作用于靶器官

19. 抗利尿激素从何处释放入血 （　　）

A. 视上核

B. 室旁核

C. 垂体神经部

D. 垂体远侧部

E. 垂体门脉系统

20. 催产素从何处释放入血 （　　）

A. 子宫

B. 卵巢

C. 神经垂体

D. 腺垂体

E. 下丘脑

21. 视上核及室旁核产生的激素经哪种结构到达神经垂体 （　　）

A. 神经元的轴突

B. 垂体门脉系统

C. 毛细淋巴管

D. 毛细血管后微静脉

E. 以上都不是

22. 下丘脑产生的释放激素及释放抑制激素经过哪种结构进入腺垂体 （　　）

A. 毛细血管后微静脉

B. 垂体门微静脉

C. 下丘脑

D. 无髓神经纤维

E. 以上都不是

23. 关于脑垂体神经部的结构成分，哪项错误 （　　）

A. 内分泌神经元

B. 垂体细胞

C. 无髓神经纤维

D. 丰富的毛细血管网

E. 赫令氏体

24. 肾上腺盐皮质激素作用于肾脏的 （　　）

A. 近端小管曲部

B. 近端小管直部

C. 细段

D. 远端小管曲部

E. 远端小管直部

25. 神经垂体的功能是 （　　）

A. 合成激素

B. 调节脑垂体的活动

C. 贮存和释放下丘脑激素的场所

D. 受下丘脑分泌物的调节

E. 贮存和释放腺垂体合成的激素

26. 垂体门脉系统的第二级毛细血管网位于（　　）
    A. 中间部
    B. 远侧部
    C. 神经部
    D. 正中隆起
    E. 结节部

27. 脑垂体的黑素细胞刺激素细胞存在于（　　）
    A. 神经部
    B. 中间部
    C. 结节部
    D. 漏斗部
    E. 远侧部

28. 催产素的靶器官是（　　）
    A. 乳腺、子宫
    B. 乳腺、卵巢
    C. 输卵管、乳腺
    D. 卵巢、子宫
    E. 卵巢、输卵管

29. 甲状腺球蛋白的碘化在下列什么部位进行（　　）
    A. 滤泡上皮细胞
    B. 滤泡上皮细胞膜
    C. 滤泡腔
    D. 滤泡上皮细胞间
    E. 滤泡旁细胞

30. 属于 APUD 系统的细胞有（　　）
    A. 肾上腺髓质嗜铬细胞
    B. 松果体细胞
    C. 甲状腺滤泡上皮细胞
    D. 垂体前叶细胞
    E. 胃底腺内分泌细胞

（二）多选题

31. 下丘脑神经内分泌细胞分泌的激素有（　　）
    A. 垂体加压素

B. 催产素
C. 催乳激素
D. 释放抑制激素
E. 释放激素

32. 赫令氏体内含有（　　）
    A. 催产素
    B. 催乳激素
    C. 卵泡刺激素
    D. 抗利尿激素
    E. 促甲状腺激素

33. 关于甲状腺素的形成，正确的是（　　）
    A. 滤泡上皮细胞自血中摄取氨基酸
    B. 在滤泡上皮细胞内摄入的碘与甲状腺球蛋白结合
    C. 在粗面内质网和高尔基复合体合成加工甲状腺球蛋白
    D. 分泌颗粒以胞吐方式入滤泡腔贮存
    E. 在滤泡腔内摄入的碘与甲状腺球蛋白结合

34. 关于甲状旁腺的描述哪些正确（　　）
    A. 腺细胞分为主细胞和嗜酸性细胞
    B. 嗜酸性细胞体积大，胞质嗜酸性，核小，染色深
    C. 嗜酸性细胞随年龄增长而减少
    D. 分泌的升钙素参与血钙浓度调节
    E. 分泌的降钙素参与血钙浓度调节

35. 下列哪种细胞分泌类固醇激素（　　）
    A. 垂体嗜酸性细胞
    B. 睾丸间质细胞
    C. 卵巢门细胞

D. 肾上腺皮质细胞

E. 垂体嗜碱性细胞

36. 下列哪项属于内分泌腺（　　）

A. 甲状腺

B. 甲状旁腺

C. 肾上腺

D. 胸腺

E. 唾液腺

三、是非题

1. 体内所有的内分泌细胞都存在于内分泌器官内。（　　）

2. 类固醇激素细胞含有分泌颗粒和大量的脂滴。（　　）

3. 甲状腺滤泡旁细胞分泌甲状旁腺素。（　　）

4. 肾上腺皮质球状带细胞分泌的醛固酮能促进肾远曲小管和集合管排出钠和重吸收钾。（　　）

5. 催产素又称血管加压素。（　　）

6. 神经垂体是储存和释放下丘脑所形成的激素的部位。（　　）

7. 成人生长激素分泌过多导致巨人症。（　　）

8. 释放激素及释放抑制激素调节腺垂体各种细胞的分泌活动。（　　）

9. 加压素增强肾集合小管及远曲小管对水分的重吸收。（　　）

10. 甲状旁腺主细胞分泌降钙素。（　　）

四、名词解释

1. 激素

2. 赫令氏体

五、叙述题

1. 试述肾上腺的组织学结构。

2. 试述脑垂体的组织学结构。

参考答案

一、填空题

1. 被膜　甲状腺滤泡　滤泡旁细胞

2. 滤泡上皮细胞　滤泡胶质

3. 甲状腺滤泡上皮　滤泡旁

4. 球状　盐皮质激素　束状　糖皮质激素　网状　雄激素

5. 嗜铬　肾上腺素　去甲肾上腺素

6. 生长激素　催乳激素

7. 腺垂体嗜碱性　束状带　糖皮质激素

8. 加压素　抗利尿激素　远曲　水催产素

9. 嗜碱性　促甲状腺激素

10. 含氮　类固醇　粗面内质网　高尔基体　分泌物颗粒　滑面内质网　管状嵴线粒体　脂滴

11. 团状　索状　滤泡状　毛细血管激素　血液　腺泡　导管　导管

12. 腺垂体　神经垂体　嗜酸性细胞嫌色细胞　嗜碱性细胞　生长激素　催乳激素　促甲状腺激素　促性腺激素　促肾上腺皮质激素

二、选择题

（一）单选题

1. C。解释：嗜酸性细胞分泌的生长激素过量可导致成人肢端肥大症。

2. B。解释：腺垂体由远侧部、结节部、中间部组成。

3. D。解释：垂体细胞是神经胶质细胞，对无髓神经纤维起支持、营养、绝缘、保护等作用。

4. A。解释：甲状旁腺主要由主细胞和嗜酸性细胞构成，其中主细胞可分泌甲状旁腺素，又名升钙素。

5. A。解释：肾上腺球状带细胞可分泌盐皮质激素，束状带细胞分泌糖皮质激素，网状带细胞分泌雄激素和少量雌激素。

6. B。解释：肾上腺皮质束状带主要分泌糖皮质激素。

7. E。解释：肾上腺髓质细胞胞质内含嗜铬颗粒，又名嗜铬细胞。

8. A。解释：垂体远侧部嗜酸性细胞可分泌生长激素和催乳激素。

9. C。解释：垂体远侧部嗜碱性细胞可分泌促甲状腺激素、促肾上腺皮质激素、促性腺激素。

10. E。解释：下丘脑弓状核分泌的释放激素和释放抑制激素可调节腺垂体的分泌。

11. D。解释：下丘脑视上核和室旁核的神经内分泌细胞分泌抗利尿激素和催产素，经无髓神经纤维运送至神经垂体贮存并释放。

12. C。解释：肾上腺网状带细胞分泌雄激素。

13. D。解释：松弛素由妊娠黄体分泌，催乳素和生长激素由腺垂体嗜酸性细胞分泌，甲状腺素由甲状腺滤泡合成分泌。

14. C。解释：赫令氏体存在于神经部。

15. A。解释：见8。

16. B。解释：促性腺激素细胞可分泌卵泡刺激素和黄体生成素两种促性腺激素。

17. B。解释：甲状腺滤泡上皮细胞合成分泌甲状腺素。滤泡旁细胞分泌降钙素。甲状旁腺主细胞可分泌甲状旁腺素。甲状旁腺嗜酸性细胞功能不详。

18. A。解释：有的内分泌细胞分布于散在的内分泌组织内。

19. C。解释：见11。

20. C。解释：见11。

21. A。解释：见11。无髓神经纤维由视上核和室旁核神经元的轴突集合而成。

22. B。解释：下丘脑弓状核分泌的释放激素和释放抑制激素经垂体门脉系统释放入血液。

23. A。解释：内分泌神经元位于下丘脑。

24. D。解释：盐皮质激素能促进肾远曲小管和集合管重吸收 Na^+ 排出 K^+。

25. C。解释：见11。

26. B。解释：第一级毛细血管位于漏斗，第二级毛细血管位于远侧部。

27. B。解释：中间部嗜碱性细胞分泌黑素细胞刺激素。

28. A。解释：催产素能引起子宫平滑肌收缩，促进乳腺分泌。

29. C。解释：甲状腺球蛋白在滤泡上皮细胞合成，在滤泡腔碘化。

30. E。解释：除内分泌腺外，机体其他器官存在的散在内分泌细胞，统称为 APUD 细胞。

（二）多选题

31. A、B、D、E。解释：见单选题10、11、22。

32. A、D。解释：视上核和室旁核神经元合成的抗利尿激素和催产素，经轴突运送至神经部，在沿途和终末，分泌颗粒常聚集成弱嗜酸性团块，称赫令氏体。

33. A、C、D、E。解释：滤泡上皮细胞自血中摄取氨基酸，在粗面内质网和高尔基复合体合成加工成甲状腺球蛋白，并以胞吐方式入滤泡腔贮存，并在滤泡腔内与摄入的碘结合成碘化甲状腺球蛋白。

34. A、B、D。解释：见单选题4。

35. B、C、D。解释：肾上腺皮质的网状带可分泌性激素。

36. A、B、C。解释：胸腺是免疫器官，唾液腺是外分泌腺。

三、是非题

正确：6、8、9。

错误：

1. 解释：不是全部，是大部分，有的散在于其他器官、组织中。

2. 解释：含氮激素细胞中含有分泌物颗粒。

3. 解释：分泌降钙素。

4. 解释：醛固酮能促进肾远曲小管和集合管排出 K^+ 重吸收 Na^+。

5. 解释：抗利尿激素又称血管加压素。

7. 解释：可致肢端肥大症，而未成年人生长激素分泌过多导致巨人症。

10. 解释：应为甲状旁腺素或升钙素。

四、名词解释

1. 内分泌细胞的分泌物称激素。

2. 视上核和室旁核神经元胞体的分泌物颗粒经轴突运送至下丘脑神经部，在沿途和终末，分泌颗粒常聚集成大小不等的弱嗜酸性团块，使轴突呈串珠状膨大，称赫令氏体。

五、叙述题

1.

被膜：疏松结缔组织

实质
- 皮质
  - 球状带：细胞较小，锥体形或多边形，分泌盐皮质激素，调节水盐代谢
  - 束状带：细胞较大，多边形，脂滴多，分泌糖皮质激素，调节糖、蛋白质代谢，抗炎，抑制免疫应答
  - 网状带：细胞较小，脂褐素多，排成条索，吻合成网。分泌雄激素、少量雌激素和糖皮质激素
- 髓质：髓质细胞（嗜铬细胞）：多边形，嗜碱性

肾上腺素细胞：合成分泌肾上腺素，可使心率加快，心血管扩张

去甲肾上腺素细胞：合成分泌去甲肾上腺素。可使血压增高，血流加快

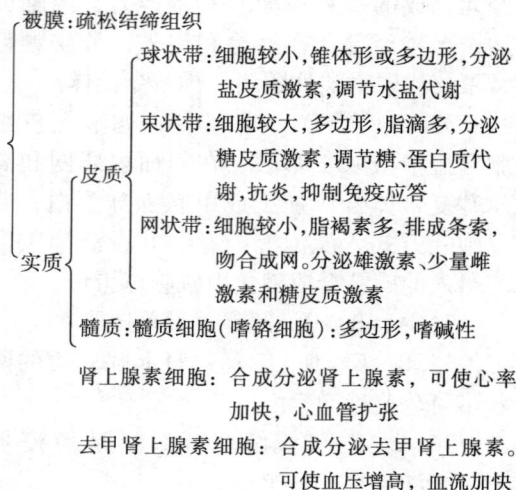

2. 垂体包括腺垂体和神经垂体两部分。

（1）腺垂体由远侧部、中间部和结节部构成。

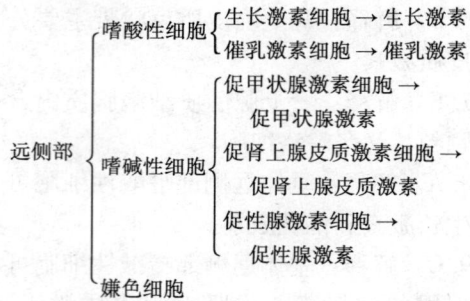

远侧部
- 嗜酸性细胞
  - 生长激素细胞 → 生长激素
  - 催乳激素细胞 → 催乳激素
- 嗜碱性细胞
  - 促甲状腺激素细胞 → 促甲状腺激素
  - 促肾上腺皮质激素细胞 → 促肾上腺皮质激素
  - 促性腺激素细胞 → 促性腺激素
- 嫌色细胞

中间部：嗜碱性细胞 → 黑素细胞刺激素。

结节部：以嫌色细胞为主。

神经垂体主要由无髓神经纤维和垂体细胞组成，含有丰富的窦状毛细血管。可贮存和释放下丘脑视上核、室旁核神经内分泌细胞合成的抗利尿激素和催产素。

（许瑞娜）

第十五章 男性生殖系统

本章重点、难点：

1. 睾丸的结构特点
2. 生精小管的结构特点与功能
3. 各级生精细胞的形态结构和变化规律
4. 精子的形态结构及精子的形成过程
5. 血睾屏障的组成及意义
6. 睾丸间质细胞的结构特点与功能

测试题

一、填空题

1. 睾丸被膜包括_____和_____，后者内含有_____、_____和_____三种成分。

2. 生精小管管壁由_____上皮构成，此种上皮由_____细胞和_____细胞构成。

3. 生精上皮外面的界膜分三层：内层为_____，中层含_____细胞，外层有_____细胞。

4. 生精细胞包括_____、_____、_____、_____和_____。

5. 附睾位于睾丸的_____，主要由_____和_____组成。

6. 自青春期开始，精原细胞不断分裂增殖，可分为_____和_____两型细胞，前者是生精细胞的_____，后者分化为_____。

7. 精子尾部能够摆动的结构是_____，其实质是由_____排列的_____构成，它是由颈部_____形成的。

8. 血睾屏障是由_____、_____、_____及_____组成，其功能是_____和_____。

9. 精子的顶体内含有多种水解酶，如_____、_____和_____等。

10. 精子是在_____形成，形成后的排出途径依次是_____、_____、_____、_____和_____。

11. 睾丸间质细胞内含有丰富的_____和_____等细胞器。

12. 附属腺包括_____、_____和_____，参与精液的形成。

二、选题择

（一）单选题

1. 经两次成熟分裂后，生成 4 个精子的细胞是（ ）

A. 精母细胞
B. 初级精母细胞
C. 次级精母细胞
D. 精子细胞
E. 精原细胞

2. 青春期后，生精小管由支持细胞和下列哪种细胞组成（ ）

A. 生精细胞
B. 精原细胞
C. 初级精母细胞
D. 次级精母细胞
E. 精子细胞

3. 生精上皮中进行第二次成熟分裂的是（ ）

A. 精原细胞
B. 初级精母细胞

C. 次级精母细胞

D. 精子细胞

E. 精子

4. 关于附睾管的叙述，下列哪项是错误的（ ）

　　A. 近端与输出小管相连

　　B. 为假复层纤毛柱状上皮

　　C. 上皮细胞有分泌功能

　　D. 能储存精子

　　E. 使精子获得运动能力

5. 进行第一次成熟分裂的生精细胞是（ ）

　　A. 精原细胞

　　B. 初级精母细胞

　　C. 次级精母细胞

　　D. 精子细胞

　　E. 精子

6. 生精细胞同源细胞群之间始终存在（ ）

　　A. 细胞质桥

　　B. 桥粒

　　C. 细胞间桥

　　D. 细胞间质

　　E. 缝隙连接

7. 人精子尾部最短和最长的节段是（ ）

　　A. 颈段和中段

　　B. 颈段和主段

　　C. 颈段和末段

　　D. 主段和中段

　　E. 主段和末段

8. 精子发生的干细胞是（ ）

　　A. 精子细胞

　　B. 精子

　　C. 次级精母细胞

　　D. 初级精母细胞

　　E. 精原细胞

9. 生精细胞中体积最大的细胞是

（ ）

　　A. 支持细胞

　　B. A 型精原细胞

　　C. B 型精原细胞

　　D. 初级精母细胞

　　E. 次级精母细胞

10. 分泌雄激素的是（ ）

　　A. 精原细胞

　　B. 睾丸间质细胞

　　C. 支持细胞

　　D. 精子细胞

　　E. 初级精母细胞

11. 睾丸网的上皮是（ ）

　　A. 单层扁平上皮

　　B. 单层立方上皮

　　C. 单层柱状上皮

　　D. 假复层柱状上皮

　　E. 变移上皮

12. 分泌雄激素结合蛋白的是（ ）

　　A. 精子细胞

　　B. 初级精母细胞

　　C. 支持细胞

　　D. 睾丸间质细胞

　　E. 精原细胞

13. 前列腺泡的上皮细胞是（ ）

　　A. 单层扁平上皮

　　B. 单层柱状上皮

　　C. 假复层柱状上皮

　　D. 单层立方上皮、单层柱状上皮
　　　　和假复层柱状上皮

　　E. 单层立方上皮和假复层纤毛柱
　　　　状上皮

14. 经过形态变化演变为精子的细胞是（ ）

　　A. B 型精原细胞

　　B. A 型精原细胞

　　C. 初级精母细胞

　　D. 次级精母细胞

E. 精子细胞

15. 连通生精小管和睾丸网的是（　　）

A. 输出小管

B. 附睾管

C. 直精小管

D. 输精管

E. 以上都不是

16. 成群分布于生精小管之间的细胞是（　　）

A. 精原细胞

B. 支持细胞

C. 睾丸间质细胞

D. 精子细胞

E. 初级精母细胞

17. 关于精囊的叙述，下列哪项是错误的（　　）

A. 黏膜皱襞高大

B. 囊腔分成许多通连的小腔

C. 分泌物淡黄色，含果糖

D. 为精子运动供能

E. 受前列腺素调节

18. 形成精子顶体的细胞器是（　　）

A. 中心体

B. 核糖体

C. 线粒体

D. 滑面内质网

E. 高尔基复合体

19. 关于输精管的结构，下列哪项是错误的（　　）

A. 壁厚、腔小

B. 上皮较薄

C. 肌层较厚

D. 弹性纤维丰富

E. 管壁分 4 层

20. 下列细胞中哪个染色体核型是错误的（　　）

A. 受精卵，46，XY 或 46，XX

B. 成熟卵细胞，23，X

C. 精原细胞，23，Y 或 23，X

D. 第一极体，23，X

E. 精子细胞，23，X 或 23，Y

21. 关于附睾输出小管的叙述，下列哪项是错误的（　　）

A. 与睾丸网相连

B. 构成附睾头大部分

C. 上皮为假复层柱状上皮

D. 上皮中的低柱状细胞多

E. 管腔不规则

22. 不属于生精小管的细胞是（　　）

A. 支持细胞

B. 间质细胞

C. 精原细胞

D. 初级精母细胞

E. 精子细胞

23. 关于睾丸支持细胞结构的特点，下列哪项是错误的（　　）

A. 单层柱状，且轮廓清晰可辨

B. 核不规则，着色浅

C. 基部紧贴基膜，顶部伸达管腔

D. 胞质内细胞器发达

E. 相邻支持细胞基底侧有紧密连接

24. 在睾丸切片的生精小管上皮中不易见到的细胞是（　　）

A. 精子

B. 精子细胞

C. 次级精母细胞

D. 初级精母细胞

E. 精原细胞

25. 关于阴茎的结构，下列哪项是错误的（　　）

A. 主要成分为勃起组织

B. 包有致密结缔组织

C. 外表的皮肤活动度大

D. 有大量不规则的血窦

E. 螺旋动脉穿行于海绵体背侧

26. 生精细胞逐批同步发育的基础是（　）
    A. 缝隙连接
    B. 桥粒
    C. 紧密连接
    D. 细胞质桥
    E. 细胞间桥

27. 关于精子细胞的变态过程，下列哪项是错误的（　）
    A. 核浓缩，迁移细胞一侧
    B. 高尔基复合体形成顶体泡
    C. 中心体并入顶体泡
    D. 线粒体向轴丝汇聚
    E. 多余的胞质于尾侧脱落

28. 关于睾丸的结构哪项错误（　）
    A. 白膜在睾丸后缘增厚形成纵隔
    B. 纵隔呈辐射状，深入睾丸内部，分隔形成锥形小叶
    C. 每个小叶内有 1～4 条生精小管
    D. 生精小管进入睾丸纵隔形成睾丸网
    E. 直精小管进入睾丸纵隔，相互吻合呈网形成睾丸网

29. 关于精子细胞的叙述，下列哪项是错误的（　）
    A. 是单倍体细胞
    B. 胞体小、核圆
    C. 位于生精小管近腔面
    D. 由次级精母细胞分裂形成
    E. 经成熟分裂后形成精子

30. 成人生精小管的上皮为（　）
    A. 单层立方上皮
    B. 假复层上皮
    C. 复层扁平上皮
    D. 变移上皮
    E. 特殊的复层上皮

31. 关于生精细胞的分裂，下列哪项是错误的（　）
    A. 精原细胞以有丝分裂的方式增殖
    B. 精子细胞不能进行分裂
    C. 1 个次级精母细胞经过成熟分裂产生 2 个精子
    D. 1 个 A 型精原细胞分裂为 2 个 B 型精原细胞
    E. 2 次成熟分裂中 DNA 仅复制 1 次

32. 睾丸的主要功能是（　）
    A. 产生精子
    B. 产生精子和分泌雄性激素
    C. 分泌雄激素结合蛋白
    D. 分泌雌激素
    E. 形成精液

33. 从精原细胞发育为精子，人类约需（　）
    A. 7 天
    B. 14 天
    C. 28 天
    D. 46 天
    E. 64 天

34. 关于生精小管支持细胞结构哪项是错误的（　）
    A. 呈长锥形，基部附于基膜，顶端达到腔面
    B. 核染色浅，核仁明显
    C. 核呈椭圆形，或不规则形
    D. 细胞界限不清楚
    E. 细胞两侧及顶端无生精细胞嵌入

35. 关于生精小管支持细胞的功能哪项错误（　）
    A. 构成血－睾屏障
    B. 能吞噬精子形成时丢失的胞质
    C. 为生精细胞提供营养
    D. 能合成和分泌雄激素，促进精

子发生

E. 分泌少量液体有利于精子的输送

（二）多选题

36. 生精小管中位于近腔室的是（ ）

A. 精原细胞

B. 初级精母细胞

C. 次级精母细胞

D. 精子细胞

E. 精子

37. 生精小管中具有单倍体 DNA 的是（ ）

A. 精原细胞

B. 次级精母细胞

C. 精子细胞

D. 精子

E. 支持细胞

38. 血 - 睾屏障的组成包括（ ）

A. 血管内皮

B. 基膜

C. 界膜

D. 支持细胞间的紧密连接

E. 支持细胞

39. 睾丸间质细胞（ ）

A. 含丰富的粗面内质网

B. 线粒体多，有管状嵴

C. 无分泌颗粒

D. 胞质嗜酸性

E. 分泌雄激素

40. 支持细胞的电镜结构特点是（ ）

A. 呈不规则锥形

B. 侧面和腔面有很多凹陷

C. 胞质内含细胞器很少

D. 相邻细胞近基部侧面形成紧密连接

E. 分泌雄激素

41. 附睾内的结构包括（ ）

A. 输出小管

B. 睾丸网

C. 直精小管

D. 附睾管

E. 生精小管

42. 前列腺的结构特点有（ ）

A. 由数十个复管泡腺组成

B. 腺泡上皮多样化

C. 腺腔规则

D. 腺腔内有凝固体或结石

E. 分泌乳白色液体

43. 生精上皮中具有分裂能力，DNA含量为二倍体的细胞是（ ）

A. 精子细胞

B. 精原细胞

C. 支持细胞

D. 初级精母细胞

E. 次级精母细胞

44. 关于初级精母细胞的叙述，下列哪些是正确的（ ）

A. 由 B 型精原细胞分化而成

B. 在生精细胞中体积最大

C. DNA 复制后为 4n

D. 染色体核型为 46，XY

E. 进行第一次成熟分裂

45. 关于精子细胞的叙述，下列哪些是正确的（ ）

A. 具有分裂能力

B. 位于生精小管近腔侧

C. 切片中不易见到

D. 染色体核型为 23，X 或 23，Y

E. DNA 含量为 1n

46. 关于顶体的叙述，下列哪些是正确的（ ）

A. 位于精子头部

B. 呈帽状覆盖核的前 2/3

C. 顶体由溶酶体演变而来

D. 内含多种水解酶

E. 为受精提供能量

47. 生精上皮中支持细胞的结构特征是（   ）
- A. 锥体形
- B. 细胞器少
- C. 光镜下细胞轮廓清晰
- D. 生精细胞嵌于侧面和腔面
- E. 相邻的细胞基部侧面有紧密连接

48. 支持细胞的功能主要是（   ）
- A. 支持营养生精细胞
- B. 吞噬精子形成时脱落的残余胞质
- C. 合成分泌少量液体
- D. 微丝和微管与生精细胞位移有关
- E. 分泌雄激素结合蛋白

49. 关于睾丸间质细胞的叙述，下列哪些是正确的（   ）
- A. 胞质嗜酸性较强
- B. 滑面内质网丰富
- C. 含分泌颗粒
- D. 线粒体嵴呈管状
- E. 成群分布

三、是非题

1. 自青春期开始，在垂体促性腺激素作用下，生精细胞不断增殖分化，形成精子。（   ）

2. 青春期前，生精小管管壁上皮仅由支持细胞和精原细胞组成。（   ）

3. 精原细胞是生精小管中存在时间最短的细胞。（   ）

4. 精子细胞不再分裂，经过复杂的形态变化演变成精子。（   ）

5. 一个初级精母细胞经过两次成熟分裂后，形成四个精子细胞。（   ）

6. 生精小管上皮内的支持细胞分泌雄激素结合蛋白，保持生精小管内雄激素水平，促进精子发生。（   ）

7. 从一个精原细胞发育成的各级生精细胞，其胞质是相连的。（   ）

8. 支持细胞的紧密连接是构成血睾屏障的主要结构。（   ）

9. 支持细胞是合成和分泌雄激素的细胞。（   ）

10. 睾丸间质细胞的超微结构特点是滑面内质网丰富，线粒体嵴呈管状。（   ）

四、名词解释

1. 精子发生
2. 生精细胞
3. 睾丸间质细胞
4. 血睾屏障

五、叙述题

1. 试述精子的形态结构。
2. 试述睾丸支持细胞的形态结构及功能。
3. 简述精子细胞变形为精子的主要变化。

参考答案

一、填空题

1. 鞘膜脏层　白膜　胶原纤维　成纤维细胞　平滑肌细胞
2. 生精　生精　支持
3. 基膜　类肌细胞　成纤维细胞
4. 精原细胞　初级精母细胞　次级精母细胞　精子细胞　精子
5. 后上方　输出小管　附睾管
6. A　B　干细胞　初级精母细胞
7. 轴丝　9＋2　微管　中心粒
8. 毛细血管内皮及基膜　界膜　生精上皮基膜　支持细胞间紧密连接　防止物质自由进出生精上皮　防止精子抗原物质

逸出

9. 顶体蛋白酶　透明质酸酶　酸性磷酸酶

10. 生精小管　直精小管　睾丸网　附睾输出小管　附睾管　输精管　射精管

11. 管状嵴线粒体　滑面内质网

12. 精囊腺　前列腺　尿道球腺

二、选择题

（一）单选题

1. B。解释：初级精母细胞进入成熟分裂。

2. A。解释：A 包括 B、C、D、E。

3. C。解释：成熟分裂连续分裂两次，初级精母细胞分裂为次级精母细胞，后者再分裂为精子细胞。

4. B。解释：管腔规则。

5. B。解释：精母细胞进行成熟分裂，初级精母细胞进行第一次成熟分裂。

6. A。解释：精原细胞增殖分化所产生的各级生精细胞，细胞质并未完全分开，细胞间始终有细胞质桥相连。

7. B。解释：颈段短，主段最长。

8. E。解释：精原细胞分 A、B 两型，A 型精原细胞是生精细胞中的干细胞。

9. D。解释：初级精母细胞直径约为 18μm，其他生精细胞都小。

10. B。解释：生精小管不分泌雄激素。

11. B。解释：睾丸网是直精小管的移行，为单层立方上皮。

12. C。解释：生精细胞不分泌激素，间质细胞分泌的是雄激素。

13. D。解释：前列腺泡的上皮有三种类型。

14. E。解释：精子细胞不再分裂，它经过形态变化为精子。

15. C。解释：生精小管近睾丸纵隔处变成直精小管，后者进睾丸纵隔为睾丸网。

16. C。解释：间质细胞是生精小管之间的结缔组织细胞。

17. E。解释：受雄激素调节。

18. E。解释：高尔基复合体形成双层帽状覆盖在核头端，成为顶体。

19. E。解释：管壁由黏膜、肌层和外膜三层组成。

20. C。解释：精原细胞核型为 46，XY。

21. C。解释：上皮由有纤毛的高柱状细胞群和无纤毛的低柱状细胞群相间排列而成。

22. B。解释：A、C、D、E 都是生精小管的细胞。

23. A。解释：支持细胞轮廓不清。

24. C。解释：次级精母细胞存在的时间短。

25. E。解释：螺旋动脉穿行于小梁中。

26. D。解释：一个精原细胞增殖分化所产生的各级生精细胞，其细胞质并未完全分开。

27. C。解释：中心体迁向细胞核的尾侧，即与顶体的相对侧。

28. D。解释：生精小管汇成直精小管。

29. E。解释：精子细胞不再分裂。

30. E。解释：成人生精小管上皮有多层及多种形态的细胞。

31. D。解释：A 型精原细胞是干细胞，不断分裂，部分子细胞分化为 B 型细胞。

32. B。解释：睾丸不分泌雌性激素。精液包括附属腺和生殖道的分泌物。

33. E。解释：从精原细胞发育为精子约 64 天。

34. E。解释：支持细胞两侧及顶端有生精细胞嵌入

35. D。解释：支持细胞不能合成与分泌雄激素。

36. B、C、D、E。解释：精原细胞位于基底室。

37. C、D。解释：第二次成熟分裂后，是单倍体 DNA。

38. A、B、C、D。解释：支持细胞之间的紧密连结参与血睾屏障。

39. B、C、D、E。解释：粗面内质网主要参与蛋白质合成。

40. A、B、D。解释：雄激素由间质细胞分泌。

41. A、D。解释：B、C、E 三项都属睾丸的结构。

42. A、B、D、E。解释：前列腺腺腔不规则。

43. B、C、E。解释：精子细胞是单倍体。初级精母细胞经过 DNA 复制后是四倍体。

44. A、B、C、D、E。解释：B 型精原细胞分裂数次后分化为初级精母细胞，体积大，染色体核型为 46，XY。

45. B、C、D、E。解释：精子细胞不再分裂。

46. A、B、D。解释：顶体由高尔基复合体演变而来。顶体不能提供能量。

47. A、D、E。解释：支持细胞的细胞器较多。支持细胞光镜下轮廓不清晰。

48. A、B、C、D、E。解释：支持细胞具支持、营养和位移生精细胞的功能，还有分泌、吞噬的功能。

49. A、B、D、E。解释：间质细胞不含分泌颗粒。

三、是非题

正确：1、2、4、5、6、7、8、10。

错误：

3. 解释：次级精母细胞是生精小管中存在时间最短的细胞。

9. 解释：间质细胞是合成和分泌雄激素的细胞。

四、名词解释

1. 精子发生是指从精原细胞到形成精子的过程。精子发生包括三个阶段：①精原细胞分裂增殖，形成精母细胞；②精母细胞减数分裂，形成单倍体的精子细胞；③精子细胞变态形成精子。

2. 生精细胞与支持细胞共同组成曲精管的生精上皮。它们镶嵌于支持细胞的侧面和腔面，从基底部至腔面依次为：精原细胞、初级精母细胞、次级精母细胞、精子细胞和精子。

3. 睾丸间质细胞分布于生精小管之间的疏松结缔组织中，常成群分布。呈圆形或多边形，核圆居中，胞质嗜酸性，具有类固醇激素分泌细胞的超微结构特征。可分泌雄激素。

4. 血睾屏障的组成包括血管内皮及基膜、结缔组织、生精上皮及基膜和支持细胞紧密连接。可阻止某些物质进出生精上皮。

五、叙述题

1. 答：形态似蝌蚪，分为头、尾两部。头部为略扁的椭圆形，有一个高度浓缩的核，核前有顶体覆盖。尾部为精子的运动装置，分为颈、中、主、末四段。构成尾部全长的轴心是轴丝，由 9＋2 排列的微管组成。中段有线粒体鞘，主段最长，外周有纤维鞘。末段短，仅有轴丝。

2. 答：形态为不规则的长锥形，从生精小管基底伸达腔面，侧面镶嵌着各级生精细胞。核呈三角形或不规则形，染色浅。电镜下可见大量粗面内质网和滑面内质网，高尔基复合体发达，线粒体和溶酶体等丰富。相邻细胞侧面近基部有紧密连接，将生精上皮分成基底室和近腔室两部分。

功能：支持和营养作用；合成和分泌雄激素结合蛋白；分泌抑制素，调节内分泌；分泌少量液体参与形成精液；吞噬和清除精子形成过程中脱落的多余胞质；参与构成血－睾屏障，保护生精细胞的发育环境。

3. 答：①核高度浓缩，形成精子的头部主要结构。②高尔基复合体形成顶体，位于核一侧。③中心体迁移到顶体对侧，发生轴丝，构成尾部。④线粒体聚集，缠绕轴丝近段周围，形成线粒体鞘。⑤多余的胞质脱落。

（赵爱明）

第十六章 女性生殖系统

本章重点、难点：

1. 各级卵泡的发育与转归

2. 子宫内膜周期性变化的组织学特点

3. 子宫内膜周期性变化与卵泡发育的关系

测试题

一、填空题

1. 月经黄体细胞可分为_____细胞和_____细胞两种，可分泌_____和_____激素。

2. 原始卵泡是由_____和_____细胞组成。

3. 卵泡的发育可分为_____、_____、_____和_____四个阶段。

4. 子宫内膜周期性变化一般分为_____、_____和_____三期。

5. 排卵后在 LH 作用下，颗粒细胞分化为_____细胞，膜细胞分化为_____。

6. 活动期乳腺应包括_____和_____期

二、选择题

（一）单选题

1. 雌激素是由卵泡的下列哪种细胞分泌的（　　）

　　A. 粒细胞

　　B. 膜细胞

　　C. 两者协同分泌

　　D. 两者都不分泌

　　E. 次级卵母细胞

2. 分泌形成透明带的细胞是（　　）

　　A. 卵泡细胞和初级卵母细胞

　　B. 卵泡细胞

　　C. 卵泡细胞和梭形细胞

　　D. 卵原细胞

　　E. 初级卵母细胞

3. 初级卵母细胞完成第一次成熟分裂是在（　　）

　　A. 原始卵泡阶段

　　B. 排卵前

　　C. 初级卵泡阶段

　　D. 受精时

　　E. 排卵后 24～36 小时

4. 原始卵泡的卵泡细胞形态为（　　）

　　A. 复层扁平

　　B. 单层立方

　　C. 单层柱状

　　D. 复层柱状

　　E. 单层扁平

5. 卵巢排卵时，子宫内膜处于（　　）

　　A. 月经期

　　B. 分泌晚期

　　C. 增生早期

　　D. 增生末期

　　E. 分泌晚期

6. 一个月经周期为 28 天的育龄妇女，其排卵时间约在月经周期的第几天（　　）

　　A. 第 14 天

　　B. 第 28 天

　　C. 第 5 天

　　D. 第 1 天

　　E. 第 6 天

7. 闭锁卵泡是指 （　　）
　　A. 排卵后的卵泡
　　B. 仅指退化的成熟卵泡
　　C. 退化的各级卵泡
　　D. 不发育的卵泡
　　E. 发育的卵泡

8. 次级卵泡的特点是 （　　）
　　A. 出现卵泡腔、卵丘
　　B. 卵泡细胞参与构成卵泡壁
　　C. 卵泡周围结缔组织形成卵泡膜，可分为两层
　　D. 以上都是
　　E. 以上都不是

9. 粒黄体细胞和膜黄体细胞具有哪类分泌细胞的结构特点 （　　）
　　A. 多肽分泌细胞
　　B. 糖蛋白分泌细胞
　　C. 蛋白质分泌细胞
　　D. 类固醇分泌细胞
　　E. 氨基酸分泌细胞

10. 下列哪种血管对卵巢激素的作用很敏感 （　　）
　　A. 基底动脉
　　B. 螺旋动脉
　　C. 子宫动脉
　　D. 以上都不是
　　E. 以上都是

11. 子宫内膜分泌期，卵巢内发生的变化主要是 （　　）
　　A. 黄体退化
　　B. 已排卵、黄体形成
　　C. 次级卵泡阶段
　　D. 以上都不是
　　E. 初级卵泡阶段

12. 妊娠后期，初乳中的初乳小体是（　　）
　　A. 初乳凝固成的小体
　　B. 脱落的乳腺腺泡细胞团

C. 吞噬脂肪的巨噬细胞
D. 脱落的乳腺导管上皮细胞
E. 以上都不是

13. 次级卵母细胞的第二次成熟分裂完成于 （　　）
　　A. 排卵时
　　B. 受精前
　　C. 受精时
　　D. 排卵前
　　E. 以上都不是

14. 卵巢皮质的主要成分是 （　　）
　　A. 门细胞
　　B. 卵泡细胞
　　C. 卵母细胞
　　D. 黄体
　　E. 各级卵泡

15. 生长卵泡包括 （　　）
　　A. 原始卵泡和初级卵泡
　　B. 初级卵泡和次级卵泡
　　C. 次级卵泡和成熟卵泡
　　D. 原始卵泡至成熟卵泡
　　E. 卵原细胞至初级卵母细胞

16. 生长卵泡内的卵母细胞处于 （　　）
　　A. 第一次成熟分裂前期
　　B. 第二次成熟分裂中期
　　C. 第二次成熟分裂前期
　　D. 第二次成熟分裂末期
　　E. 以上都不是

17. 放射冠是指 （　　）
　　A. 紧贴透明带的一层柱状卵泡细胞
　　B. 形成卵丘的卵泡细胞
　　C. 卵泡腔周围的颗粒细胞
　　D. 卵泡膜内层细胞
　　E. 膜黄体细胞

18. 卵巢的白体是 （　　）
　　A. 排卵后组织修复而成
　　B. 排卵后组织塌陷而成

C. 卵泡闭锁后形成

D. 黄体退化而成

E. 以上都不是

19. 卵巢门细胞分泌（　　）

    A. 孕激素

    B. 雌激素

    C. 卵泡刺激素

    D. 黏液

    E. 雄激素

20. 卵巢间质腺来自（　　）

    A. 结缔组织细胞

    B. 黄体细胞

    C. 卵泡细胞

    D. 闭锁的次级卵泡膜细胞

    E. 初级卵母细胞

21. 活动期乳腺与静止期乳腺的主要区别是（　　）

    A. 结缔组织减少

    B. 脂肪组织增多

    C. 血液供应丰富

    D. 腺体发育，腺腔充满乳汁

    E. 以上都是

22. 子宫内膜增生早期，卵巢内开始发生的主要变化是（　　）

    A. 黄体退化

    B. 黄体发育

    C. 排卵完成

    D. 卵泡发育

    E. 卵泡闭锁

23. 在生育期的卵巢切片中，下列哪项难以看到（　　）

    A. 白体

    B. 生长卵泡

    C. 黄体

    D. 闭锁卵泡

    E. 成熟卵泡

24. 螺旋动脉在何时最长最弯曲（　　）

    A. 月经期

B. 增生期

C. 分泌期

D. 增生期和分泌期

E. 绝经期

25. 排卵时的卵子是（　　）

    A. 卵原细胞

    B. 初级卵母细胞

    C. 成熟的卵细胞

    D. 次级卵母细胞

    E. 成熟卵泡

26. 松弛素是由下列哪个结构分泌的（　　）

    A. 月经黄体

    B. 妊娠黄体

    C. 间质腺

    D. 膜细胞

    E. 次级卵母细胞

27. 关于原始卵泡的叙述错误的是（　　）

    A. 由初级卵母细胞和单层立方的卵泡细胞构成

    B. 卵母细胞的核大而圆，着色浅，核仁明显

    C. 卵母细胞可长期停留于第1次减数分裂的前期

    D. 数量多，位于皮质浅层

    E. 卵细胞由胚胎期的卵黄囊迁移分化而来

28. 卵巢的白体是（　　）

    A. 排卵后组织修复而成

    B. 排卵后的卵泡壁增生形成

    C. 卵泡闭锁后膜细胞增生形成

    D. 黄体退化被结缔组织取代而成

    E. 间质腺退化被结缔组织取代而成

29. 月经后使子宫内膜上皮修复的主要是（　　）

    A. 残留的子宫内膜上皮细胞

    B. 基底层残留的子宫腺细胞

C. 螺旋动脉的内皮细胞

D. 基质细胞

E. 成纤维细胞

30. 关于闭锁卵泡叙述错误的是（　　）

A. 卵母细胞增大

B. 透明带塌陷，不规则

C. 卵泡壁坍塌

D. 白细胞浸润

E. 卵泡膜的膜细胞增大

31. 关于黄体描述错误的是（　　）

A. 新鲜时呈黄色

B. 毛细血管极少

C. 粒黄体细胞大，数量多，染色浅

D. 膜黄体细胞小，数量少，染色深

E. 黄体细胞具有分泌类固醇激素细胞的特征

32. 输卵管黏膜纤毛细胞分布最多的部位是（　　）

A. 漏斗部

B. 壶腹部和漏斗部

C. 子宫部

D. 峡部

E. 子宫部和峡部

33. 关于子宫颈的结构和功能特点错误的是（　　）

A. 黏膜上皮为单层柱状

B. 外口处上皮移行为变移上皮

C. 上皮移行处是宫颈癌的好发部位

D. 黏膜的分泌受卵巢激素的影响

E. 妊娠时分泌物黏稠，可阻止微生物进入子宫

34. 有关阴道描述错误的是（　　）

A. 上皮较厚，属角化的复层扁平上皮

B. 上皮细胞内聚集大量糖原

C. 浅层上皮细胞可脱落

D. 脱落细胞的糖原转变为乳酸，使阴道液呈酸性

E. 上皮的脱落和新生与卵巢活动周期有关

35. 卵巢的间质腺是（　　）

A. 原始卵泡闭锁时由卵母细胞形成的

B. 初级卵泡闭锁时由卵泡细胞形成的

C. 次级卵泡闭锁时由颗粒细胞形成的

D. 次级卵泡或成熟卵泡闭锁时由膜细胞形成的

E. 由基质细胞分化形成的

（二）多选题

36. 性成熟期，女性生殖器官具有周期性变化的是（　　）

A. 外生殖器

B. 阴道

C. 子宫

D. 输卵管

E. 卵巢

37. 性成熟期，妇女的卵巢内可存在（　　）

A. 闭锁卵泡

B. 初级卵泡

C. 次级卵泡

D. 成熟卵泡

E. 原始卵泡

38. 妊娠黄体可分泌（　　）

A. 雌激素

B. 雄激素

C. 孕激素

D. 松弛素

E. 催产素

39. 排卵时，排出的成分包括（　　）

A. 次级卵母细胞

B. 颗粒细胞
C. 透明带
D. 放射冠
E. 卵泡液

40. 卵泡膜（　）
    A. 由卵泡周围的结缔组织分化而来
    B. 可区分出内、外两层
    C. 外层含卵泡细胞较多
    D. 内层含膜细胞较多
    E. 膜细胞有内分泌功能

41. 在青春期后卵巢内卵泡的生长发育过程中（　）
    A. 卵泡细胞由扁平变为立方、柱状，并增殖成多层
    B. 由初级卵母细胞逐渐发育为成熟卵细胞
    C. 卵母细胞与卵泡细胞间形成透明带
    D. 卵泡细胞增殖分化为卵泡膜
    E. 卵母细胞与卵泡细胞间的缝隙连接使二者协调发育

42. 妊娠黄体（　）
    A. 在胎盘分泌的 HCG 作用下发育增大
    B. 一般存在 14 天左右
    C. 是一个实心细胞团
    D. 粒黄体细胞较膜黄体细胞数量多
    E. 分泌孕酮、雌激素和松弛素

43. 出现月经期变化的原因是（　）
    A. 卵巢内黄体退化
    B. 卵巢内卵泡发育
    C. 血液中孕酮和雌激素浓度升高
    D. 血液中孕酮和雌激素浓度降低
    E. 螺旋动脉先痉挛性收缩，继而扩张

44. 女性分泌雌激素的细胞有（　）
    A. 黄体细胞
    B. 门细胞
    C. 颗粒细胞和膜细胞
    D. 间质腺的细胞
    E. 子宫腺细胞

45. 闭锁卵泡可表现为（　）
    A. 卵泡细胞变小或消失
    B. 卵母细胞不规则或消失
    C. 透明带皱缩
    D. 卵泡腔增大
    E. 卵泡膜增厚，分层明显

三、是非题

1. 初级卵母细胞在排卵前才完成第一次成熟分裂。（　）

2. 初级卵泡和次级卵泡合称生长卵泡。（　）

3. 初级卵泡中卵泡细胞仍为单层扁平状。（　）

4. 原始卵泡中可见透明带。（　）

5. 成熟卵泡是卵泡发育的最后阶段。（　）

6. 第一极体位于次级卵母细胞和透明带之间的卵周间隙内。（　）

7. 输卵管黏膜上皮无纤毛。（　）

8. 子宫基底层内膜也可周期性剥脱和出血。（　）

9. 哺乳期乳腺内，腺泡处于不同的分泌时期。（　）

10. 膜黄体细胞和粒黄体细胞可协同分泌雌激素。（　）

四、名词解释

1. 月经周期
2. 次级卵泡
3. 排卵
4. 月经黄体
5. 间质腺

五、叙述题

1. 试述卵泡的发育与转归。
2. 试述子宫壁的结构特点。
3. 试述子宫内膜的月经周期变化。
4. 试述分泌期乳腺的结构特点。

参考答案

一、填空题

1. 粒黄体细胞　膜黄体细胞　孕激素　雌激素
2. 卵母细胞　卵泡细胞
3. 原始卵泡　初级卵泡　次级卵泡　成熟卵泡
4. 增生期　分泌期　月经期
5. 粒黄体细胞　膜黄体细胞
6. 妊娠期　哺乳期

二、选择题

(一) 单选题

1. C。解释：膜细胞合成雄激素，在粒细胞内转化为雌激素。
2. A。解释：透明带是初级卵母细胞和卵泡细胞共同分泌的产物。
3. B。解释：初级卵母细胞在排卵前的36~48 小时完成第一次减数分裂。
4. E。解释：原始卵泡的卵泡细胞为一层扁平细胞。
5. D。解释：排卵发生在月经周期的14 天，此时为增生期的末期。
6. A。解释：排卵时间在月经周期的第14 天。
7. C。解释：绝大部分的卵泡在发育的各个阶段停止生长并退化称为闭锁卵泡。
8. D。解释：次级卵泡阶段卵泡腔形成，卵泡细胞参与构成卵泡壁，卵泡周围结缔组织形成卵泡膜，可分为两层。

9. D。解释：膜细胞合成雄激素，颗粒细胞合成雌激素，两者均属类固醇激素。
10. B。解释：螺旋动脉在卵巢激素的作用下变化最为显著。
11. B。解释：分泌期时卵巢已经排卵并形成黄体。
12. C。解释：巨噬细胞吞噬脂肪后形成初乳小体。
13. C。解释：次级卵母细胞的第二次成熟分裂完成于受精过程。
14. E。解释：在卵巢的皮质内存在着各级的卵泡。
15. B。解释：初级卵泡和次级卵泡统称为生长卵泡。
16. A。解释：初级卵母细胞是卵原细胞分裂分化形成的，进行了第一次减数分裂并长期 停滞在分裂前期。
17. A。解释：位于最内层的卵泡细胞呈柱状放射样排列，称为放射冠。
18. D。解释：黄体退化后形成的结缔组织呈瘢痕样，成为白体。
19. E。解释：卵巢门细胞可分泌雄激素。
20. D。解释：次级卵泡和成熟卵泡闭锁时，膜细胞增大形成多边形上皮样细胞，并被结缔组织和血管分隔成分散的细胞团索，称间质腺。
21. D。解释：主要区别是有无分泌功能，无分泌功能的为静止期乳腺。
22. D。解释：在此期卵巢内有一批卵泡正在发育。
23. E。解释：妊娠发生后，卵巢内不再有卵泡成熟。
24. C。解释：分泌期的螺旋动脉在雌激素的作用下变得更加弯曲。
25. D。解释：排卵时排出的为次级卵母细胞。
26. B。解释：妊娠黄体除分泌大量的

孕激素和雌激素，还可分泌松弛素。

27. A。解释：原始卵泡中的卵泡细胞为单层扁平。

28. D。解释：黄体退化形成白体。

29. B。解释：子宫腺细胞负责修复子宫内膜上皮。

30. A。解释：闭锁卵泡中的卵母细胞死亡消失。

31. B。解释：黄体是一个具有内分泌功能的细胞团，因此毛细血管丰富。

32. B。解释：纤毛细胞以漏斗部和壶腹部最多。

33. B。解释：子宫颈外口处上皮移行为复层扁平上皮。

34. A。解释：其上皮为未角化的复层扁平上皮。

35. D。解释：见20题。

（二）多选题

36. B、C、D、E。解释：卵巢周期性排卵，另外阴道、子宫内膜、输卵管均发生周期性变化。

37. A、B、C、D、E。解释：在卵巢皮质内存在以上各级卵泡。

38. A、C、D。解释：妊娠黄体可分泌雌激素、孕激素和松弛素。

39. A、B、C、D、E。解释：排卵时卵泡壁塌陷在卵泡所在部位形成黄体，因此并不排出。其他成分排出。

40. A、B、D、E。解释：卵泡膜外层细胞血管少，有环形排列的胶原纤维和平滑肌纤维。

41. A、C、E。解释：实际是卵泡成熟的过程。

42. A、C、D、E。解释：妊娠黄体存在4~6个月。

43. A、D、E。解释：黄体退化，血液中的雌激素水平下降，导致螺旋动脉收缩后又出现短暂性扩张。

44. A、C、D。解释：黄体细胞可以分泌雌激素，另外，颗粒细胞和膜细胞也可协同分泌，间质腺的细胞也可以。卵巢门细胞分泌雄激素，子宫腺细胞不分泌激素。

45. A、B、C。解释：D、E两项是卵泡正在成熟的表现。

三、是非题

正确：1、2、5、6、9、10。

错误：

3. 解释：初级卵泡已开始生长，卵泡细胞已成为单层立方或柱状，并开始形成多层。

4. 解释：原始卵泡中卵母细胞和卵泡细胞之间无透明带。

7. 解释：输卵管黏膜上皮有纤毛，其纤毛的摆动有助于输卵管液和受精卵向宫腔内的移动。

8. 解释：子宫内膜的基底层在月经周期中不发生剥脱和出血。

四、名词解释

1. 自青春期起，子宫体、底部的内膜功能层受卵巢激素的影响，每28天左右发生剥脱、出血一次，这种现象称月经；子宫内膜的周期性变化称月经周期。

2. 在LH作用下成熟卵泡的卵泡膜破裂，次级卵母细胞、透明带、放射冠、卵泡液从卵泡排出。排卵大多发生在月经周期的第14天左右。

3. 随着卵泡的发育，出现卵泡腔、卵丘和放射冠；卵泡细胞围绕卵泡腔排列，参与卵泡壁的构成，改称颗粒细胞。初级卵母细胞体积更大。卵泡膜分化为内外两层，内层细胞分化为梭形/多边形膜细胞，具分泌类固醇类激素细胞特点，纤维少，血管多。外层细胞少，纤维多，有少量平滑肌。

4. 排卵后的卵泡壁在 LH 作用下逐渐发育成一个体积较大，富含血管的细胞团。粒黄体细胞和膜黄体细胞分化为具有分泌类固醇激素的细胞结构特点，分泌孕激素和雌激素。因为卵未受精，月经黄体仅维持 14 天，之后退化为白体。

5. 间质腺：次级卵泡和成熟卵泡退化时，除发生卵母细胞、卵泡细胞的变性溶解消失、透明带皱折消失外，卵泡壁塌陷，血管和结缔组织伸入其内，膜细胞增大，形成上皮样细胞，胞质中充满脂滴，并呈团索状分布，称为间质腺。间质腺能分泌雌激素。

五、叙述题

1. 答：卵泡发育经历了原始卵泡、生长卵泡（初级卵泡、次级卵泡）、成熟卵泡阶段。成熟卵泡经历了排卵和黄体的形成及发育过程。在卵泡发育过程中，伴随有卵泡的退化，即闭锁卵泡的出现。

（1）原始卵泡：①初级卵母细胞大，直径 30 ~ 40μm，核大而圆，由胚胎卵原细胞分裂、分化而来，出生时已进入第一次成熟分裂前期，排卵前完成第一次成熟分裂。②卵泡细胞为一层扁平细胞。

（2）初级卵泡：体积大，移向皮质深层。①初级卵母细胞变大。②其外出现透明带。电镜观察（EM）见初级卵母细胞和卵泡细胞的突起深入透明带，突起间有缝隙连接。③卵泡细胞增多，细胞由单扁→单立，单层→复层。④卵泡周围的结缔组织细胞增殖，卵泡膜开始出现。

（3）次级卵泡：①初级卵母细胞体积继续增大。②卵泡细胞增殖，细胞间出现大小不等间隙，继而融合成一个大腔称卵泡腔，腔内充满由卵泡细胞分泌的液体称卵泡液。③随卵泡腔的扩大，初级卵母细胞与其周围的卵泡细胞向卵泡腔内隆起，形成卵丘；紧靠透明带的一层柱状卵泡细胞呈放射状排列，称为放射冠。④卵泡细胞（颗粒细胞）形成粒层。⑤卵泡膜更加明显，并分为内、外两层，内层的细胞称膜细胞，具有分泌类固醇激素细胞的结构特点，外层纤维多，含有少量平滑肌纤维；粒层和卵泡膜构成卵泡壁。

（4）成熟卵泡：①体积更大，达 1 ~ 2cm 突向表面，卵泡液剧增。②卵泡细胞停止分裂，颗粒层变薄，卵泡膜内、外层明显。③初级卵母细胞：排卵前 36 ~ 48h 完成第一次成熟分裂，排出的次级卵母细胞停止于第二次减数分裂中期。从初级卵泡后期到排卵约需 85 天。

（5）排卵及黄体的形成：①在 LH 作用下成熟卵泡的卵泡膜破裂，次级卵母细胞、透明带、放射冠、卵泡液从卵巢排出。次级卵母细胞若受精，则完成第二次成熟分裂，未受精则退化。②黄体的形成与转归：残留的卵泡壁在 LH 作用下逐渐发育成一个体积较大，富含血管的细胞团。黄体是由两种细胞组成：粒黄体细胞体积大，色浅，具分泌类固醇激素细胞特点，膜黄体细胞体积小，色深。黄体可分泌孕激素和雌激素；妊娠黄体还分泌松弛素。卵若受精，在绒毛膜促性腺激素的作用下，发育为妊娠黄体，维持 5 ~ 6 月后，退化为白体。卵若不受精则仅维持 14 天，称月经黄体，最终也退化为白体。

（6）闭锁卵泡：在卵泡发育的不同阶段，均可出现卵泡退化，退化的卵泡称闭锁卵泡。其结构变化形态不一，卵母细胞呈现核固缩，染色质溶解，胞质溶解；透明带塌陷，或仅见到残留的透明带呈皱折状。卵泡细胞变性溶解。一些闭锁的卵泡显示间质腺样结构，卵泡膜细胞肥大，呈上皮样细胞，被结缔组织和毛细血管分隔，似一个假的黄体。

2. 答：子宫壁由外向内可分为外膜、肌层和内膜三层。

（1）子宫内膜：由上皮和固有层组成。①上皮为单层柱状上皮。②固有层结缔组织含大量分化程度较低的基质细胞，较多的网状纤维和血管、子宫腺、神经、淋巴管等。③子宫腺是单管状腺或分支管状腺，上皮为单层柱状，以分泌细胞为多。④子宫内膜浅层为功能层，深层为基底层；青春期后，功能层有周期性变化，随月经发生而脱落，也是受精卵植入的部位；基底层不随月经脱落，并有较强的增生、修复能力。⑤内膜基底层由基底动脉供血，而功能层由螺旋动脉供血。

（2）肌层：为较厚的平滑肌。按肌纤维排列，自内向外大致可分为内膜下层、中间层、浆膜下层；平滑肌分别呈纵行、环行和斜行及纵行排列。平滑肌束间有较多的结缔组织、血管和未分化的间充质细胞。

（3）外膜：除子宫颈下部为纤维膜外，均为浆膜。

3. 答：子宫内膜在卵巢激素作用下，每隔 28 天左右发生一次剥脱出血即月经，称月经周期。月经周期分为月经期、增生期和分泌期。

（1）月经期：①月经周期的第 1～4 天。②由于黄体的退化，孕酮和雌激素水平下降，导致螺旋动脉收缩，内膜缺血、坏死。③螺旋动脉继而短暂扩张，使功能层血管破裂出血并与功能层组织一起剥落排出。

（2）增生期：①月经周期的第 5～14 天。②在生长卵泡分泌的雌激素的作用下，残留的子宫腺上皮增生，修复子宫内膜上皮。③基质细胞分裂增殖，产生基质和纤维，使内膜增厚。④子宫腺增多伸长；螺旋动脉也伸长弯曲。

（3）分泌期：①月经周期的第 15～28 天。②在黄体分泌的孕酮和雌激素的作用下，基质细胞增殖，内膜继续增厚，并因组织液增多而水肿。③基质细胞胞质中充满糖原和脂滴，分化为前蜕膜细胞。④子宫腺进一步增长、弯曲，腔扩大，开始分泌含糖原的黏稠液体。⑤螺旋动脉增长、弯曲，伸至内膜浅层。

附表：月经周期子宫内膜变化与卵巢激素的关系

分期	卵泡及卵巢激素	上皮	子宫腺	固有膜/螺旋A
增生期（卵泡期）5～14天	卵泡生长，雌激素升高	修复	增长、弯曲，胞质出现糖原	内膜厚 2～4mm，螺旋动脉增长弯曲，组织液增多
分泌期（黄体期）15～28天	排卵，黄体形成，雌、孕激素升高	完整	极度弯曲，腺腔充满分泌物	内膜厚 5～7mm，螺旋动脉更长更弯曲，基质水肿，细胞分化为前蜕膜细胞、内膜颗粒细胞
月经期1～4天	黄体退化，雌、孕激素下降	脱落，后期修复	停止分泌，脱落经后期细胞修复	螺旋动脉（A）收缩，内膜缺血坏死，A扩张破裂，内膜剥脱＋血液→月经

4. 答：至妊娠后期，在垂体分泌的催乳激素影响下，腺泡开始分泌。分泌物中含有脂滴、乳蛋白、富含抗体等，称为初乳。初乳内还有吞噬脂肪的巨噬细胞，称初乳小体。哺乳期乳腺与妊娠期乳腺结构相似，但腺体更发达，腺泡腔扩大，腺泡处于不同分泌时期，脂肪组织和结缔组织更少。

（王燕蓉）

下篇　胚胎学

第十七章　绪　论

本章重点、难点：

1. 个体发生与系统发生
2. 人体胚胎学的概念、研究内容及其分支学科
3. 人体胚胎发育过程的分期及意义
4. 学习胚胎学的意义及方法

测试题

一、填空题

1. 研究生物个体_____和_____规律的科学，称胚胎学。

2. 在胚胎发育过程中，若受某些不利因素的干扰，可影响胚胎的正常发育，出现各种_____。

3. 人体胚胎学的研究包括_____胚胎和_____胚胎的发生、发育过程及其形成机制。

4. 人胚胎在母体子宫内的发育历时_____周左右，可将此阶段分为_____、_____、_____三个时期。

5. _____为各器官原基形成时期，是胚胎发育的_____时期。

6. 描述胚胎学是胚胎学的_____研究内容，是_____的分支学科。

7. 生殖工程学可完善人类自身的生育过程，筛选_____胚胎，是胚胎学中又一门_____学科。而_____婴儿、_____动物均为该领域引起轰动的研究成果。

8. 畸形学是胚胎学的_____分支之一，是研究_____的发生原因、形成机制和预防措施的科学。

9. 胚胎的发生过程是各种发育相关基因程序性_____表达的结果。

10. 胚胎发育的时间概念与空间概念（时－空关系），是_____的学习要点。

二、选择题

（一）单选题

1. 人体胚胎的发生发育大约需要（　　）

A. 40 周

B. 39 周

C. 38 周

D. 36 周

E. 42 周

2. 胚前期指（　　）

A. 受精前 2 周

B. 受精后 2 周

C. 胚胎发育前 2 个月

D. 胚胎发育后 2 个月

E. 受精后 20 天

3. 胎期指（　　）

A. 胚胎发育的后 10 周

B. 胚胎发育的后 20 周

C. 胚胎发育的后 30 周

D. 胚胎发育的后 36 周

E. 胚胎发育的后 38 周

4. 中医学对胚胎发育方面的最早研究记载见于（　）

A. 《胎产书》

B. 《诸病源候论》

C. 《千金要方》

D. 《校注妇人良方》

E. 《论动物的生殖》

（二）多选题

5. 人体胚胎学的研究内容包括（　）

A. 生殖细胞发生

B. 受精、卵裂、植入

C. 胚层形成与分化

D. 胚胎发育、胚胎与母体之间的关系

E. 先天性畸形

6. 胚包括（　）

A. 新个体全部发生过程

B. 胎期

C. 胚期

D. 胚前期

E. 胚后期

7. 胚胎学的分支学科包括（　）

A. 描述胚胎学

B. 分子胚胎学

C. 畸形学

D. 生殖工程学

E. 实验胚胎学

8. 胚胎学发展史上曾出现的有关理论及学说（　）

A. 预成论

B. 渐成论

C. 胚层学说

D. 诱导学说

E. 三胚层学说

三、是非题

1. 受精卵的基因组按一定时 - 空程序选择性表达，调控人体发生发育过程。（　）

2. 胚期指胚胎发育的第 1 周到第 8 周末。（　）

3. 胎期决定着胚胎的分化发育方向。（　）

4. 生殖工程学采用人工方法介入整个生殖过程，以获得人们所期望的新生命体。（　）

5. 胚胎学的显著特征是每一部分研究内容均处于动态变化中。（　）

四、名词解释

1. 个体发生

2. 系统发生

3. 胚胎学

4. 人体胚胎学

5. 人体发育学

6. 胚前期

7. 胚期

8. 胎期

五、叙述题

1. 胚胎学衍生出的分支学科。

2. 如何学习胚胎学。

参考答案

一、填空题

1. 发生　发育

2. 先天性畸形

3. 正常　异常

4. 38　胚前期　胚期　胎期

5. 胚期　关键

6. 基本　重要

7. 优质　新兴　试管　克隆

8. 重要　先天性畸形

9. 时 - 空

10. 胚胎学

二、选择题

（一）单选题

1. C。解释：由受精卵发育为新个体（出生）约需 38 周。

2. B。解释：受精卵形成到胚胎发育的第 2 周末为胚前期。

3. C。解释：胎期指胚胎发育的第 9 周至胎儿出生。

4. A。解释：《胎产书》著成于两千数百年前的先秦时期，出土于马王堆三号汉墓。

（二）多选题

5. B、C、D、E。解释：人体胚胎学的研究包括正常胚胎和异常胚胎的发生、发育过程。

6. C、D。解释：胚包括胚前期和胚期两个时期。

7. A、B、C、D、E。解释：均为胚胎学的分支学科。

8. A、B、C、D、E。解释：标志着 17～19 世纪期间胚胎学的发展历程。

三、是非题

正确：1、5。

错误：

2. 解释：胚期指胚胎发育的第 3 周到第 8 周末。

3. 解释：胚期决定着胚胎的分化发育方向。

4. 解释：生殖工程学采用人工方法介入早期生殖过程，以获得人们所期望的新生命体。

四、名词解释

1. 个体发生指胚胎由受精卵逐步发育为新个体的发生过程。

2. 系统发生指人类的进化发生过程。

3. 胚胎学是研究生物个体发生和发育规律的科学。

4. 人体胚胎学是研究人体出生前发生、发育过程及其规律的科学。

5. 人体发育学是研究人体出生前和出生后生命全过程的科学。

6. 胚前期指受精卵形成到胚胎发育的第 2 周末。

7. 胚期指胚胎发育的第 3 周到第 8 周末。

8. 胎期指胚胎发育的第 9 周至胎儿出生。

五、叙述题

1. 答：其分支学科包括：描述胚胎学（是胚胎学的基本研究内容）、比较胚胎学（比较不同种系的胚胎发育）、实验胚胎学、化学胚胎学（了解各种化学物质在胚胎发育过程中的变化及其代谢过程）、分子胚胎学（胚胎学研究的前沿领域和热点内容）、畸形学、生殖工程学（为新兴学科）。

2. 答：胚胎学的研究内容始终处于剧烈而复杂的动态变化中。因而在学习时，要注意胚胎在某一时期的形态结构（三维结构）变化，及这些结构在胚胎不同时期的演变规律，这是胚胎学学习的要点。同时要结合教材的内容观察模式图、胚胎标本、模型、切片等，将二维结构图、三维结构图还原为人胚的动态发育过程流程，善于分析、思考、比较，融会贯通。学习胚胎学应考虑：①平面结构与立体结构的关系。②静态结构与动态变化的关系。③时间与空间的关系。④发生发展与进化的关系。⑤结构与功能的关系。⑥各学科间知识的相互渗透与融合。

（刘黎青）

第十八章 总 论

本章重点、难点：

1. 生殖细胞的成熟和获能
2. 受精的概念、条件、过程、部位及意义
3. 卵裂、桑葚胚与胚泡的概念
4. 植入（概念、部位、过程）及蜕膜的变化
5. 胚层形成、分化，胚体形成
6. 胎膜与胎盘的形成及功能
7. 双胎、多胎与联胎的概念、形成机制
8. 生殖医学技术的基本概念

测试题

一、填空题

1. 人体胚胎发生发育过程起始于＿＿＿＿的结合，终止于＿＿＿＿出生。

2. 精子的获能过程开始于＿＿＿＿，完成于＿＿＿＿；它使精子成为＿＿＿＿和＿＿＿＿上均成熟的雄性配子。

3. ＿＿＿＿和＿＿＿＿均为单倍体细胞。卵子成熟于＿＿＿＿过程，包括细胞＿＿＿＿的成熟与细胞＿＿＿＿的成熟。

4. 受精发生在输卵管＿＿＿＿。受精时间多发生在排卵后＿＿＿＿小时内。

5. ＿＿＿＿反应可阻止其他精子进入卵内，保证了人类为＿＿＿＿受精。

6. 受精是＿＿＿＿的开端，受精保证了物种的＿＿＿＿，受精决定了新个体的＿＿＿＿。

7. 随着卵裂次数的增加，＿＿＿＿内的卵裂球体积渐变＿＿＿＿，但分化差异渐＿＿＿＿。

8. 胚泡由＿＿＿＿、＿＿＿＿和＿＿＿＿构成。

9. 常见的植入部位是＿＿＿＿和＿＿＿＿。植入后的子宫内膜改称＿＿＿＿，基质细胞改称＿＿＿＿。

10. 植入始于受精后第＿＿＿＿天，完成于第＿＿＿＿天；植入时，＿＿＿＿已完全溶解消失。

11. 随着植入滋养层分化为两层，外层为＿＿＿＿滋养层，内层为＿＿＿＿滋养层。

12. 前置胎盘指植入发生在近＿＿＿＿处，并在此形成的胎盘；若胎盘早期剥离可致＿＿＿＿。

13. 蜕膜可分为＿＿＿＿、＿＿＿＿和＿＿＿＿三个部分。

14. 二胚层胚盘呈＿＿＿＿形，由＿＿＿＿和＿＿＿＿构成，形成于胚胎发育的第＿＿＿＿周。

15. 二胚层胚盘决定了胚胎的＿＿＿＿和＿＿＿＿，二胚层胚盘为胚胎发育的＿＿＿＿。

16. 体蒂是连接胚体和绒毛膜的＿＿＿＿系带，将参与＿＿＿＿的形成。

17. 原条的出现决定了胚盘的＿＿＿＿端和＿＿＿＿侧，原条形成的一端即胚盘（胚体）的＿＿＿＿端。

18. 脊索为暂时性＿＿＿＿器官，对神经管和椎体的发生起着重要的＿＿＿＿作用；脊索退化后仅形成椎间盘的＿＿＿＿。

19. 三胚层胚盘外形呈＿＿＿＿形，形成于胚胎发育的第＿＿＿＿周末，由＿＿＿＿、＿＿＿＿、＿＿＿＿三个胚层共同构成。

20. 人体的各种细胞、组织、器官均由_____演变而来。

21. 三胚层胚盘的头、尾端各留下一个无中胚层的圆形区域，分别称_____和_____。

22. 外胚层的分化主要包括_____、_____和_____的形成。

23. 神经嵴是_____的原基。神经管是_____的原基，其头端膨大，形成_____的原基，其尾端较细，为_____的原基。若前、后神经孔未封闭，则分别形成_____和_____。

24. 中胚层在中轴线两侧由内向外依次分化成_____中胚层、_____中胚层、_____中胚层和_____。_____中胚层将分化为泌尿生殖系统的主要器官。

25. 体节由_____中胚层断裂形成，体节进一步分化为_____、_____、_____三部分。

26. 内胚层可分化为_____、_____、_____和_____。

27. _____可分为前肠、中肠、后肠三部分。前肠头端由_____封闭，后肠尾端由_____封闭。

28. 胚内体腔由头端至尾端依次分化为_____、_____和_____。

29. 胚胎龄的测定方法有_____和_____两种。_____常用于科学研究。

30. 胎膜由_____、_____、_____和_____构成。

31. 胎膜和胎盘是胚胎发育过程中形成的_____结构，对胚胎的发育起到_____、_____、_____等作用。

32. 绒毛之间的腔隙称_____，内含_____血液。游离绒毛位于_____内汲取营养。

33. 绒毛膜可形成_____和_____，其中_____与底蜕膜共同构成胎盘。

34. 卵黄囊壁上的胚外中胚层细胞增殖可形成_____，是最早发生造血干细胞和原始血管的部位。

35. 羊膜囊指羊膜包绕_____形成的囊状结构。由一层_____上皮和薄层胚外中胚层构成，_____主要由羊膜上皮分泌。

36. 脐带是连于胚胎脐部与胎盘_____面中心处的圆索状结构。脐带外有_____覆盖，后期脐带内仅留有_____、_____、_____以及卵黄囊和尿囊的遗迹。

37. 胎盘呈_____状，由_____面和_____面两部分构成。胎盘内有_____套各自封闭的循环通道。胎盘具有_____、_____、_____的功能。

38. 单卵孪生儿因两者的组织相容性抗原_____，故相互进行器官移植时_____发生排斥反应。

39. 联胎指两个未能完全分离的_____卵孪生儿。可分为_____性联体双胎和_____联体双胎。

40. 多胎的形成机制有_____性、_____性、_____性。_____性多胎较常见。

41. 人绒毛膜促性腺激素（HCG）于受精后第_____周末即可从孕妇尿中测出。HCG由_____分泌产生，常作为_____诊断的指标之一。

42. 使用促排卵药物治疗_____障碍的妇女，易导致_____的发生。

43. 人工授精的类型主要有：_____精人工授精（AIH）和_____精者人工授精（AID）。

44. 第一代"试管婴儿"指_____和胚胎移植，第二代"试管婴儿"指_____和胚胎移植，第三代"试管婴儿"指_____和胚胎移植。

45. 国际上通常将人类自身的克隆分为两种，即_____性克隆和_____性克隆。

二、选择题

（一）单选题

1. 精子获能的部位（　　）
   - A. 睾丸
   - B. 附睾
   - C. 射精管
   - D. 精囊
   - E. 子宫和输卵管

2. 受精时，精子穿入（　　）
   - A. 初级卵母细胞
   - B. 次级卵母细胞
   - C. 卵泡细胞
   - D. 成熟卵细胞
   - E. 初级卵泡

3. 卵原细胞的减数分裂分别完成于（　　）
   - A. 出生前和出生后
   - B. 青春期前和青春期后
   - C. 排卵前和受精时
   - D. 排卵时和受精前
   - E. 出生前和受精前

4. 卵裂为（　　）
   - A. 减数分裂
   - B. 有丝分裂
   - C. 无丝分裂
   - D. 成熟分裂
   - E. 未成熟分裂

5. 透明带的出现与消失时间（　　）
   - A. 初级卵母细胞与桑葚胚期
   - B. 初级卵泡与胚泡期
   - C. 初级卵母细胞与胚泡期
   - D. 初级卵泡与桑葚胚期
   - E. 次级卵泡与胚泡期

6. 卵裂完成于（　　）
   - A. 桑葚胚期
   - B. 滋养层形成
   - C. 内细胞群形成
   - D. 胚泡形成
   - E. 胚期

7. 内细胞群外覆盖的滋养层称（　　）
   - A. 胚端滋养层
   - B. 滋养层陷窝
   - C. 细胞滋养层
   - D. 合体滋养层
   - E. 胚外滋养层

8. 胚泡植入后，位于胚体深部的子宫内膜改称为（　　）
   - A. 绒毛膜
   - B. 壁蜕膜
   - C. 底蜕膜
   - D. 包蜕膜
   - E. 基膜

9. 植入后的子宫内膜称（　　）
   - A. 基膜
   - B. 绒毛膜
   - C. 胎膜
   - D. 蜕膜
   - E. 羊膜

10. 胚内中胚层的形成与下列哪种结构有关（　　）
    - A. 脊索
    - B. 体节
    - C. 原条
    - D. 内胚层
    - E. 原肠

11. 诱导神经板形成的结构是（　　）
    - A. 体节
    - B. 原条
    - C. 原结
    - D. 脊索
    - E. 脊突

12. 演变为脊索的结构是（　　）
    - A. 头突
    - B. 原结
    - C. 原窝

D. 原条

E. 脊突

13. 脊索最终演变为 （ ）

    A. 椎间盘

    B. 脊柱

    C. 髓核

    D. 神经管

    E. 椎体

14. 胚盘分化的核心组织是 （ ）

    A. 脊索

    B. 体节

    C. 原凹

    D. 头突

    E. 原条

15. 脑和脊髓由下列哪个结构分化而来（ ）

    A. 胚外中胚层

    B. 内胚层

    C. 中胚层

    D. 外胚层

    E. 下胚层

16. 皮肤的表皮、汗腺、皮脂腺、毛发来自（ ）

    A. 表面外胚层

    B. 外胚层

    C. 中胚层

    D. 内胚层

    E. 胚外中胚层

17. 侧中胚层能分化为 （ ）

    A. 胚泡腔

    B. 心腔

    C. 羊膜腔

    D. 胚外体腔

    E. 胚内体腔

18. 与体节不符的是 （ ）

    A. 中央有体节腔

    B. 由颈部向尾部依次出现

    C. 单个出现

D. 可预测胚龄

E. 来源于轴旁中胚层

19. 人胚初具人形的时间是 （ ）

    A. 第 10 周末

    B. 第 8 周末

    C. 第 6 周末

    D. 第 4 周末

    E. 第 2 周末

20. 口咽膜和泄殖腔膜的组成 （ ）

    A. 外胚层和内胚层

    B. 内胚层和胚外中胚层

    C. 中胚层和内胚层

    D. 外胚层和中胚层

    E. 外胚层和胚外中胚层

21. 肾上腺髓质的嗜铬细胞、黑素细胞、甲状腺滤泡旁细胞等来源于 （ ）

    A. 神经外胚层

    B. 表面外胚层

    C. 胚外中胚层

    D. 胚内中胚层

    E. 内胚层

22. 大部分中轴骨骼及其骨骼肌来源于（ ）

    A. 胚外中胚层

    B. 间介中胚层

    C. 轴旁中胚层

    D. 侧中胚层

    E. 内胚层

23. 胚胎的发育过程主要是在 （ ）

    A. 胚外体腔

    B. 胚内体腔

    C. 子宫腔

    D. 羊膜腔

    E. 胚泡腔

24. 宫外孕通常发生于 （ ）

    A. 腹膜

    B. 肠系膜

    C. 卵巢

D. 输卵管

E. 卵巢韧带

25. 体节将分化为（　　）

A. 生殖系统的主要器官

B. 体壁骨骼与骨骼肌

C. 中轴骨骼、骨骼肌、真皮等

D. 心包腔、胸膜腔和腹膜腔

E. 生殖系统的主要器官

26. 与羊膜腔不符的是（　　）

A. 其底部是上胚层

B. 周围由多层羊膜细胞包绕

C. 内有羊水

D. 内有胚胎

E. 内有胚胎体表脱落的上皮

27. 第8周末，与胚体变化不符的是
（　　）

A. 颜面发生

B. 胚体凸入羊膜腔内

C. 外生殖器出现

D. 可辨性别

E. 四肢明显

28. 与尿囊不符的是（　　）

A. 可贮存尿液

B. 其根部演化为膀胱的顶部

C. 其闭锁后可形成脐中韧带

D. 其血管可演变成脐静脉

E. 其血管可演变成脐动脉

29. 与胎膜和胎盘不符的是（　　）

A. 参与胚体的形成

B. 胎儿娩出后其排出体外

C. 对胚胎起到保护作用

D. 对胚胎起营养等作用

E. 是胚胎的附属结构

30. 联体双胎不包括（　　）

A. 寄生胎

B. 纸样胎

C. 畸胎瘤

D. 胎内胎

E. 不对称联体双胎

31. 与胎盘隔不符的是（　　）

A. 为楔形小隔

B. 伸入到绒毛间隙内

C. 其远端呈游离状态

D. 由底蜕膜构成

E. 使胎盘小叶间不连通

32. 与胎盘屏障不完全相符的是（　　）

A. 是天然屏障

B. 可选择性通透

C. 可进行物质交换

D. 能阻止所有病毒、药物通过

E. 胎儿与母体之间进行物质交换
所经过的结构

33. 与双卵孪生不完全相符的是（　　）

A. 与种族、家族有一定的相关性

B. 性别相同或不同

C. 占双胎的大多数

D. 有各自的胎膜

E. 共用一个胎盘

34. 人类辅助生殖技术不包括（　　）

A. 人工授精

B. 试管婴儿

C. 生殖克隆

D. 精子冻存与复苏

E. 卵子冻存与复苏

（二）多选题

35. 有关受精的描述，正确的是（　　）

A. 人类为单精受精

B. 受精时透明带消失

C. 可恢复二倍体核型

D. 确定了性别

E. 多发生在输卵管壶腹部

36. 有关桑葚胚的描述，正确的是
（　　）

A. 中央有腔为囊状胚

B. 由12～16个卵裂球组成

C. 形成于受精后72小时左右

D. 外有透明带包围

E. 已经进入子宫

37. 有关植入的描述，正确的是（　　）

A. 透明带消失

B. 胚端滋养层首先与子宫内膜接触

C. 始于受精的第 3 天

D. 子宫内膜正处于增生期

E. 发生于桑葚胚时期

38. 宫外孕的发生部位（　　）

A. 输卵管

B. 子宫底部

C. 肠系膜

D. 子宫颈

E. 卵巢

39. 植入的条件（　　）

A. 透明带及时溶解消失

B. 子宫内膜与胚泡同步发育

C. 胚泡准时进入子宫腔

D. 子宫内环境正常，雌、孕激素分泌正常

E. 宫腔内没有异物

40. 有关体蒂的描述，正确的是（　　）

A. 将胚体悬吊于胚外体腔内

B. 胚体正处于三胚层阶段

C. 将参与脐带的形成

D. 将参与胎盘的形成

E. 是联系胚体和绒毛膜的唯一系带

41. 有关畸胎瘤的描述，正确的是（　　）

A. 由残留的脊索细胞分化而成

B. 它由多种组织构成

C. 多生长在人体的骶尾部、生殖腺等部位

D. 是一种囊性肿瘤

E. 其内可见毛发、牙齿、肢体等

42. 有关脊索的描述，正确的是（　　）

A. 决定胚盘的头尾

B. 诱导椎体的发生

C. 退化后形成髓核

D. 诱导神经管的发生

E. 暂时性中轴器官

43. 有关原条的描述，正确的是（　　）

A. 是胚盘分化的核心组织

B. 决定了胚胎的头、尾端和左、右侧

C. 与畸胎瘤的形成有关

D. 与内胚层、中胚层的形成有关

E. 与体蒂的形成有关

44. 属于胚内中胚层的结构有（　　）

A. 脊索

B. 间充质

C. 卵黄囊

D. 体节

E. 胚内体腔

45. 胚胎第 2 周形成的结构有（　　）

A. 绒毛膜

B. 卵黄囊

C. 体蒂

D. 羊膜腔

E. 头突

46. 胚胎第 3 周形成的结构有（　　）

A. 原条

B. 脊索

C. 神经板

D. 下胚层

E. 原沟

47. 有关神经管的描述，不正确的是（　　）

A. 来自于中胚层

B. 原沟闭合，形成神经管

C. 是中枢神经系统的原基

D. 是周围神经系统的原基

E. 由原条诱导形成

48. 与绒毛膜相符的是（　）
   A. 由滋养层与胚外体壁中胚层共同构成
   B. 其内血管与胚胎血管相通
   C. 由绒毛膜板和其表面的次级绒毛干构成
   D. 其内血管与母体血管相通
   E. 直接与子宫内膜接触

49. 胎膜包括（　）
   A. 绒毛膜
   B. 口咽膜
   C. 羊膜囊、卵黄囊
   D. 脐带
   E. 尿囊

50. 有关三胚层的描述，正确的是（　）
   A. 口咽膜、泄殖腔膜处只有内、外胚层
   B. 可分化形成各组织和器官的原基
   C. 起源于初级内胚层
   D. 外形呈鞋底形
   E. 由上胚层、中胚层、下胚层构成

51. 参与胚体形成的结构（　）
   A. 原始消化管
   B. 原始脐带
   C. 原始生殖细胞
   D. 胚外体腔
   E. 体节

52. 有关细胞滋养层壳的描述，正确的是（　）
   A. 防止合体滋养层细胞过度融蚀蜕膜
   B. 其沿蜕膜表面延伸形成完整的细胞层
   C. 其在合体滋养层和蜕膜之间起到隔离作用

   D. 可使绒毛膜与子宫蜕膜牢固结合
   E. 可诱导胎盘屏障的形成

53. 有关葡萄胎的描述，正确的是（　）
   A. 绒毛膜发育异常
   B. 使胚胎发育不良
   C. 绒毛呈水泡状
   D. 滋养层细胞过度增生发生癌变
   E. 其血管消失

54. 有关羊水的描述，正确的是（　）
   A. 正常含量可高于 2000ml
   B. 临产时可扩张宫颈，冲洗产道
   C. 内含胎儿的排泄物
   D. 内含胎儿的脱落上皮
   E. 可穿刺抽检早期诊断某些先天性异常

55. 胎盘分泌的激素有（　）
   A. 绒毛膜促性腺激素
   B. 胎盘催乳素
   C. 绒毛膜催乳素
   D. 胎盘孕激素
   E. 胎盘雌激素

56. 有关试管婴儿技术，正确的是（　）
   A. 在试管中分化发育而形成的婴儿
   B. 指体外授精-胚胎移植
   C. 受精到植入过程中采用人工方法指导
   D. 在体外完成胚胎的全部发育过程
   E. 体内受精体外发育

三、是非题

1. 生精小管内的精子尚无受精能力，但有定向运动能力。（　）

2. 受精时间多发生在排卵后 12～24 小

时内。（　）

3. 顶体反应可阻止其他精子穿越透明带进入卵内。（　）

4. 生殖细胞带有的性染色体决定新个体的遗传性别。（　）

5. 排卵后的次级卵泡细胞在输卵管壶腹部与精子相遇。（　）

6. 卵裂标志着新生命的开始。（　）

7. 桑葚胚于受精的第3天到达子宫腔。（　）

8. 受精后的子宫内膜称蜕膜。（　）

9. 植入时，透明带已完全溶解消失。（　）

10. 植入后处于增生期的子宫内膜进一步增厚。（　）

11. 缩窄的胚外中胚层组织形似蒂状，称体蒂。（　）

12. 上胚层与下胚层间夹有结缔组织。（　）

13. 胚端滋养层指覆盖在胚体头端的滋养层。（　）

14. 植入结束后，滋养层全部分化为合体滋养层和细胞滋养层。（　）

15. 原条的头端增生膨大为结节状，称头突。（　）

16. 二胚层胚盘为胚胎发育的原基；且决定了胚胎的背、腹面。（　）

17. 原结的出现决定了胚盘的头、尾和左、右。（　）

18. 原始生殖细胞由卵黄囊顶部中胚层迁移出的部分细胞分化发育而成。（　）

19. 神经嵴是周围神经系统的原基。（　）

20. 早期胎龄可依体节数推测。（　）

21. 间充质是来自内胚层的胚胎性结缔组织。（　）

22. 内胚层被卷入胚体内，形成长管状的原始消化管，中部与卵黄囊相连。（　）

23. 侧中胚层指邻近脊索两侧的中胚层细胞增生形成的两个细胞带。（　）

24. 胚内体腔将侧中胚层分隔成背侧的体壁中胚层和腹侧的脏壁中胚层。（　）

25. 脐粪瘘是因原始消化道未闭锁，而致肠道与外界相通。（　）

26. 透过胎儿面羊膜可见以脐带附着处为中心呈放射状走行的脐血管分支。（　）

27. 胎盘由胎儿面的丛密绒毛膜与母体面的壁蜕膜共同构成。（　）

28. 卵黄囊顶部尾侧的内胚层细胞部分迁移入生殖嵴后，分化成原始生殖细胞。（　）

29. 胚外中胚层渐伸入初级绒毛干中形成中轴，改称次级绒毛干。（　）

30. 三级绒毛干其主干的分支插入子宫内膜，称固定绒毛。（　）

31. 绒毛直接浸泡在含母体血液的绒毛间隙中。（　）

32. 平滑绒毛膜形成于底蜕膜处。（　）

33. 丛密绒毛膜内血管经脐带与胚体血管相通。（　）

34. 前置胎盘位于子宫颈内口处。（　）

35. 三级绒毛干的中轴内已有毛细血管网形成。（　）

36. 出生时，若脐尿管未闭，称尿道瘘。（　）

37. 妊娠中、晚期羊水内含有胎儿的分泌物、排泄物及脱落上皮。（　）

38. 胎盘屏障（胎盘膜）位于胎儿血与母体血之间。（　）

39. 羊膜囊壁的部分细胞可形成血岛，为造血干细胞的发源地。（　）

40. 尿囊壁上的一条尿囊动脉和一条尿囊静脉可演变成脐动脉和脐静脉。（　）

41. 妊娠早期，胎盘屏障仅有绒毛毛细血管内皮和薄层合体滋养层及两者的基膜

构成。（ ）

42. 胚胎在羊水中生长发育，是种系发生重演的特征之一。（ ）

43. 胚盘既是胎儿的营养器官，又是胎儿的呼吸和排泄器官。（ ）

44. 双卵孪生的性别、相貌及生理特性等如同一般的亲兄弟姐妹，遗传基因相同。（ ）

45. 双卵孪生的两个胎儿未完全分离导致联体双胎。（ ）

四、名词解释

1. 精子获能
2. 受精
3. 顶体反应
4. 透明带反应
5. 受精卵
6. 卵裂
7. 卵裂球
8. 桑葚胚
9. 胚泡
10. 滋养层
11. 内细胞群
12. 胚端滋养层
13. 植入
14. 细胞滋养层
15. 合体滋养层
16. 蜕膜
17. 蜕膜细胞
18. 底蜕膜
19. 宫外孕
20. 前置胎盘
21. 胚盘
22. 上胚层
23. 下胚层
24. 体蒂
25. 原条
26. 三胚层胚盘
27. 畸胎瘤
28. 脊索
29. 神经板
30. 体节
31. 间充质
32. 衣胞
33. 胎膜
34. 绒毛间隙
35. 绒毛膜
36. 细胞滋养层壳
37. 丛密绒毛膜
38. 卵黄囊
39. 羊膜囊
40. 羊膜
41. 脐带
42. 胎盘
42. 胎盘小叶
44. 胎盘隔
45. 胎盘屏障
46. 双胎（孪生）
47. 多胎
48. 联体双胎
49. 寄生胎
50. 试管婴儿

五、叙述题

1. 试述受精的时间、部位、过程、条件及意义。
2. 植入对子宫内膜的影响。
3. 试述原条的形成、演变及意义。
4. 试述二胚层胚盘的形成、意义及其相关结构的形成。
5. 简述神经管的形成及意义。
6. 体节的形成、演变及意义。
7. 简述胚体的形成。
8. 简述绒毛膜的形成及演变。
9. 试述胎盘的形态结构和功能。
10. 单卵孪生的特点及形成机制。

参考答案

一、填空题

1. 两性生殖细胞 胎儿
2. 子宫 输卵管 结构 功能
3. 精子 卵子 受精 核 质
4. 壶腹部 12～24
5. 透明带 单精
6. 新生命 繁衍 性别
7. 透明带 小 明显
8. 胚泡腔 内细胞群 滋养层
9. 子宫体部 子宫底部 蜕膜 蜕膜细胞
10. 5～6 11～12 透明带
11. 合体 细胞
12. 子宫颈内口 大出血
13. 底（基）蜕膜 包蜕膜 壁蜕膜
14. 圆盘 上胚层（初级外胚层）下胚层（初级内胚层） 2
15. 背面（上胚层侧） 腹面（下胚层侧） 原基
16. 唯一 脐带
17. 头尾 左右 尾
18. 中轴 诱导 髓核
19. 鞋底 3 内胚层 中胚层 外胚层
20. 三胚层胚盘
21. 口咽膜 泄殖腔膜
22. 神经管 神经嵴 表面外胚层
23. 周围神经系统 中枢神经系统 脑 脊髓 无脑畸形 脊髓裂
24. 轴旁 间介 侧 间充质 间介
25. 轴旁 生骨节 生肌节 生皮节
26. 原始消化管（原肠） 咽囊 尿囊 泄殖腔膜
27. 原始消化管 口咽膜 泄殖腔膜
28. 心包腔 胸膜腔 腹膜腔
29. 月经龄 受精龄 受精龄
30. 绒毛膜 羊膜囊 卵黄囊 尿囊 脐带
31. 附属 保护 营养 呼吸 排泄
32. 绒毛间隙 母体 绒毛间隙
33. 平滑绒毛膜 丛密绒毛膜 丛密绒毛膜
34. 血岛
35. 羊膜腔 羊膜 羊水
36. 胎儿 羊膜 黏液性结缔组织 脐动脉 脐静脉
37. 圆盘 胎儿 母体 两 物质交换 保护作用 分泌激素
38. 相同 不会
39. 单 对称 不对称
40. 单卵 多卵 混合 混合
41. 二 合体滋养层 早孕
42. 排卵 多胎
43. 夫 供
44. 体外受精 卵质内单精注射（ICSI）早胚精选
45. 生殖 治疗

二、选择题

（一）单选题

1. E。解释：精子的获能过程开始于子宫，完成于输卵管。
2. B。解释：受精时精子穿入次级卵母细胞，使其完成了第二次成熟分裂，形成一个成熟的卵子和一个极体细胞。
3. C。解释：成熟卵泡中的初级卵母细胞于排卵前完成第一次成熟分裂，形成一个次级卵母细胞和一个第一极体；受精时次级卵母细胞完成了第二次成熟分裂，形成一个成熟的卵子和一个极体细胞。
4. B。解释：卵裂指受精卵早期的有丝分裂。
5. B。解释：透明带出现于初级卵泡阶

段，消失于胚泡期（植入前）。

6. D。解释：卵裂完成于胚泡形成。

7. A。解释：在内细胞群外表面覆盖的滋养层称胚端滋养层。

8. C。解释：植入后，位于胚体深部的子宫内膜改称为底蜕膜。

9. D。解释：植入后的子宫内膜称蜕膜。

10. C。解释：胚内中胚层的形成与原条有关。

11. D。解释：脊索为暂时性中轴器官，对神经板（神经管）和椎体的发生起着重要的诱导作用。

12. A。解释：头突逐渐演变为脊索。

13. C。解释：脊索最终演变、退化为椎间盘的髓核。

14. E。解释：胚盘分化的核心组织是原条，原条的出现对三胚层的形成有重要意义。

15. D。解释：外胚层参与神经管的形成，而神经管是中枢神经系统的原基。

16. A。解释：表面外胚层可分化为皮肤的表皮、汗腺、皮脂腺、毛发等。

17. E。解释：侧中胚层能分化为胚内体腔。

18. C。解释：体节均成对出现，大约每天出现 3 对，至第 5 周末，体节全部形成。

19. B。解释：至第 8 周末，人胚初具人形。

20. A。解释：口咽膜和泄殖腔膜由外胚层和内胚层共同组成。

21. A。解释：神经外胚层可分化为肾上腺髓质的嗜铬细胞、黑素细胞、甲状腺滤泡旁细胞等。

22. C。解释：大部分中轴骨骼及其骨骼肌来源于轴旁中胚层（生骨节、生肌节）。

23. D。解释：胚胎发育的主要过程是在羊膜腔内进行的。

24. D。解释：宫外孕通常见于输卵管。

25. C。解释：体节先分化为生骨节、生肌节、生皮节三部分，然后进一步分化中轴骨骼、骨骼肌、真皮等。

26. B。解释：羊膜腔周围由一层羊膜细胞包绕。

27. D。解释：第 8 周末，胚体的外生殖器出现，但不能辨性别。

28. A。解释：人类的尿囊无贮存尿液的功能。

29. A。解释：胎膜和胎盘均不参与胚体的形成。

30. C。解释：联体双胎不包括畸胎瘤，畸胎瘤为残留的原条细胞分化形成的囊性肿瘤。

31. E。解释：胎盘隔其远端呈游离状态，使胎盘小叶间相互连通。

32. D。解释：胎盘屏障不能阻止所有病毒、药物通过。

33. E。解释：双卵孪生有各自的胎膜和胎盘。

34. C。解释：人类辅助生殖技术不包括生殖克隆。

（二）多选题

35. A、C、D、E。解释：受精时需完成透明带反应，透明带在植入前消失。

36. B、C、D、E。解释：桑葚胚为实心胚。

37. A、B。解释：植入发生于胚泡时期，此时母体子宫内膜正处于分泌期。

38. A、C、E。解释：宫外孕发生在子宫以外的部位。

39. A、B、C、D、E。解释：均为植入的必要条件。

40. A、C、E。解释：胚体正处于二胚层阶段，体蒂不参与胎盘的形成。

41. B、C、D、E。解释：畸胎瘤为残留的原条细胞分化而成的囊性肿瘤，由多种组织构成，故其内可见毛发、牙齿、肢体等。

42. B、C、D、E。解释：原条决定胚盘的头尾方向。

43. A、B、C、D。解释：原条与体蒂的形成无关。

44. B、D、E。解释：体节、胚内体腔、间充质均由胚内中胚层细胞分化而来。

45. B、C、D。解释：绒毛膜、头突均形成于胚胎发育的第三周。

46. A、B、C、E。解释：下胚层形成于胚胎发育的第二周。

47. A、B、D。解释：神经管来自于外胚层，由原条诱导形成。神经沟闭合形成神经管。周围神经系统的原基是神经嵴。

48. A、B、C、E。解释：绒毛膜内血管与母体血管不直接相通，两者通过胎盘屏障进行物质交换。

49. A、C、D、E。解释：口咽膜是胚体内结构，不参与胎膜形成。

50. A、B、D。解释：口咽膜、泄殖腔膜处只有内、外胚层，三胚层起源于初级外胚层，由内胚层、中胚层、外胚层构成。

51. A、C、E。解释：原始脐带、胚外体腔不参与胚体的形成。

52. A、B、C、D。解释：细胞滋养层壳无诱导胎盘屏障形成的作用。

53. A、B、C、E。解释：葡萄胎是滋养层细胞过度增生而致，但无癌变发生。

54. B、C、D、E。解释：足月时，羊水含量可达 1000 ~ 1500ml。但若多于 2000ml，称羊水过多。

55. A、B、C、D、E。解释：均为胎盘分泌的激素，其中胎盘催乳素与绒毛膜催乳素是同一种激素。

56. B、C。解释：体外授精、培育到早期胚的一定阶段，再移植到母体子宫内发育，即体外授精 – 胚胎移植。

三、是非题

正确：2、 7、 9、 11、 14、 16、 19、 22、 24、 26、 28、 29、 31、 33、34、 35、 37、 38、 42、 43。

错误：

1. 解释：生精小管内的精子尚无定向运动能力和受精能力。

3. 解释：透明带反应可阻止其他精子穿越透明带进入卵内。

4. 解释：精子带有的性染色体决定新个体的遗传性别。

5. 解释：排卵后的次级卵母细胞在输卵管壶腹部与精子相遇。

6. 解释：受精标志着新生命的开始。

8. 解释：植入后的子宫内膜称蜕膜。

10. 解释：植入后处于分泌期的子宫内膜进一步增厚。

12. 解释：上胚层与下胚层间夹有基膜。

13. 解释：胚端滋养层指覆盖在内细胞群端的滋养层。

15. 解释：原条的头端增生膨大为结节状，称原结。

17. 解释：原条的出现决定了胚盘的头、尾和左、右，原条出现的一端为胚胎的尾端。

18. 解释：原始生殖细胞由卵黄囊顶部内胚层迁移出的部分细胞分化发育而成。

20. 解释：早期胚龄可依体节数推测。

21. 解释：间充质是来自中胚层的胚胎性结缔组织。

23. 解释：轴旁中胚层指邻近脊索两侧的中胚层细胞增生形成的两个细胞带。

25. 解释：脐粪瘘是因卵黄蒂未闭锁，

而致肠道与外界相通。

27. 解释：胎盘由胎儿面的丛密绒毛膜与母体面的底蜕膜共同构成。

30. 解释：三级绒毛干其主干插入子宫蜕膜，称固定绒毛。

32. 解释：平滑绒毛膜指与包蜕膜接触处的绒毛渐退化消失，变得光滑而平坦。

36. 解释：出生时，若脐尿管未闭，称脐尿瘘。

39. 解释：卵黄囊壁的胚外中胚层可形成血岛，为造血干细胞的发源地。

40. 解释：尿囊壁上的一对尿囊动脉和一对尿囊静脉可演变成脐动脉和脐静脉。

41. 解释：妊娠晚期，胎盘屏障变薄，仅有绒毛毛细血管内皮和薄层合体滋养层及两者的基膜构成，更有利于物质交换。

44. 解释：双卵孪生的遗传基因不完全相同。

45. 解释：联体双胎指两个未能完全分离的单卵孪生儿。

四、名词解释

1. 当精子通过女性生殖管道时，精子获得释放顶体酶的能力，因而具有使卵子受精的能力，此过程称为精子获能。

2. 受精指精子与卵子相互融合形成受精卵的过程。

3. 顶体反应指精子溶蚀穿越卵丘、放射冠和透明带的过程。

4. 透明带反应指皮质反应释入卵周间隙的酶水解 ZP3，使透明带上的糖蛋白分子 ZP3 结构发生改变，致透明带不再接受其余精子穿越的过程。

5. 受精卵指雌、雄原核逐渐靠拢，核膜消失，染色体融合，形成的二倍体细胞。

6. 卵裂指受精卵早期的有丝分裂。

7. 卵裂球指卵裂形成的子细胞。为球形，呈晶莹半透明状态。

8. 桑葚胚指受精第 3 天，卵裂球数目达 12~16 个时，其外观似桑葚果，为实心胚。

9. 胚泡指受精第 5 天，由内细胞群、滋养层及胚泡腔共同构成的囊状胚。

10. 滋养层指构成胚泡壁的单层细胞，与吸收营养有关。

11. 内细胞群指位于胚泡腔一侧的一群大而不规则的细胞，与胚体的形成有关。

12. 胚端滋养层指覆盖在内细胞群外表面的滋养层。

13. 植入指胚泡侵入子宫内膜的过程。

14. 细胞滋养层指植入后的滋养层内层细胞，细胞界限清晰、分裂旺盛，其细胞不断融入合体滋养层。

15. 合体滋养层指植入后的滋养层外层细胞，细胞界限消失、相互融合，无分裂能力。

16. 蜕膜指植入后发生蜕膜反应的子宫内膜。

17. 蜕膜细胞指蜕膜中的基质细胞改称为蜕膜细胞，可营养早期胚胎，并可阻止滋养层细胞对子宫内膜的过度溶蚀。

18. 底蜕膜又称基蜕膜，指胚泡植入处深部的蜕膜，将来发育为胎盘的母体部分。

19. 宫外孕指胚泡植入在子宫以外的部位。

20. 前置胎盘指植入发生在近子宫颈内口处，并在此形成胎盘。

21. 胚盘指受精后第 2 周，由上胚层和下胚层共同构成的圆盘形的细胞盘，又称二胚层胚盘。

22. 上胚层指近胚端滋养层侧的内细胞群细胞演变形成一层较大的柱状细胞，又称初级外胚层。

23. 下胚层指近胚泡腔侧的内细胞群细胞形成一层较小的立方形细胞，又称初级内胚层。

24. 体蒂指第 2 周末，羊膜与滋养层连接处的胚外中胚层渐缩窄至胚盘尾侧，缩窄的胚外中胚层组织形似蒂状。将参与脐带的形成。

25. 原条指第 3 周初，二胚层胚盘一端中线处的上胚层细胞迅速增殖，形成的一条纵行细胞索。

26. 三胚层胚盘指第 3 周末，均起源于上胚层的内、中、外三个胚层共同构成的胚盘。

27. 畸胎瘤为由残留的原条细胞分化而成的囊性肿瘤，由多种组织构成。

28. 脊索为由原结细胞经原凹内卷向头端迁移，在内、外胚层间形成的一纵行细胞索。

29. 神经板指第 3 周在头突和脊索的诱导下，脊索背侧中线处的外胚层细胞增生呈板状。

30. 体节指邻近脊索两侧的轴旁中胚层细胞断裂形成左右对称的细胞团块。可依体节数推测早期胚龄。

31. 间充质指来自于中胚层的胚胎性结缔组织，其细胞呈星形，可分化为结缔组织、肌组织和心、血管、淋巴管等。

32. 衣胞指胎儿娩出后，胎膜、胎盘与子体和母体子宫分离并排出体外。

33. 胎膜指绒毛膜、羊膜囊、卵黄囊、尿囊和脐带的总称，是来自胚泡的部分附属结构。

34. 绒毛间隙指绒毛之间的腔隙，内含母体血液。

35. 绒毛膜由滋养层和其内面的胚外中胚层（壁层）共同组成。

36. 细胞滋养层柱的细胞继续增生，在合体滋养层与底蜕膜之间延伸，形成一层完整的细胞滋养层，使绒毛膜与子宫蜕膜牢固连接。

37. 丛密绒毛膜指生长茂盛，密集成丛的底蜕膜中的绒毛，其血管经脐带与胚体血管相通。

38. 卵黄囊位于胚盘腹侧，由内胚层和胚外中胚层共同构成。

39. 羊膜囊指由羊膜包绕羊膜腔形成的囊状结构。它由羊膜、羊膜腔、羊水共同构成。

40. 羊膜薄而透明，由一层羊膜上皮和薄层胚外中胚层构成。

41. 脐带指连于胚胎脐部与胎盘胎儿面的圆索状结构，是胎儿与胎盘间物质运输的唯一通路。表面包有羊膜，内有血管、黏液性结缔组织和退化的卵黄囊、尿囊等。

42. 胎盘指由胎儿面的丛密绒毛膜与母体面的底蜕膜共同构成的圆盘状结构。

43. 胎盘小叶指胎盘母体面被胎盘隔分隔形成的 15 ~ 30 个小区。每个胎盘小叶内有 1 ~ 4 个干绒毛及其分支。

44. 胎盘隔指由底蜕膜发出的位于胎盘小叶之间的若干楔形小隔。

45. 胎盘屏障又称胎盘膜，指胎盘内胎儿血与母体血进行物质交换所通过的结构。由合体滋养层和细胞滋养层及基膜、绒毛内薄层结缔组织、绒毛内毛细血管的基膜及内皮共同构成。

46. 双胎又称孪生，指一次妊娠有两个胎儿同时发育成熟。

47. 多胎指一次娩出两个以上新生儿。

48. 联体双胎指两个未能完全分离的单卵孪生儿。

49. 寄生胎指发育不完全的小胚胎如同寄生物，附着在发育正常的主胎体上。

50. 试管婴儿指通过体外授精 – 胚胎移植（IVF – ET）而诞生的婴儿。

五、叙述题

1. 答：受精指精子与卵子相互融合形成受精卵的过程。受精多发生在排卵后

12～24小时内。受精的部位多见于输卵管壶腹部。

受精过程包括：①穿越卵丘，②发生顶体反应，③精、卵细胞膜融合，④受精卵形成，受精是一复杂的生物学过程。透明带反应阻止了多精入卵和多精受精的发生，保证了人类为单精受精的生物学特性。

受精的条件包括：①生殖细胞的量与质，均可影响受精。若每毫升精液精子数量少于2000万个可造成不育；若少于500万个几乎不可能受精。若死精子或活动力差的精子超过30%，畸形精子超过20%～30%，均可能导致不育或畸形。另外若卵巢卵子发育不正常或不排卵，也可导致不育。②生殖细胞的受精时限。排卵后12～24小时为最佳受精时限。③保证生殖管道的畅通。④正常的激素水平。雌、孕激素对受精起到重要的调节作用。

受精的意义：①形成新个体，受精是新生命的开端。②恢复二倍体核型，使双亲遗传基因重新组合，保证了物种的繁衍。③决定新个体的遗传性别。

2. 答：植入时的子宫内膜正处于分泌期，基质中组织液增多，呈水肿状态，子宫腺腺腔扩大，高度弯曲、变长，内含大量糖原等营养物质。胚泡植入后，子宫内膜进一步增厚，血液供应更加丰富，腺体分泌更加旺盛；基质细胞体积更大，改称蜕膜细胞，内含丰富的糖原和脂滴，可营养早期胚胎；这一系列变化称蜕膜反应，此时的子宫内膜称蜕膜。依据蜕膜与胚泡的位置关系将蜕膜分为：①包蜕膜，指覆盖于胚宫腔面的蜕膜。②底蜕膜又称基蜕膜，指位于胚深面的蜕膜，将来发育为胎盘的母体部分。③壁蜕膜，指子宫其余部分的蜕膜。

3. 答：人胚发育的第3周初，上胚层中线处的细胞迅速增殖，形成一条纵行细胞索，称原条；原条的头端细胞增生形成结节状，称原结；原结的中心凹陷，称原凹；原条的中线出现一浅沟，称原沟。增殖的上胚层细胞在原沟深部的上、下胚层之间，向周边迁移，形成一层新的细胞，即中胚层（胚内中胚层）；另一部分细胞迁移至下胚层并逐渐置换了其内全部的细胞，形成内胚层。内胚层和中胚层形成后，上胚层改称外胚层。

随着胚体的生长和脊索的延伸，原条相对向尾端缩短，最后消失。若原条未完全消失，残留的原条细胞可分化形成畸胎瘤。

原条的出现决定了胚盘的头、尾和左、右，原条出现的一端为胚胎的尾端，而且对中胚层、内胚层的形成有重要意义。

4. 答：胚胎发育的第2周初，内细胞群细胞不断增殖分化，逐渐形成两层细胞。近胚端滋养层侧的内细胞群细胞，演变成一层较大的柱状细胞，称上胚层又称初级外胚层。近胚泡腔侧的内细胞群细胞，则形成一层较小的立方形细胞，称下胚层又称初级内胚层。至第2周末，由上、下胚层紧密相贴形成的圆形胚盘，称二胚层胚盘。

二胚层胚盘为胚胎发育的原基，可决定胚胎的背、腹面（下胚层侧为腹面，上胚层侧为背面）。

伴随着二胚层胚盘的发育，与其相关的结构同时形成。①羊膜囊形成：由羊膜环绕羊膜腔形成的囊状结构。②卵黄囊形成：由下胚层周边部分的细胞向腹侧延伸，围绕形成一囊状结构，其顶部由下胚层构成。③胚外中胚层形成：受精后第10～11天，在羊膜腔、卵黄囊与细胞滋养层之间的胚泡腔内，填充有一些星形细胞，形成胚外中胚层。至第12～13天，胚外中胚层内渐出现胚外体腔，将胚外中胚层分成贴附于卵黄囊外表面的胚外脏壁中胚层和覆盖于细胞滋养层内表面和羊膜囊外表面的胚外体壁中胚层。④体蒂形成：由于胚外体腔的扩大，羊膜与滋养层连接处的胚外中胚层渐缩窄至胚盘尾侧，形似蒂状称体蒂。

5. 答：胚第3周，在头突和脊索的诱导下，脊索背侧中线处的外胚层细胞增生呈板状，称神经板。构成神经板的外胚层细胞为假复层柱状，称神经外胚层（神经上皮）。神经板沿长轴中线渐向中胚层方向下陷形成神经沟，神经沟两侧隆起处称神经褶。随之，神经沟在中段（约第4体节平面）开始闭合，且向头、尾两端延续，逐渐闭合形成神经管。神经管头、尾端未闭合处，分别称前神经孔和后神经孔，至胚胎发育第4周末，前、后神经孔封闭。

神经管是中枢神经系统的原基。其头端膨大形成脑的原基，并参与形成松果体、神经垂体和视网膜等；其尾端较细为脊髓的原基。若前、后神经孔未闭合，可形成无脑畸形和脊髓裂。

6. 答：第3周末，中胚层细胞迅速增殖，在中轴线两侧由内向外依次分化成轴旁中胚层、间介中胚层和侧中胚层。轴旁中胚层指邻近脊索两侧的中胚层细胞增生形成的两条纵行细胞带。细胞带随即断裂为左右对称的细胞团，称体节。体节数目依胚龄的增长而增多，并在胚的表面形成隆起，故早期胚龄可依胚体体节数推测。体节由颈部向尾部先后出现，至第5周，42～44对体节全部形成。体节主要分化为中轴骨骼、背侧的皮肤真皮、骨骼肌。

7. 答：由于三胚层生长速度不同，外胚层生长最快，内胚层生长最慢；胚盘中轴部位（神经管和体节等）生长迅速并向背侧隆起突入羊膜腔内，胚盘边缘部位生长较慢，渐向腹侧包卷形成侧褶。三胚层

胚盘的侧褶，使内胚层卷到胚体内部，外胚层包在胚体最外层，胚盘渐变为圆柱体。另外胚盘头尾方向的生长较左右侧快，形成头褶、尾褶，而且头端的脑和颜面部的形成速度又快于尾端，故形成头大尾小的"C"字形圆柱体。随着胚体的进一步发育，胚体腹侧的头褶、尾褶及左右两侧褶缘（即外胚层的边缘）渐靠拢，汇聚于胚体腹侧处，形成原始脐带。由于胚盘各部分器官系统的组建及生长速度不同，最终胚盘由头大尾小的盘状逐渐卷折为圆柱状的胚体，至第8周末，初建人体雏形。

8. 答：绒毛膜由滋养层和其内侧的胚外中胚层（壁层）发育而成。其直接与子宫蜕膜接触，包在胚胎及其附属结构的最外面，为早期胚胎发育提供营养和氧气。第3周初，滋养层向胚泡表面突出形成绒毛状突起，突起的表面为合体滋养层，中央为细胞滋养层，合称初级绒毛干。随着胚外中胚层及胚外体腔的出现，胚外中胚层壁层与滋养层共同构成绒毛膜板。继之，胚外中胚层渐伸入初级绒毛干中轴，形成次级绒毛干，后者与绒毛膜板共同构成绒毛膜。至第3周末，次级绒毛干内的胚外中胚层继续分化为结缔组织和血管网，且与胚体内的血管相通，形成三级绒毛干；其绒毛干末端直接与子宫蜕膜相连称固定绒毛，绒毛干上的分支绒毛，称游离绒毛。绒毛之间的腔隙称绒毛间隙，内含母体血液。固定绒毛借细胞滋养层柱连接于底蜕膜，随之形成的细胞滋养层壳将绒毛膜与子宫蜕膜牢固连接，同时还可防止合体滋养层细胞过度融蚀蜕膜。

早期绒毛膜发育均衡。第3个月时随着胚体的增大，与包蜕膜接触的绒毛因受压渐退化消失，该处形成平滑绒毛膜；而底蜕膜中的绒毛因血供充足，生长茂盛，形成丛密绒毛膜，其血管经脐带与胚体血

管相通。随胚体的发育，丛密绒毛膜与底蜕膜共同构成胎盘；平滑绒毛膜和包蜕膜渐与壁蜕膜融合，子宫腔消失。

9. 答：胎盘是胎儿与母体之间进行物质交换的重要场所。胎盘呈圆盘状，中央厚、边缘薄，平均厚度 2.5cm，直径 15～20cm，重约 500g。胎盘的胎儿面表面光滑，被覆有羊膜，近中央处有脐带附着，并可见呈放射状走行的脐血管分支。胎盘的母体面较粗糙，为剥离后的底蜕膜，可见 15～30 个稍突起的胎盘小叶。

胎盘由胎儿面的丛密绒毛膜与母体面的底蜕膜共同构成。胎儿面的羊膜深部为滋养层和胚胎性结缔组织构成的绒毛膜板，绒毛膜板发出 40～60 个绒毛干，借细胞滋养层壳固定于底蜕膜上；每个绒毛干又分支形成若干细小的游离绒毛，脐血管的分支经绒毛干到达游离绒毛内形成毛细血管。底蜕膜中血管开口于绒毛间隙，使绒毛直接浸浴在盛有母体血液的绒毛间隙中。胎盘小叶由 1～4 个绒毛干及其分支构成，小叶之间有从底蜕膜发出的楔形小隔即胎盘隔；因其远端呈游离状态，故绒毛间隙相互连通。

胎盘的功能主要包括三方面：①物质交换——胎盘是胎儿与母体进行物质交换的唯一途径。胎儿发育所需的氧气、营养物质等经胎盘屏障从母体血中获取；胎儿代谢产生的废物、二氧化碳同样经胎盘屏障从母体血中排出。②保护作用——胎盘屏障是重要的天然保护屏障，可阻止母体血液内的大分子物质侵入胎儿体内。但某些药物、病毒等可通过胎盘屏障。③合成分泌作用——可分泌多种类固醇激素、肽类激素和蛋白类激素，还能合成前列腺素、多种神经递质和细胞因子等。胎盘分泌的主要激素有：①人绒毛膜促性腺激素（HCG），能促进卵巢内黄体生长发育，维持妊娠。②人绒毛膜催乳素（HCS）即人胎盘催乳素（HPL），可促进母体乳腺及胎儿的生长发育。③人胎盘孕激素（HPL）和人胎盘雌激素（HPE），可替代母体卵巢孕激素和雌激素的功能，维持妊娠。

10. 答：由一个受精卵发育形成的两个胎儿称单卵孪生。由于单卵孪生儿的遗传基因相同，因此两者性别相同，相貌酷似，体态、血型、组织相容性抗原等生理特性相同，体态、性格、基因活动的变化规律也相仿；若双方进行器官移植，不会发生排斥反应。

单卵孪生的形成机制：①一个受精卵发育为两个胚泡，各自植入，孪生儿有各自独立的胎膜和胎盘。②一个胚泡形成两个内细胞群，两个胚胎在各自的羊膜囊内发育，但共享一个绒毛膜和胎盘。③一个胚盘上形成两个原条，诱导、发育为两个胚胎，两者共享一个羊膜囊、绒毛膜和胎盘，但有两条脐带。此种情况易导致联体畸形。

（刘黎青）

第十九章　各　论

第一节　颜面发生、颈的形成和四肢的发生，消化系统和呼吸系统的发生

本节重点、难点：

1. 颜面的发生及咽囊的演变
2. 颜面的常见畸形
3. 颈、四肢的发生及常见畸形
4. 消化系统的发生及演变
5. 消化系统、呼吸系统的常见畸形

测试题

一、填空题

1. 鳃器的组成有 ＿＿＿＿＿、＿＿＿＿＿、＿＿＿＿和＿＿＿＿。

2. 腭的来源有＿＿＿＿＿和＿＿＿＿＿，腭前部演变为＿＿＿＿＿，后部为＿＿＿＿＿。

3. 颜面和口腔的常见畸形有＿＿＿＿＿、＿＿＿＿和＿＿＿＿。

4. 颈的常见畸形有＿＿＿＿＿和＿＿＿＿。

5. 肢芽由深部增殖的＿＿＿＿＿组织和表面＿＿＿＿＿构成。

6. 上肢芽分为＿＿＿＿＿、＿＿＿＿＿和＿＿＿＿＿三段；下肢芽亦分为三段，即＿＿＿＿＿、＿＿＿＿＿、和＿＿＿＿。

7. 四肢常见畸形有＿＿＿＿＿、＿＿＿＿＿和＿＿＿＿＿三种类型。

8. 前肠主要分化的器官有＿＿＿＿＿、＿＿＿＿＿、＿＿＿＿＿、十二指肠上段和＿＿＿＿＿、

＿＿＿＿＿、＿＿＿＿＿以及喉及其以下的＿＿＿＿＿、＿＿＿＿＿、＿＿＿＿＿。

9. 后肠末段膨大部称为＿＿＿＿＿，其腹侧相连的器官是＿＿＿＿＿，末端有＿＿＿＿＿封闭。

10. 肝憩室的末端膨大分为两支，即＿＿＿＿＿和＿＿＿＿＿。

二、选择题

（一）单选题

1. 鳃弓发生的时间是（　　）
   - A. 20～29 天
   - B. 18～25 天
   - C. 22～29 天
   - D. 24～31 天
   - E. 20～27 天

2. 鳃沟的位置在（　　）
   - A. 相邻鳃弓之间的凹沟
   - B. 相邻咽囊之间
   - C. 鳃弓的内胚层和外胚层之间
   - D. 上颌突与下颌突之间
   - E. 额鼻突和心突之间

3. 有关颜面形成的叙述，哪项错误（　　）
   - A. 口凹的底部是口咽膜
   - B. 有上颌突和下颌突各一对
   - C. 上有额鼻突
   - D. 下有心突
   - E. 五个突起的中央有一个狭窄的浅凹。

4. 有关咽囊的演变，下面哪项错误（　　）
   - A. 五对咽囊演变出一些重要的器官

B. 头端有口咽膜封闭

C. 原始咽是消化管头端的膨大部

D. 咽囊分别与外侧的鳃沟相对

E. 第5周口咽膜破裂

5. 下列叙述哪一项不属于甲状腺的发生（　　）

A. 发生在胚4周

B. 甲状舌管是甲状腺原基

C. 原基由原始咽底壁正中线的中胚层细胞增生而来

D. 第11周甲状腺滤泡出现

E. 舌盲孔为甲状舌管残留的遗迹

6. 悬雍垂的发生来源于（　　）

A. 上颌突

B. 下颌突

C. 硬腭

D. 软腭

E. 切齿孔

7. 消化道管壁的肌组织、结缔组织来源是（　　）

A. 脏壁中胚层

B. 体壁中胚层

C. 内胚层

D. 外胚层

E. 以上都不是

8. 中肠袢连于卵黄蒂的（　　）

A. 盲肠突

B. 中肠袢头支

C. 中肠袢尾支

D. 中肠袢顶端

E. 肠系膜上动脉

9. 形成尿直肠隔的时间是（　　）

A. 第5～6周

B. 第3～4周

C. 第6～7周

D. 第7～8周

E. 第8～9周

10. 肝、胆原基发生的位置在（　　）

A. 前肠末端腹侧壁

B. 前肠末端背侧壁

C. 前肠中段

D. 中肠前段

E. 后肠前段

11. 开始出现Ⅱ型肺泡上皮细胞并分泌表面活性物质的时间是（　　）

A. 第26周

B. 第27周

C. 第28周

D. 第29周

E. 第30周

12. 消化管狭窄或闭锁的成因主要是（　　）

A. 细胞增生过程未发生

B. 上皮变薄过程未发生

C. 细胞迁移过程未产生

D. 细胞识别过程未发生

E. 细胞凋亡过程未发生

13. 在肠的发生中，大肠与小肠的分界线是

A. 盲肠

B. 盲肠突

C. 阑尾

D. 中肠袢

E. 卵黄蒂

（二）多选题

14. 下列有关鼻腔发生的描述，形成的器官有（　　）

A. 鼻腔

B. 鼻梁

C. 鼻尖

D. 鼻中隔

E. 鼻甲

15. 有关鳃器的描述，正确的是（　　）

A. 人的前4对鳃弓比较明显

B. 咽囊参与颜面的发生

C. 第6对鳃弓很小，出现不久即

消失

D. 人胚的鳃器是种系重演现象

E. 第 5 对鳃弓出现不久即消失

16. 下列哪些器官的发生与咽囊的演变有关（ ）

A. 内耳、中耳和外耳

B. 甲状腺

C. 甲状旁腺

D. 胸腺

E. 腭扁桃体

17. 下列与唇裂有关的描述是（ ）

A. 可见正中唇裂

B. 多因上颌突与同侧内侧鼻突未愈合而致

C. 有单侧或双侧唇裂

D. 唇裂不伴有腭裂

E. 是最常见的颜面畸形

18. 颈部由哪几对鳃弓发育而成（ ）

A. 第 1 对

B. 第 2、3 对

C. 第 4、5 对

D. 第 4 对

E. 第 6 对

19. 中肠主要分化为（ ）

A. 十二指肠上段

B. 十二指肠中段

C. 空肠

D. 回肠

E. 大肠的全部

20. 胃的发生在下列描述中正确的是（ ）

A. 胃的原基呈梭形

B. 背侧缘生长快形成胃大弯

C. 腹侧缘生长慢形成胃小弯

D. 胃背系膜发育快，使胃沿胚体纵轴顺时针旋转了 90°

E. 胃的位置由原先的垂直胃变成了左右的横行位

21. 生理性脐疝的产生是由于（ ）

A. 肠袢生长缓慢

B. 肝的发育

C. 肾的发育

D. 腹腔容积相对较小

E. 肠袢突入胚外体腔

22. 下列有关肠发生的结果，正确的是（ ）

A. 第 6 周肠袢形成生理性脐疝

B. 在脐腔中以肠系膜为轴等顺时针旋转了 270°

C. 盲肠突憩室下降到右髂窝

D. 空肠和回肠居腹腔中央

E. 结肠位居腹腔腔周围

23. 肝与胆发生的描述，正确的是（ ）

A. 第 4 周初开始发生

B. 第 3 个月开始合成胆汁

C. 约第 6 周出现胆小管

D. 第 9～10 周出现肝小叶

E. 胚胎肝有造血功能

24. 胰的原基是（ ）

A. 肝憩室

B. 腹胰芽

C. 背胰芽

D. 背胰

E. 腹胰

25. 喉气管憩室演变成（ ）

A. 喉

B. 气管

C. 肺芽

D. 气管食管隔

E. 以上都不是

26. 有关回肠憩室的描述，正确的是（ ）

A. 又称麦克尔憩室

B. 是由于卵黄蒂的远端未退化而致

C. 是消化系统最常见的畸形之一

D. 男女发生率之比为3：1

E. 典型的回肠憩室呈囊状突起

27. 关于肛门闭锁的正确描述是（　）

A. 常伴有直肠尿道瘘

B. 可因肛膜未破引起

C. 可因肛凹与直肠末端未相通所致

D. 肠管内容物可从脐溢出

E. 多发生于男胎

三、是非题

1. 原始心脏长大并突起称心突。（　）

2. 鳃弓中轴为间充质。（　）

3. 颜面的演变是从正中向两侧发展的。（　）

4. 口鼻膜第7周破裂后原始口腔和原始鼻腔相通。（　）

5. 原始咽为一左右较宽、背腹略扁、头细尾窄形状的结构。（　）

6. 第8周手指和足趾形成。（　）

7. 无前臂或无手皆属于无肢畸形的范围。（　）

8. 原肠将演变为消化系统的原基。（　）

9. 各段肠管的形成与中肠的演变、旋转和固定密切相关。（　）

10. 肛管上、下段分界线称为齿状线，肛管壁上皮皆由外胚层构成。（　）

11. 肝憩室的尾支形成胆囊及胆道的原基。（　）

12. 腹胰和背胰是由于胃的旋转及肠壁的不均等生长产生转向。（　）

13. 喉气管沟即喉气管憩室。（　）

14. 肺芽是肺的原基，而不是支气管的原基。（　）

四、名词解释

1. 腭裂

2. 口凹

3. 颈窦

4. 四肢发育障碍

5. 原肠

6. 中肠襻

7. 先天性脐疝

8. 脐粪瘘

五、叙述题

1. 第3对咽囊的演变。

2. 直肠的发生与泄殖腔的分隔。

3. 肠襻转位异常。

参考答案

一、填空题

1. 鳃弓　鳃沟　鳃膜　咽囊

2. 正中腭突　外侧腭突　硬腭　软腭

3. 唇裂　面斜裂　腭裂

4. 颈囊肿　颈瘘

5. 中胚层　外胚层

6. 臂　前臂　手　大腿　小腿　足

7. 无肢畸形　短肢畸形　四肢发育障碍

8. 咽　食管　胃　肝　胆　胰　呼吸道　肺　胸腺　甲状腺

9. 泄殖腔　尿囊　泄殖腔膜

10. 头支　尾支

二、选择题

（一）单选题

1. C。解释：鳃弓发生在第4～5周，即22～29天。

2. A。解释：由于鳃弓形成背腹方向排列的柱状突起，从外向内的结构分别是表面外胚层、间充质和咽壁内胚层；内胚层向外形成5对咽囊与鳃沟相对，故鳃沟即相邻鳃弓之间的凹沟。

3. E。解释：口凹是一个宽大的浅凹，它的周围有 5 个突起，分别是额鼻突以及上、下颌突各一对。

4. E。解释：胚约第 4 周口咽膜破裂，咽与原始口腔和原始鼻腔相通，咽囊演变出一些重要的器官。

5. C。解释：甲状腺的发生是在胚 4 周初，由原始咽底壁正中线的内胚层细胞增生形成甲状腺的原基甲状舌管，以后向下、向两侧生长，最后甲状舌管上段消失，残留舌盲孔。

6. D。解释：腭前部为硬腭，后部为软腭，软腭后缘组织增生向后方突出形成悬雍垂。

7. A。解释：消化管壁的肌组织、结缔组织由脏壁中胚层分化而来。

8. D。解释：在肠的发生中，中肠祥连于卵黄蒂的部位是中肠祥的顶端，并以此为界分为头尾两支。

9. C。解释：第 6 ~ 7 周，后肠与尿囊之间的间充质增生，形成尿直肠隔。

10. A。解释：胚第 4 周初，在前肠末端腹侧壁的内胚层上皮增生形成肝与胆的原基，即肝憩室。

11. C。解释：第 28 周，肺泡上皮不止有Ⅰ型上皮细胞，并出现了Ⅱ型上皮细胞，并分泌表面活性物质。

12. E。解释：在消化管壁发生过程中，如果细胞凋亡过程未产生，就会形成消化管狭窄或闭锁。

13. B。解释：在肠的发生过程中，大肠和小肠的分界线是中肠祥尾支近卵黄蒂处的一囊状突起，即盲肠突。

（二）多选题

14. A、B、C、D、E。解释：腭的形成分隔成了永久的口腔与鼻腔，鼻腔与咽相通为后鼻孔，额鼻突和内侧鼻突的外、中胚层组织演变成鼻尖和鼻梁以及鼻中隔，形成了左右鼻腔，随后在左右鼻腔侧壁各有三个嵴状突起分别构成上、中、下三个鼻甲。

15. A、D、E。解释：鳃器鳃弓和咽囊是鳃器中的重要结构，人胚的鳃器存在时间较短，是人胚种系发生的重演现象。前 4 对鳃弓明显，第 6 对很小，不明显，第 5 对出现不久即消失，鳃弓参与了颜面的形成，咽囊发生为多种重要器官原基。

16. C、D、E。解释：咽囊演化的一些重要器官是咽鼓管、中耳鼓室、鼓膜、外耳道、腭扁桃体、胸腺、甲状旁腺。

17. A、B、C、E。解释：唇裂是最常见的颜面畸形，多因上颌突与同侧内侧鼻突未愈合而致，可见单侧或双侧，唇裂还可伴有腭裂和牙槽突裂，如果左右内侧鼻突未愈合或左右下颌突未愈合，可形成正中唇裂。

18. B、D、E。解释：颈的逐渐延长是由于鳃弓与心上嵴的生长、气管、食管的伸长、心脏位置的下降而形成。

19. B、C、D。解释：中肠主要分化的器官是：十二指肠中段至横结肠右 2/3 部的肠管，即无十二指肠上段，也不包括大肠的全部。

20. A、B、C、D。解释：胃的发生开始为梭形，以后背侧部的大弯生长迅速，腹侧的胃小弯生长缓慢，并由于胃背系膜发育快并突向左侧形成网膜囊，使胃的位置由原先的垂直位变成左上至右下的斜行位。

21. B、C、D、E。解释：生理性脐疝的产生是由于肠祥生长迅速，加之肝肾的生长，使腹腔容积相对较小，致使肠祥突入脐带中的胚外体腔，形成生理性脐疝。

22. A、C、D、E。解释：第 6 周肠祥形成生理性脐疝，同时在脐腔中以肠系膜为轴逆时针旋转 90°，第 10 周肠祥从脐腔退回腹腔，再逆时针旋转 180°，故共逆时针旋转了 270°，肠发生的最后结果是空肠和回肠居腹腔中央，结肠位居腹腔周围，盲肠突憩室下降到右髂窝。

23. A、B、C、D、E。解释：肝和胆的发生是在第 4 周开始，约在第 6 周肝细胞间出现胆小管，第 9～10 周出现肝小叶，第 3 个月开始合成胆汁，胚胎肝同时是造血器官。

24. B、C。解释：胰的原基是在近肝憩室处的内胚层细胞增生形成的两个突起，一个在腹侧为腹胰芽，另一个在背侧称腹胰芽，以后腹胰和背胰合成胰腺。

25. A、B、C。解释：喉气管憩室自上而下演变成喉、气管和肺芽。

26. A、C、D、E。解释：回肠憩室又称麦克尔憩室，由卵黄蒂的近端未退化而致，是消化系统最常见的畸形之一，男女发生率之比为 3∶1，典型的回肠憩室呈囊状突起。

27. A、B、C、E。解释：肛门闭锁因肛膜未破或肛凹与直肠末端未相通所致，多发生于男胎，常伴有直肠尿道瘘。

三、是非题

正确：1、2、4、6、7、9、11。
错误：

3. 解释：颜面的演变是从两侧向中线靠拢生长的。

5. 解释：原始咽为一左右较宽、背腹略扁、头宽尾细的漏斗状结构。

8. 解释：原肠演变为消化系统和呼吸系统的原基。

10. 解释：肛管上、下段的分界线称为齿状线，肛管壁上段上皮来源于内胚层，下段的上皮来源于外胚层。

12. 解释：腹胰和背胰是由于胃和十二指肠的旋转及肠壁的不均等生长产生转向。

13. 解释：喉气管沟非喉气管憩室，前者是原始咽尾端底壁正中出现的一纵行浅沟；而喉气管憩室是在此沟基础上逐渐加深并形成一个长形的盲囊。

14. 解释：肺芽是形成支气管和肺的原基。

四、名词解释

1. 腭裂是较常见的颜面畸形，有正中腭裂、前腭裂和全腭裂三种。正中腭裂是由左右外侧腭突未愈合所致；前腭裂为正中腭突与外侧腭突未愈合形成，分为单侧或双侧，常伴有唇裂；全腭裂为两者复合存在，多伴有唇裂。

2. 口凹为一个宽大的浅凹，即原始口腔，其底部为口咽膜，将口凹与原始消化管隔开，口凹的周围有 5 个突起，分别是额鼻突和左右上颌突以及已愈合的左右下颌突。

3. 颈窦是在颈部发育第 5 周时，第 2 对鳃弓生长迅速，并向尾侧延伸越过第 3、4、6 对鳃沟，与下方的心上嵴融合后，它们与第 2、3、4 鳃沟之间出现的一个封闭的间隙称颈窦。

4. 四肢发育障碍指肢体在胚体发育过程中，出现了如并肢、并指（趾）、多指（趾），再如单块肌肉或肌群的缺如、关节发育不良、骨畸形、马蹄内翻足等。

5. 在人胚第 3 周末时，胚体逐渐从扁平变成了圆柱体，卵黄囊顶部的内胚层被卷入胚体，形成一条头尾方向封闭的纵行管道，称为原肠。以后演变成消化、呼吸系统的原基。

6. 肠起始为一条直管，在第 5 周后，由于其生长速度较快，使得肠管向腹部弯曲形成"U"字形袢，称为中肠袢。中肠袢顶端连于卵黄蒂，并以此为界分为头、尾两支。

7. 先天性脐疝是由于肠袢未从脐腔返回腹腔或脐腔未闭锁，当腹压增高时，肠管从脐部膨出而致。

8. 脐粪瘘又称脐瘘，是由于卵黄蒂未退化而成为一条细管，使肠管和脐相通，出生后，肠管内容物可从这条细管经脐溢出。

五、叙述题

1. 答：第3对咽囊演变的重要器官是胸腺和下一对甲状旁腺。胚4周，随着胚胎的发育，第3对咽囊腹侧面细胞增生形成两条纵行的细胞索，向尾侧延伸，并在胸骨柄后方合并成胸腺原基，原基的上皮细胞以后演变为胸腺上皮细胞，以后细胞索根部退化与咽囊脱离，如未退化，则形成副胸腺；第3对咽囊的背侧面上皮细胞增生，迁移至甲状腺原基背侧，形成下一对甲状腺旁腺。

2. 答：泄殖腔是后肠末端膨大的部分，其末端有泄殖腔膜封闭，腹侧与尿囊相连。当6～7周后肠与尿囊间的间充质增生并向尾端生长与泄殖腔膜愈合，形成尿直肠隔，故将泄殖腔纵隔成腹侧的尿生殖窦和背侧的原始直肠，原尾端的泄殖腔膜也在腹侧和背侧相应地被分隔成了尿生殖膜和肛膜。尿生殖窦将参与泌尿生殖管道的形成，原始直肠则将分为直肠和肛管上段。肛膜外方的外胚层内陷形成肛凹，第8周时肛膜破裂，肛凹加深演变为肛管下段，肛管上、下段的分界线为齿状线，故肛管上段的上皮为内胚层，肛管下段的上皮来源于外胚层。

3. 答：肠袢转位异常是当中肠袢从脐腔退回腹腔时，应逆时针方向旋转180°，如果未发生旋转、转位不全或反向转位，就会形成各种各样的消化管异位，同时常常伴有心、肝、脾、肺等器官的异位。

（郑邦英）

第二节 消化系统和呼吸系统的发生、泌尿系统与生殖系统的发生、心血管系统的发生

本节重点、难点：

1. 各主要器官与系统原始形成、分化规律

2. 常见畸形及原因

测试题

一、填空题

1. 泌尿系统与生殖系统在胚胎发生时，均起源于_____。

2. 尿生殖嵴由_____的组织增生形成，是_____、_____和_____的原基。

3. 胚胎发生中，先后出现三套排泄器官，即_____、_____和_____，最终只有_____保留下来，形成永久肾。

4. 人胚前肾存在短暂，但_____的大部分保留，并继续向胚体尾端延伸，成为_____。

5. 后肾起源于中胚层的_____和_____。

6. 尿生殖窦可分三段，上段发育为_____；中段保持管状，在女性形成_____，在男性成为_____；下段在男性形成_____，女性则扩大成_____。

7. 多囊肾是由于生后肾原基发生的_____未与_____接通，尿液不能排出所致。

8. 生殖系统的发生可分为_____和_____两个阶段。

9. 在胚体发育过程中，性染色体为XY时，未分化生殖腺分化为睾丸，原因是Y染色体短臂上有_____。在它的作用下，初级性索与表面上皮分离，向生殖腺嵴深

部生长，分化为_____，其末端相互连接形成_____。表面上皮下方的间充质形成一层_____，是生殖腺分化为睾丸的指征。生精小管之间的间充质细胞分化为_____细胞，并分泌_____。

10. 胚胎时期的生精小管为实心细胞索，内含由初级性索分化形成的_____细胞和由原始生殖细胞分化形成的_____细胞，大部分是_____细胞。

11. 如胚胎的性染色体为_____时，未分化性腺自然分化成卵巢，初级性索退化，被血管和基质所替代，成为_____；由生殖腺表面上皮形成新的生殖腺索，称_____，其中的原始生殖细胞分化为_____细胞。

12. 性未分化期，男女两性胚胎都发生_____和_____两套生殖管道。如生殖腺发育为睾丸，中肾小管发育形成_____，中肾管头端发育成_____，中段形成_____，尾端成为_____和_____；如生殖腺分化为卵巢，_____继续发育，上段和中段演变成_____，下段在中线合并形成尾段_____，尾段形成_____和_____。

13. 先天性腹股沟疝是由于_____与_____之间通道未闭所致。

14. 双子宫双阴道是由于两侧_____未合并，各自发育成子宫和阴道。

15. 胚胎发育第 15～16 天，卵黄囊壁胚外中胚层的_____细胞聚集并增殖形成许多团，称之为_____，其周边的细胞变扁分化为_____，中央的细胞变圆，分化为_____。

16. 由于心管各段生长速度不同，由头端向尾端首先出现三个膨大，依次为_____、_____和_____。

17. 人胚第 4 周末，房室管的心内膜组织增生形成_____垫，将房室管分隔成左、右_____孔。围绕房室孔的间充质局部增生并向腔内隆起，形成_____瓣，左侧为_____瓣，右侧为_____瓣。

18. 人胚胎第 5 周末，在第 I 房间隔的右侧，从心房顶端腹侧壁又长出一个较厚的半月形隔，称_____，它的下缘与心内膜垫接触时，下方留有一个卵圆形的孔，称_____。出生前，血液经此孔从_____房流入_____房。

19. 胚胎第 4 周末，心室壁底近心尖处，形成半月形的肌性隔膜，称_____部，此隔向心内膜垫的方向生长，与心内膜垫间留一孔，称_____，使左、右心室相通。

20. 胚胎发育第 5 周，心球远段的动脉干和心球内膜下组织局部增生，形成 2 条相对的纵嵴，分别称_____和_____，两条嵴在中线愈合，形成螺旋状走行的隔，称_____，将动脉干和心球分隔为_____和_____。

21. 房间隔缺损是由于_____，产生的原因为_____太小，或者_____过大，致使卵圆孔不能被完全遮盖所致。

22. 法洛四联症包括_____、_____、_____和_____四种畸形，这种畸形发生的主要原因是_____。

二、选择题

（一）单选题

1. 输尿管芽发生于（　　）
    A. 泄殖腔
    B. 尿生殖窦
    C. 中肾旁管
    D. 中肾管
    E. 生后肾组织

2. 泌尿小管来源于不同的两种结构，其连接处在（　　）
    A. 肾小体近端小管曲部
    B. 近端小管直部与细段

C. 细段与远端小管直部

D. 远端小管曲部与弓形集合小管

E. 弓形集合小管与集合管

3. 原始生殖细胞来源于（ ）

A. 卵黄囊壁的胚外中胚层

B. 尿囊壁的内胚层

C. 卵黄囊壁的内胚层

D. 生殖腺嵴表面上皮

E. 初级性索

4. 未分化性腺的初级性索发生于（ ）

A. 卵黄囊壁的胚外中胚层

B. 尿囊内胚层

C. 生殖腺嵴表面上皮

D. 次级性索

E. 卵黄囊内胚层

5. 未分化生殖腺向睾丸分化的决定因素是（ ）

A. 胚胎细胞的性染色体为 XY 时

B. 原始生殖细胞膜上无 X－Y 抗原

C. 生殖腺细胞的染色体组型为 46，XX

D. 初级性索细胞膜上有雄激素受体

E. 原始生殖细胞膜上有雄激素受体

6. 原始卵泡来源于（ ）

A. 尿生殖窦

B. 中肾小管

C. 中肾旁管

D. 次级性索

E. 生殖腺嵴

7. 能分泌抗中肾旁管激素的细胞是（ ）

A. 卵巢的卵泡细胞

B. 睾丸的精原细胞

C. 睾丸的支持细胞

D. 卵巢的卵原细胞

E. 睾丸的间质细胞

8. 先天性腹股沟疝是由于（ ）

A. 睾丸未下降

B. 鞘膜腔过大

C. 腹膜腔与睾丸鞘膜腔之间的通道未闭合

D. 睾丸鞘膜腔未消失

E. 鞘膜腔过小

9. 中肾旁管未合并所引起的畸形是（ ）

A. 双输尿管

B. 隐睾症

C. 阴道闭锁

D. 半阴阳

E. 双子宫

10. 心内膜垫位于（ ）

A. 心球

B. 心室

C. 心房

D. 房室管

E. 静脉窦

11. 第 I 房间孔位于（ ）

A. 第 I 房间隔头端

B. 第 II 房间隔与心内膜垫之间

C. 动脉球嵴与心内膜垫之间

D. 第 I 房间隔与心内膜垫之间

E. 第 I 房间隔与室间隔之间

12. 出生后血循环发生变化的主要原因是（ ）

A. 动脉导管闭锁

B. 静脉导管闭锁

C. 卵圆孔关闭

D. 左右心房不再相通

E. 胎盘血循环中断和肺呼吸的开始

（二）多选题

13. 输尿管芽经反复分支，逐渐演变为

（ ）
A. 输尿管
B. 肾盂
C. 肾盏
D. 弓形集合小管
E. 直集合小管

14. 生后肾组织演变的结构包括 （ ）
A. 肾小囊
B. 细段
C. 远端小管
D. 弓形集合小管
E. 近端小管

15. 关于睾丸发生的正确描述 （ ）
A. 初级性索演化成生精小管和睾丸网
B. 生精小管细胞间的间充质细胞分化成睾丸间质细胞
C. 生精小管的支持细胞和精原细胞均由初级性索分化而来
D. 睾丸发生时位置高，后来下降入阴囊内
E. 表面上皮下方的间充质形成白膜

16. 关于卵巢发生的正确描述包括 （ ）
A. 分化比睾丸晚
B. 初级性索不退化
C. 卵泡细胞由次级性索分化而来
D. 卵原细胞由原始生殖细胞分化而来
E. 出生时卵巢内已无卵原细胞

17. 畸胎瘤 （ ）
A. 是一种囊性肿瘤
B. 又称皮样囊肿
C. 可有皮肤、毛发、皮脂腺、牙、软骨等
D. 可发生在身体的任何部位
E. 最常见的是在卵巢或睾丸内

18. 由于心管各段生长速度不同，由头端向尾端出现三个膨大，为 （ ）
A. 心球
B. 心室
C. 静脉窦
D. 心房
E. 动脉干

19. 关于血岛的正确描述 （ ）
A. 最初从卵黄囊壁的胚外中胚层发生
B. 随后也可由羊膜体蒂的胚外中胚层发生
C. 是血管和原始造血干细胞的原基
D. 周边的细胞形成内皮细胞
E. 中央的细胞成为造血干细胞

20. 关于胎儿血循环途径的正确描述 （ ）
A. 脐动脉血经静脉导管注入下腔静脉
B. 下腔静脉血是混合性的
C. 下腔静脉血进入右心房，大部分经卵圆孔入左心房
D. 下腔静脉中静脉血与上腔静脉中的血液混合入右心室
E. 肺动脉大部分血经动脉导管注入降主动脉

21. 胎儿出生后心血管系统的变化包括 （ ）
A. 右心房血压下降
B. 左心房血压升高
C. 肺循环血流量增多
D. 卵圆孔关闭
E. 动脉导管开放

22. 法洛四联症的畸形包括 （ ）
A. 主动脉骑跨
B. 右心室肥大
C. 室间隔缺损

D. 肺动脉狭窄

E. 左心室肥大

三、是非题

1. 在输尿管芽的诱导下，中肾管细胞分化形成生后肾组织。（　）

2. 马蹄肾发生的原因是两肾下端异常融合，形成一个马蹄形的大肾，肾的最终位置较正常高。（　）

3. 生精小管的支持细胞和精原细胞均由初级性索分化而来。（　）

4. 如生殖腺分化为睾丸，中肾小管在雄激素的作用下，增长弯曲成附睾管。（　）

5. 如生殖腺分化为卵巢，因缺乏睾丸支持细胞分泌的抗中肾旁管激素的抑制，中肾旁管则继续发育。（　）

6. 心血管系统是胚胎发生中最早进行功能活动的系统。（　）

7. 无论男性或女性都先后形成两对生殖管道，即中肾管和中肾旁管。（　）

8. 血岛裂隙周边的细胞逐渐变扁，分化为内皮细胞，内皮细胞围成内皮管，即原始血管。（　）

9. 第Ⅰ房间隔的上部中央变薄并出现小孔，多个小孔融合形成一个大孔，称第Ⅰ房间孔。（　）

10. 胎儿的肺动脉干分叉处与降主动脉之间有一条动脉导管，来自右心室的肺动脉中的血液大部分通过这一导管流入降主动脉，只有少部分血液流入肺。（　）

四、名词解释

1. 尿生殖嵴

2. 输尿管芽

3. 生后肾原基

4. 血岛

5. 心内膜垫

五、论述题

1. 后肾的发生，常见的肾脏发育异常及其形成原因。

2. 原始心房内部分隔过程。

3. 胎儿血液循环途径。

4. 胎儿血循环的特点及出生后的变化。

5. 心血管系统常见畸形。

参考答案

一、填空

1. 间介中胚层

2. 生肾索　肾　生殖腺　生殖管道

3. 前肾　中肾　后肾　后肾

4. 前肾管　中肾管

5. 输尿管芽　生后肾原基

6. 膀胱　尿道　尿道的前列腺部和膜部　尿道海绵体的大部　阴道前庭

7. 肾单位　集合小管

8. 性未分化期　性分化期

9. 睾丸决定因子　生精小管　睾丸网白膜　睾丸间质细胞　雄激素

10. 支持　精原　支持

11. XX　卵巢髓质　次级性索　卵原

12. 中肾管　中肾旁管　附睾的输出小管　附睾管　输精管　射精管　精囊　中肾旁管　输卵管　子宫　子宫颈　阴道穹隆部

13. 腹腔　鞘突

14. 肾旁管

15. 间充质　血岛　内皮细胞　造血干细胞

16. 心球　原始心室　原始心房

17. 心内膜　房室　房室　二尖　三尖

18. 第Ⅱ房间隔　卵圆孔　右心　左心

19. 室间隔肌　室间孔

20. 心球嵴　动脉干嵴　主动脉肺动脉隔　肺动脉干　升主动脉

21. 卵圆孔未闭　卵圆孔瓣　卵圆孔

22. 肺动脉狭窄　主动脉骑跨　室间隔缺损　右心室肥大　动脉干分隔不均

二、选择题

（一）单选题

1. D。解释：在中肾管末段通入泄殖腔处，其管壁向外突出形成一个小盲管，称输尿管芽。

2. D。解释：后肾小管一端不断延长弯曲形成近端小管、髓袢和远端小管。远端小管的末端与由输尿管芽分化而来的集合管接通。

3. C。解释：胚胎第4周时，位于卵黄囊后壁近尿囊处有许多源于内胚层的大而圆的细胞，称原始生殖细胞。

4. C。解释：生殖腺嵴表面上皮向生殖腺嵴下方的间充质中生出许多不规则的上皮细胞索，称初级性索。

5. A。解释：胚胎细胞的性染色体为XY时，未分化生殖腺向睾丸分化。

6. D。解释：约在第16周，次级性索开始断裂，形成许多孤立的细胞团，成为原始卵泡。

7. C。解释：如生殖腺分化为睾丸，睾丸间质细胞分泌的雄激素促进中肾管发育，同时睾丸支持细胞产生的抗中肾旁管激素，抑制中肾旁管的发育，并使其逐渐退化。

8. C。解释：如腹腔与鞘突间的通道没有闭合，当腹压增大时，部分小肠可突入鞘膜腔，形成先天性腹股沟疝。

9. E。解释：由于两侧中肾旁管未合并，各自发育成子宫和阴道。

10. D。解释：房室管背侧壁和腹侧壁的心内膜下组织增生，各形成一个隆起，称为背侧和腹侧心内膜垫。

11. D。解释：第Ⅰ房间隔沿心房背侧壁和腹侧壁向心内膜垫方向生长，在其游离缘和心内膜垫间暂留一孔，称第Ⅰ房间孔。

12. E。解释：胎儿出生后脐循环停止，肺功能启动，肺循环增强。

（二）多选题

13. A、B、C、D、E。解释：输尿管芽向胚体颅、背侧方向迅速延伸，并长入胚体尾部生肾索的中胚层组织中。输尿管芽经反复分支，逐渐演变为输尿管、肾盂、肾盏和集合小管

14. A、B、C、E。解释：生后肾原基的外周部分形成肾的被膜及肾内结缔组织，内部开始是一些实体的细胞团，以后每个细胞团逐渐分化成"S"形的后肾小管，后肾小管一端不断延长弯曲形成近端小管、髓袢和远端小管。远端小管的末端与由输尿管芽分化而来的集合管接通，另一端为盲囊，末端凹陷形成肾小囊，包绕着由肾动脉的细小分支所形成的毛细血管球，共同构成肾单位。

15. A、B、D、E。解释：在睾丸决定因子的作用下，初级性索增殖，并与表面上皮分离，向生殖腺嵴深部生长，分化为细长弯曲的袢状生精小管，其末端相互连接形成睾丸网。第8周时，表面上皮下方的间充质形成一层白膜，白膜的形成是生殖腺分化为睾丸的指征。分散在生精小管之间的间充质细胞分化为睾丸间质细胞，并分泌雄激素。胚胎时期的生精小管为实心细胞索，内含两类细胞，由初级性索分化形成的支持细胞和原始生殖细胞分化形成的精原细胞。睾丸发生时位置高，后来下降入阴囊内。

16. A、C、D、E。解释：卵巢的形成比睾丸晚，人胚胎第10周后，初级性索向深部生长，在该处形成卵巢网。随后初级性索与卵巢网都退化，被血管和基质所替代，成为卵巢髓质。此后，生殖腺表面上

皮又一次向深层间充质内长出许多含有原始生殖细胞的增厚的上皮索，称次级性索。随着次级性索的生长发育，皮质部分逐渐增大，在次级性索中的原始生殖细胞分化为卵原细胞，卵原细胞进一步分裂增殖，分化为初级卵母细胞。

17. A、B、C、D、E。解释：畸胎瘤又称皮样囊肿，是一种囊性肿瘤，囊内可有皮肤、毛发、皮脂腺、牙、软骨等，有时也可见有其他组织或器官。这种囊肿可发生在身体的任何部位，但最常见的是在卵巢或睾丸内。

18. A、B、D。解释：由于心管各段生长速度不同，由头端向尾端首先出现三个膨大，依次为心球（又称动脉球）、原始心室和原始心房。

19. A、C、D、E。解释：胚胎发育第15～16天，卵黄囊壁胚外中胚层的间充质细胞聚集并增殖形成许多细胞团，称之为血岛。随后，在血岛内出现裂隙，裂隙周边的细胞逐渐变扁，分化为内皮细胞，内皮细胞围成内皮管，即原始血管。血岛中央的游离细胞变圆，分化为原始血细胞，即造血干细胞。与此同时，在体蒂和绒毛膜的胚外中胚层内也以同样方式形成内皮管网，内皮管网间的融合通连逐渐构建成胚外原始血管网。

20. B、C、D、E。解释：来自胎盘的脐静脉的血，富含氧和营养物质，由脐静脉经脐带至胎儿肝脏后，部分血液经静脉导管直接注入下腔静脉，部分经肝血窦后再进入下腔静脉。下腔静脉还收集由下肢和盆、腹腔器官来的静脉血，下腔静脉将含氧和营养物质相对较高的混合血送入右心房。从下腔静脉导入右心房的血液，少量与上腔静脉来的血液混合，注入右心室，大部分血液通过卵圆孔进入左心房，与由肺静脉来的少量血液混合后进入左心室。

左心室的血液大部分经主动脉弓及其三大分支分布到头、颈和上肢，以充分供应胎儿头部发育所需的氧和营养；小部分血液流入降主动脉。从头、颈和上肢回流的静脉血经上腔静脉进入右心房，与下腔静脉来的小部分血液混合后经右心室进入肺动脉。由于胎儿肺无呼吸功能，血管阻力较大，故仅5%～10%肺动脉血液进入发育中的肺脏，再由肺静脉回流到左心房，90%以上通过动脉导管注入降主动脉。

21. A、B、C、D。解释：出生后脐静脉闭锁，从下腔静脉注入右心房的血液减少，右心房压力降低，同时肺开始呼吸，大量血液由肺静脉回流入左心房，左心房压力增高，卵圆孔瓣紧贴于第Ⅱ房间隔，使卵圆孔关闭。

22. A、B、C、D。解释：法洛四联症的畸形包括肺动脉狭窄、主动脉骑跨、室间隔膜部缺损和右心室肥大四种畸形，这种畸形发生的主要原因是动脉干隔不均，致使肺动脉狭窄和室间隔缺损，粗大的主动脉向右侧偏移，骑跨在室间隔缺损处。肺动脉狭窄造成右心室压力增高，引起右心室代偿性肥大。

三、是非题

正确：5、6、7、8、10。

错误：

1. 解释：在输尿管芽的诱导下，胚体尾端生肾索的细胞密集，呈帽状包围在输尿管芽的末端，形成后肾组织帽，称生后肾原基。

2. 解释：马蹄肾发生的原因是两肾下端异常融合，形成一个马蹄形的大肾，由此造成肾的上升受肠系膜下动脉根部的阻拦，导致肾的最终位置较正常低。

3. 解释：胚胎时期的生精小管为实心细胞索，内含两类细胞，由初级性索分化形成的支持细胞和原始生殖细胞分化形成的精原细胞。

4. 解释：如生殖腺分化为睾丸，在雄激素的作用下，发育形成附睾的输出小管，中肾管头端增长弯曲成附睾管。

9. 解释：第Ⅰ房间隔的上部中央变薄并出现小孔，多个小孔融合形成一个大孔，称第Ⅱ房间孔。

四、名词解释

1. 胚胎第4周，间介中胚层形成左右两条纵行的生肾索。生肾索体积不断增大，从胚体后壁突向体腔，在背主动脉两侧形成一对纵行隆起，称尿生殖嵴。是肾、生殖腺及生殖管道的原基。

2. 在中肾管末段通入泄殖腔处，其管壁向外突出形成一个小盲管，称输尿管芽。输尿管芽向胚体颅、背侧方向迅速延伸，并长入胚体尾部生肾索的中胚层组织中。输尿管芽经反复分支，逐渐演变为输尿管、肾盂、肾盏和集合小管。

3. 在输尿管芽的诱导下，胚体尾端生肾索的细胞密集，呈帽状包围在输尿管芽的末端，形成后肾组织帽，称生后肾原基。生后肾原基的外周部分形成肾的被膜及肾内结缔组织，内部开始是一些实体的细胞团，以后每个细胞团逐渐分化成"S"形的后肾小管，后肾小管一端不断延长弯曲形成近端小管、髓袢和远端小管。远端小管的末端与由输尿管芽分化而来的集合管接通，另一端为盲囊，末端凹陷形成肾小囊，包绕着由肾动脉的细小分支所形成的毛细血管球，共同构成肾单位。

4. 胚胎发育第15～16天，卵黄囊壁胚外中胚层的间充质细胞聚集并增殖形成许多细胞团，称之为血岛。随后，在血岛内出现裂隙，裂隙周边的细胞逐渐变扁，分化为内皮细胞，内皮细胞围成内皮管，即

原始血管。血岛中央的游离细胞变圆，分化为原始血细胞，即造血干细胞。

5. 胚胎发育第4周末，房室管背侧壁和腹侧壁的心内膜下组织增生，各形成一个隆起，称为背侧和腹侧心内膜垫，两个心内膜垫对向生长，互相融合，将房室管分隔为左、右房室孔。

五、叙述题

1. 答：胚胎发育到第4周末，当中肾还在发育中时，后肾即开始形成。后肾起源于中胚层的输尿管芽和生后肾原基。①输尿管芽：在中肾管末段通入泄殖腔处，其管壁向外突出形成一个小盲管，称输尿管芽。输尿管芽向胚体颅、背侧方向迅速延伸，并长入胚体尾部生肾索的中胚层组织中。输尿管芽经反复分支，逐渐演变为输尿管、肾盂、肾盏和集合小管。在输尿管芽的诱导下，胚体尾端生肾索的细胞密集，呈帽状包围在输尿管芽的末端，形成后肾组织帽，称生后肾原基。生后肾原基的外周部分形成肾的被膜及肾内结缔组织，内部开始是一些实体的细胞团，以后每个细胞团逐渐分化成"S"形的后肾小管，后肾小管一端不断延长弯曲形成近端小管、髓袢和远端小管。远端小管的末端与由输尿管芽分化而来的集合管接通，另一端为盲囊，末端凹陷形成肾小囊，包绕着由肾动脉的细小分支所形成的毛细血管球，共同构成肾单位。近髓肾单位发生较早，随着集合小管末端不断向皮质浅层生长并分支，继续诱导生后肾原基形成浅表肾单位。后肾发生的原始位置较低，随着胚胎腹部生长和输尿管芽的伸展，后肾约从第28对体节处上升4个体节，肾门也由朝向腹侧转为朝向内侧，固定为永久位置。

肾脏发育异常：①多囊肾：由于生后肾原基发生的肾单位未与集合管接通，尿

液不能排出。肾单位因尿液积聚而胀大成囊状,故称多囊肾。②异位肾:胚胎发育时,肾脏上升的程度和方向发生异常所致。③肾缺如:中肾管未长出输尿管芽,或输尿管芽未能诱导生后肾原基分化形成后肾。

2. 答:第 4 周末,在心内膜垫发生的同时,原始心房顶部背侧壁的中央出现一个薄的半月形矢状隔,称第 I 房间隔或原发隔。此隔沿心房背侧壁和腹侧壁向心内膜垫方向生长,在其游离缘和心内膜垫间暂留一孔,称第 I 房间孔或原发孔。此孔逐渐变小,最后由心内膜垫组织向上凸起,并与第 I 房间隔游离缘融合而封闭。在第 I 房间孔闭合之前,第 I 房间隔的上部中央变薄并出现小孔,多个小孔融合形成一个大孔,称第 II 房间孔或继发孔。由于原发隔的形成,将原始心房分隔为左、右心房,两心房间以第 II 房间孔相交通。第 5 周末,在第 I 房间隔的右侧,从心房顶端腹侧壁又长出一个较厚的半月形隔,称第 II 房间隔或继发隔。此隔渐向心内膜垫方向生长,并遮盖继发孔。继发隔下缘呈弧形,当其腹、背缘与心内膜垫接触时,下方留有一个卵圆形的孔,称卵圆孔。第 I 房间隔恰好在第 II 房间隔的左侧覆盖于卵圆孔,称卵圆孔瓣。出生前,由于肺循环不行使功能,右心房的压力大于左心房,从下腔静脉进入右心房的血液可推开卵圆孔瓣流入左心房,左心房的血液由于卵圆孔瓣的存在不能流入右心房。出生后,肺循环开始,左心房压力增大,致使两个隔紧贴并逐渐愈合,形成一个完整的房间隔,卵圆孔关闭,形成卵圆窝,左、右心房完全分隔。

3. 答:来自胎盘的脐静脉的血,富含氧和营养物质,由脐静脉经脐带至胎儿肝脏后,部分血液经静脉导管直接注入下腔静脉,部分经肝血窦后再入下腔静脉。下

腔静脉还收集由下肢和盆、腹腔器官来的静脉血,下腔静脉将含氧和营养物质相对较高的混合血送入右心房。从下腔静脉导入右心房的血液,少量与上腔静脉来的血液混合,注入右心室,大部分血液通过卵圆孔进入左心房,与由肺静脉来的少量血液混合后进入左心室。左心室的血液大部分经主动脉弓及其三大分支分布到头、颈和上肢,以充分供应胎儿头部发育所需的氧和营养;小部分血液流入降主动脉。从头、颈和上肢回流的静脉血经上腔静脉进入右心房,与下腔静脉来的小部分血液混合后经右心室进入肺动脉。由于胎儿肺无呼吸功能,血管阻力较大,故仅 5% ~10% 肺动脉血液进入发育中的肺脏,再由肺静脉回流到左心房,90% 以上通过动脉导管注入降主动脉。部分降主动脉的血液经分支分布到盆、腹腔器官和下肢,部分经脐动脉回流入胎盘,在胎盘内和母体血液进行气体和物质交换后,再由脐静脉送往胎儿体内。脐动、静脉的存在、静脉导管和动脉导管的存在以及心房内血液分流作用是胎儿血循环的特点。

4. 答:①脐静脉闭锁,成为由脐部至肝的肝圆韧带;脐动脉大部分闭锁成为脐外侧韧带,仅近侧段保留为膀胱上动脉。②肝的静脉导管闭锁成为静脉韧带。③出生后脐静脉闭锁,从下腔静脉注入右心房的血液减少,右心房压力降低,同时肺开始呼吸,大量血液由肺静脉回流入左心房,左心房压力增高,卵圆孔瓣紧贴于第 II 房间隔,使卵圆孔关闭。出生后约 1 年左右,卵圆孔瓣与第 II 房间隔完全融合,形成卵圆窝。④出生后肺开始呼吸,动脉导管因平滑肌收缩达到功能闭锁,出生后 2 ~3 个月由于内膜增生,动脉导管完全闭锁,成为动脉韧带。

5. 答:由于心血管系统的发生较为复

杂，所以先天性畸形的发生也较多见，常见的有以下几种：

（1）房间隔缺损：最常见的房间隔缺损是由于卵圆孔未闭，可因下列原因产生：①第Ⅰ房间隔在形成第Ⅱ孔时过度吸收，导致卵圆孔瓣过小，不能完全遮盖卵圆孔。②第Ⅱ房间隔发育不全，形成的卵圆孔过大，第Ⅰ房间隔形成的卵圆孔瓣不能完全关闭卵圆孔。③第Ⅰ房间隔过度吸收，同时第Ⅱ房间隔又形成大的卵圆孔。此外，心内膜垫发育不全，第Ⅰ房间隔不能与其融合，也可造成房间隔缺损。

（2）室间隔缺损：分室间隔膜部缺损和室间隔肌部缺损两种情况。以室间隔膜部缺损较为常见，是由于心内膜垫或心球嵴发育不良，在室间隔膜部形成时不能和室间隔肌性部融合所致。肌性室间隔缺损较为少见，是由于肌性室间隔形成时心肌膜组织过度吸收所致，过度吸收形成的孔可见于室间隔任何部位，使左、右心室相通。

（3）动脉干和心球分隔异常：①主动脉和肺动脉错位：主要是由于动脉干和心球分隔时，形成的主肺动脉隔不呈螺旋方向走行，而成直行的隔，导致主动脉和肺动脉相互错位，主动脉位于肺动脉的腹面，从右心室发出，肺动脉干则从左心室发出。常伴有室间隔缺损或动脉导管未闭，使肺循环和体循环之间出现直接交通。②主动脉或肺动脉狭窄：由于主、肺动脉隔偏位，使动脉干和心球分隔不均等，造成一侧动脉粗大，另一侧动脉狭小，即主动脉或肺动脉狭窄。偏位的主、肺动脉隔常不能与室间隔正确融合，导致室间隔缺损，较大的主动脉或肺动脉骑跨在缺损部。③法洛四联症：包括肺动脉狭窄、主动脉骑跨、室间隔膜部缺损和右心室肥大四种畸形，这种畸形发生的主要原因是动脉干分隔不

均，致使肺动脉狭窄和室间隔缺损，粗大的主动脉向右侧偏移，骑跨在室间隔缺损处。肺动脉狭窄造成右心室压力增高，引起右心室代偿性肥大。

（4）动脉导管未闭：多见于女性。发生的原因可能是由于出生后的动脉导管壁肌组织不能收缩，使肺动脉和主动脉保持相通。主动脉的血液分流入肺动脉，肺循环血量增加，体循环血量减少，引起肺动脉高压，右心室肥大等，影响患儿生长发育。

（张丽红）

第三节　中枢神经系统的发生、眼与耳的发生

本节重点、难点：

1. 神经管的早期分化及脑的发生

2. 脊髓的发生及神经系统常见的先天性畸形

3. 眼与耳的发生及常见的先天性畸形

测试题

一、填空题

1. 神经系统来源于_____，由_____和_____分化而成。

2. 神经上皮是_____上皮。套层由_____和_____构成。

3. 脊髓由_____的尾段分化而成。基板形成脊髓灰质的_____，翼板形成脊髓灰质的_____。

4. 神经管的头段形成三个膨大的脑泡分别称_____、_____和_____。

5. _____脑泡的腔演变为侧脑室和第三脑室；_____脑泡的腔形成狭窄的中脑

导水管；_____脑泡的腔演变为第四脑室。

6. 若前神经孔未闭，可导致相应节段的_____。

7. 眼的各部分是由_____、_____、_____及其周围的_____分化形成的。

8. 视泡远端膨大凹陷形成_____，视泡近端变细形成_____。视泡可诱导_____形成。

9. 听泡可生长分化形成_____和_____。

10. 第一鳃沟凹陷形成_____。第一鳃沟周围的间充质增生，在外耳道口两侧形成6个_____，以后相互融合形成_____。

二、选择题

（一）单选题

1. 诱导神经管形成的结构是（　）
   A. 体节
   B. 原沟
   C. 原条
   D. 原结
   E. 脊索

2. 神经系统的发生来源于（　）
   A. 胚外中胚层
   B. 中胚层
   C. 内胚层
   D. 外胚层
   E. 体节

3. 室管膜层位于（　）
   A. 套层的内侧
   B. 套层的外侧
   C. 套层与边缘层之间
   D. 边缘层的内侧
   E. 边缘层的外侧

4. 前脑泡的头端以后演变为（　）
   A. 大脑半球
   B. 间脑
   C. 桥脑
   D. 小脑
   E. 延髓

5. 晶状体泡来自（　）
   A. 前脑
   B. 中脑
   C. 菱脑
   D. 周围的间充质
   E. 表面外胚层

6. 角膜来自（　）
   A. 间充质
   B. 表面外胚层
   C. 神经外胚层
   D. 视泡
   E. 视杯

7. 视泡的形成（　）
   A. 前脑侧壁突出
   B. 中脑侧壁突出
   C. 菱脑侧壁突出
   D. 后脑侧壁突出
   E. 桥脑侧壁突出

8. 可诱导听板形成的是（　）
   A. 前脑
   B. 中脑
   C. 菱脑
   D. 小脑
   E. 桥脑

（二）多选题

9. 神经管可分化为（　）
   A. 脑
   B. 脊髓
   C. 神经垂体
   D. 神经节
   E. 松果体

10. 菱脑泡可演变为（　）
   A. 桥脑
   B. 小脑
   C. 端脑
   D. 脊髓

E. 延髓

11. 与各种神经核形成有关的结构（　　）

A. 前脑
B. 中脑
C. 菱脑
D. 后脑
E. 末脑

12. 听泡外方的间充质参与形成（　　）

A. 三个半规管和椭圆囊的上皮
B. 球囊和耳蜗管的上皮
C. 骨迷路
D. 膜迷路的结缔组织
E. 膜迷路的上皮部分

13. 与视杯相符的是（　　）

A. 一双层杯状结构
B. 晶状体板内陷入视杯内
C. 晶状体泡在视杯内
D. 形成视网膜的色素上皮层
E. 形成视网膜的神经层

14. 遗传性耳聋的病因（　　）

A. 内耳发育不全
B. 听小骨发育缺陷
C. 耳蜗神经发育不良
D. 外耳道闭锁
E. 使用大量链霉素

三、是非题

1. 室管膜层是由原来的神经上皮停止分化，演变形成的一立方形或矮柱状细胞层。（　　）

2. 第 3 周末，神经管的头段形成三个膨大的脑泡。（　　）

3. 到第 5 周，前脑泡的头端发育成左右两个端脑，尾端则形成桥脑。（　　）

4. 端脑以后演变为大脑半球。（　　）

5. 翼板中的神经核多为感觉核，基板中的神经核多为运动核。（　　）

6. 无脑畸形由于前神经孔未闭，端脑或神经管的头端脑部不发育所致。（　　）

7. 视柄与中脑相连。（　　）

8. 晶状体泡前壁分化为晶状体纤维；后壁形成晶状体上皮。（　　）

9. 第二咽囊向外伸长，末端膨大形成鼓室，近端形成咽鼓管。（　　）

10. 鼓室周围的间充质分化为三块听小骨。（　　）

四、名词解释

1. 神经上皮
2. 套层
3. 室管膜层
4. 边缘层
5. 脑泡
6. 无脑畸形
7. 脊髓裂
8. 视杯
9. 听板
10. 听泡
11. 先天性白内障。
12. 脑积水。

五、叙述题

1. 试述脑的发生。
2. 试述内耳的发生。

参考答案

一、填空题

1. 神经外胚层　神经管　神经嵴
2. 假复层柱状　成神经细胞　成神经胶质细胞
3. 神经管　前角　后角
4. 前脑泡　中脑泡　菱脑泡
5. 前　中　菱
6. 脊髓裂

7. 视杯　视柄　晶状体泡　间充质

8. 视杯　视柄　晶状体板

9. 前庭囊　耳蜗囊

10. 外耳道　耳丘　耳廓

二、选择题

（一）单选题

1. E。解释：脊索诱导神经管的形成。

2. D。解释：神经系统的发生来源于外胚层。

3. C。解释：室管膜层位于套层与边缘层之间。

4. A。解释：前脑泡的头端以后演变为大脑半球。

5. A。解释：晶状体泡来自于前脑。

6. B。解释：角膜来自表面外胚层。

7. A。解释：前脑侧壁向外膨出形成视泡。

8. C。解释：菱脑可诱导形成听板。

（二）多选题

9. A、B、C、E。解释：神经节是由神经嵴分化而来的。

10. A、B、E。解释：菱脑泡演变为后脑和末脑，而后脑则演变为桥脑和小脑，末脑演变为延髓。

11. B、D、E。解释：中脑、后脑和末脑中的套层细胞多聚集成细胞团或柱，形成各种神经核。

12. C、D。解释：听泡发育形成膜迷路的上皮部分，而听泡外方的间充质形成膜迷路的结缔组织及骨迷路。

13. A、B、C、D、E。解释：视杯为一双层杯状结构，其外层分化为视网膜的色素上皮层，其内层分化形成视网膜的神经层。晶状体板内陷入视杯内，与表面的外胚层脱离，形成晶状体泡。

14. A、B、C、D。解释：遗传性耳聋主要由内耳发育不全、听小骨发育缺陷、耳蜗神经发育不良或外耳道闭锁等原因所致；非遗传性耳聋与妊娠早期感染风疹病毒、使用大量链霉素等有关。

三、是非题

正确：1. 4. 5. 6. 10。

错误：

2. 解释：第4周末，神经管的头段形成三个膨大的脑泡。

3. 解释：到第5周，前脑泡的头端发育成左右两个端脑，尾端则形成间脑。

7. 解释：视柄与前脑分化成的间脑相连。

8. 解释：晶状体泡前壁分化为晶状体上皮；后壁形成晶状体纤维。

9. 解释：第一咽囊向外伸长，末端膨大形成鼓室，近端形成咽鼓管。

四、名词解释

1. 神经上皮指早期神经管管壁的假复层柱状上皮。

2. 套层指成神经细胞和成神经胶质细胞在神经上皮细胞外周构成的一新细胞层。

3. 室管膜层指原来的神经上皮停止分化，变成一立方形或矮柱状细胞层。

4. 边缘层指套层的神经细胞长出突起伸至套层的外周，与随之迁出的神经胶质细胞一起形成的一层新结构。

5. 脑泡指胚发育到第4周末，神经管的头段形成的三个膨大。

6. 无脑畸形是由于前神经孔未闭，端脑或神经管的头端脑部不发育所致。

7. 脊髓裂是因前神经孔未闭导致，常伴有相应节段的脊髓裂。

8. 视杯指视泡远端膨大凹陷形成的一双层杯状结构。

9. 听板是第4周初菱脑两侧的表面外胚层在菱脑的诱导下增厚而形成。

10. 听板凹陷并与外胚层分离而形成听泡。

11. 先天性白内障指晶状体混浊不透明，呈灰白色，属于常染色体显性遗传。

12. 脑积水指由于脑室系统发育障碍，脑脊液生成和吸收平衡失调所致。

五、叙述题

1. 答：脑由神经管的头段分化而来。第4周末，神经管的头段形成三个膨大，分别称前脑泡、中脑泡和菱脑泡。前脑泡的头端发育成左右两个端脑（以后演变为大脑半球）；尾端则形成间脑。中脑泡演化为中脑。菱脑泡演变为后脑（以后演变为桥脑和小脑）和末脑（演变为延髓）。同时，前脑泡的腔演变为侧脑室和第三脑室；中脑泡的腔形成狭窄的中脑导水管；菱脑泡的腔演变为第四脑室。脑两侧壁的套层则增厚，形成背部的翼板和腹部的基板。间脑和端脑的套层大部分形成翼板。端脑套层中的大部分细胞形成大脑皮质；少部分形成神经核。中脑、后脑和末脑中的套层细胞多聚集成细胞团或柱，形成各种神经核，翼板中的神经核多为感觉核，基板中的神经核多为运动核。

2. 答：第4周初，菱脑两侧的表面外胚层在菱脑的诱导下增厚，称听板。听板凹陷，并与外胚层分离，形成听泡。听泡初始为梨形，以后向背、腹方向延伸生长，形成前庭囊和耳蜗囊，前庭囊形成三个半规管和椭圆囊的上皮；耳蜗囊形成球囊和耳蜗管的上皮。由此听泡就发育成了膜迷路的上皮部分。听泡外方的间充质形成膜迷路的结缔组织及骨迷路。

（刘黎青）

第二十章 先天性畸形

本章重点、难点：

1. 引起先天畸形的原因：遗传因素、环境因素

2. 胚胎发育中各器官受致畸因素影响的时期

3. 预测胎儿畸形的方法：染色体法、甲胎蛋白测定法等

测试题

一、填空题

1. 先天性畸形是由胚胎发育_____而导致的、以_____异常为主要特征的先天性疾病，是一类最常见的_____缺陷。

2. 研究先天畸形的科学称为_____。

3. 在人类的各种先天畸形中，因遗传因素导致的畸形占_____，它包括_____和_____。

4. 基因突变指_____分子中碱基_____或_____发生变化，而染色体外形_____。基因突变所致的遗传病主要表现在_____或_____方面。

5. 影响胚胎发育的环境包括_____、_____和_____。

6. 能引起先天畸形的环境因素统称为_____，包括_____、_____、_____、_____五大方面。

7. 在遗传因素与环境因素相互作用中，衡量遗传因素所起作用大小的指标称_____，用_____表示。

8. 处于不同发育阶段的胚胎对致畸因子作用的敏感程度不同，最易发生畸形的

发育时期称_____。

9. 胚期的胚胎细胞分裂、分化_____，代谢_____，_____受到致畸因子的干扰，是胚胎发育过程中的_____。

10. 胎儿期对致畸因子的敏感性_____，致畸因子多影响_____结构和功能，一般无_____水平的畸形。

11. 做好孕期保健是防止环境因素致畸的重要措施，孕期保健主要包括_____、_____、_____、_____和_____。

二、选择题

（一）单选题

1. 各种先天性畸形中，最常见的原因（　）

A. 遗传因素

B. 遗传因素与环境因素共同作用

C. 环境因素

D. 吸烟、酗酒

E. 基因突变

2. 大多数器官的致畸敏感期在人胚胎发育的（　）

A. 第 2～4 周

B. 第 3～5 周

C. 第 2～4 个月

D. 第 4～8 周

E. 第 3～4 个月

3. 哪一项不属于致畸因子（　）

A. 酒精及香烟中的尼古丁

B. 各种射线

C. 风疹病毒

D. 多数抗肿瘤药物

E. 基因突变

（二）多选题

4. 引起先天畸形的遗传因素有（　　）

    A. 染色体数目异常

    B. 染色体结构异常

    C. 过量饮酒

    D. 脐带缠绕

    E. 基因突变

5. 致畸敏感期（　　）

    A. 最易发生畸形的胚胎发育时期

    B. 与致畸因子的作用强度有关

    C. 与胚胎的遗传特性有关

    D. 与该发育阶段胚胎细胞的分裂速度有关

    E. 与胚胎分化程度密切相关

6. 常用的产前检查方法有（　　）

    A. 羊水检查

    B. 绒毛膜活检

    C. B 型超声波

    D. γ 射线

    E. 胎儿镜

三、是非题

1. 基因突变所致的遗传病主要表现在微观结构或功能方面。（　　）

2. 在遗传因素与环境因素相互作用中，衡量遗传因素所起作用大小的指标称遗传度，用百分率表示。遗传度越高，说明遗传因素在畸形发生中的作用越小。（　　）

3. 致畸因子对胚胎的损伤程度取决于致畸因子、母体及胎儿的整体相互作用。（　　）

4. 致畸因子的作用强度与胚胎的遗传特性有关，与该发育阶段胚胎细胞的分裂速度有关。（　　）

5. 生物性致畸因子，不能穿过胎盘屏障直接影响胚胎发育，但可通过影响母体正常代谢或干扰胎盘的转运功能，损伤胎盘屏障，间接地影响胚胎发育，引起多种

畸形。（　　）

6. 胚前期，由于细胞分化程度低，胚胎受致畸因子作用后最易发生畸形。（　　）

四、名词解释

1. 先天性畸形

2. 致畸敏感期

五、叙述题

1. 先天性畸形的发生原因。

2. 如何理解致畸敏感期。

3. 先天性畸形的预防措施。

参考答案

一、填空题

1. 紊乱　形态结构　出生

2. 畸形学

3. 25%　染色体畸变　基因突变

4. DNA　组成　排列顺序　未见异常　微观结构　功能

5. 胚胎微环境　母体内环境　母体外环境

6. 致畸因子　生物性致畸因子　物理性致畸因子　化学性致畸因子　致畸性药物　其他致畸因子

7. 遗传度　百分率

8. 致畸敏感期

9. 活跃　旺盛　极易　致畸敏感期

10. 降低　组织　器官

11. 预防感染　谨慎用药　戒除烟酒　避免和减少射线照射　合理营养

二、单选题

（一）单选题

1. B。解释：在人类的各种先天畸形中，约有 25% 为遗传因素所致，10% 为环境因素所致，65% 为环境和遗传因素相互

作用或原因不明。

2.D。解释：胚期（第4~8周），细胞分裂、分化活跃，代谢旺盛，极易受到致畸因子的干扰，是胚胎发育过程中的致畸敏感期。

3.E。解释：基因突变指DNA分子中碱基的组成或排列顺序发生变化，是引起先天畸形的遗传因素。

（二）多选题

4.A、B、E。解释：引起先天畸形的遗传因素有两种，一是染色体数目与结构的异常，即染色体畸变；二是基因的异常，即基因突变。

5.A、B、C、D、E。解释：胚胎发育是连续的过程，但也有一定的阶段性。发育中的胚胎受到致畸因子作用后，是否发生畸形，不仅与致畸因子的作用强度及胚胎的遗传特性有关，而且与该发育阶段胚胎细胞的分裂速度、分化程度密切相关。处于不同发育阶段的胚胎对致畸因子作用的敏感程度不同，最易发生畸形的发育时期称致畸敏感期。

6.A、B、C、E。解释：γ射线是对人类有致畸作用的物理性致畸因子之一，不能作为常用的产前检查方法。

三、是非题

正确：1、3、4。

错误：

2.解释：遗传度越高，说明遗传因素在畸形发生中的作用越大。

5.解释：生物性致畸因子，有的可穿过胎盘屏障直接影响胚胎发育，有的通过影响母体正常代谢（发热、酸中毒、缺氧等）或干扰胎盘的转运功能，损伤胎盘屏障，间接地影响胚胎发育，引起多种畸形。

6.解释：胚前期，由于细胞分化程度低，胚胎受致畸因子作用后很少发生畸形。

如果致畸因子作用强，可导致胚胎死亡；如果致畸因子作用弱，则少量受损或死亡的细胞可以由周围正常细胞代偿，发育仍然正常。

四、名词解释

1.先天性畸形是由胚胎发育紊乱而导致的、以形态结构异常为主要特征的先天性疾病，是一类最常见的出生缺陷。

2.处于不同发育阶段的胚胎对致畸因子作用的敏感程度不同，最易发生畸形的发育时期称致畸敏感期

五、叙述题

1.答：先天性畸形是由胚胎发育紊乱而导致的、以形态结构异常为主要特征的先天性疾病，是一类最常见的出生缺陷。在人类的各种先天畸形中，约有25%为遗传因素所致，10%为环境因素所致，65%为环境和遗传因素相互作用或原因不明。

（1）遗传因素。引起先天畸形的遗传因素有两种，一是染色体数目与结构的异常，即染色体畸变；二是基因的异常，即基因突变。染色体数目异常表现为染色体数目的增加或减少，可发生在常染色体，也可发生在性染色体。染色体结构异常多为染色体断裂，其断片发生缺失、易位、倒置、重复等。基因突变指DNA分子中碱基的组成或排列顺序发生变化，而染色体外形未见异常。基因突变所致的遗传病主要表现在微观结构或功能方面。

（2）环境因素。尽管胚胎在整个发育过程中都受着胎盘屏障的保护，但环境中的某些因子仍会直接或间接地干扰胚胎的正常发育，引起先天畸形，甚至胚胎死亡。影响胚胎发育的环境包括胚胎微环境、母体内环境和母体外环境。能引起先天畸形的环境因素统称为致畸因子。致畸因子对

胚胎的损伤程度取决于致畸因子、母体及胎儿的整体相互作用。通常，一种致畸因子可引起多种畸形，而同种畸形也可以由多种致畸因子引起。致畸因子主要包括：生物性致畸因子（风疹病毒、巨细胞病毒、单纯疱疹病毒、弓形体、梅毒螺旋体等）、物理性致畸因子（电离辐射及机械性压迫和损伤）、化学性致畸因子（工业"三废"、农药、某些食品添加剂和防腐剂）、致畸性药物（抗肿瘤药、抗惊厥药、抗生素、抗凝血剂及抗甲状腺药），吸烟、酗酒、缺氧、严重营养不良等。

（3）遗传因素与环境因素共同作用。在先天畸形的发生中，遗传因素与环境因素的相互作用是十分明显的。一方面，环境致畸因子可引起基因突变或染色体畸变，进而导致胚胎发育异常；另一方面，胚胎的基因型（遗传因素），可决定并影响胚胎对环境致畸因子的易感程度。每个胚胎的遗传特性，即基因型可决定并影响胚胎对环境致畸因子的易感程度。对致畸因子敏感性存在种间差异。

2. 答：胚胎发育是连续的过程，但也有一定的阶段性。发育中的胚胎受到致畸因子作用后，是否发生畸形，不仅与致畸因子的作用强度及胚胎的遗传特性有关，而且与该发育阶段胚胎细胞的分裂速度、分化程度密切相关。处于不同发育阶段的胚胎对致畸因子作用的敏感程度不同，最易发生畸形的发育时期称致畸敏感期。

胚前期，由于细胞分化程度低，胚胎受致畸因子作用后很少发生畸形。如果致畸因子作用强，可导致胚胎死亡；如果致畸因子作用弱，则少量受损或死亡的细胞可以由周围正常细胞代偿，发育仍然正常。胚期，细胞分裂、分化活跃，代谢旺盛，极易受到致畸因子的干扰，是胚胎发育过程中的致畸敏感期。由于各器官原基的发生和分化时间不同步，致畸敏感期也有一定的差别。各器官的致畸敏感期与其发生期大致相同。胎儿期，对致畸因子的敏感性降低，致畸因子多影响组织结构和功能，一般无器官水平的畸形。所以，胎儿期不属于致畸敏感期。但外生殖器、耳、腭、神经系统等器官发育较晚或持续时间长，仍可有畸形发生。另外，不同致畸因子对胚胎作用的致畸敏感期也不同。

3. 答：随着社会的发展，人口素质的提高，预防先天性畸形的发生已成为当今世界人口控制中一项极为重要的课题。遗传咨询是防止由遗传因素所致先天性畸形发生的重要措施。凡出现过遗传性先天畸形患者的家族、多次出现过同样疾患的家族和先天性智力发育不全的家族，均应该进行遗传咨询。避免近亲结婚是预防遗传性畸形的一个重要方面。血缘关系越近，相同的基因也越多，因此近亲结婚所生子女纯合型基因对的几率越大。如果一个家族中有一个隐性致畸基因，近亲结婚所生子女就有很大的可能出现畸形。除避免近亲结婚外，双方的双亲中都有人患有严重的相同隐性遗传病，也不宜婚配。做好孕期保健是防止环境因素致畸的重要措施。孕期保健主要包括：①预防感染；②谨慎用药；③戒除烟酒；④避免和减少射线照射；⑤合理营养。如果说防止畸形的发生是一级预防，通过产前诊断，防止严重畸形儿的出生就是二级预防。对有遗传病家族史的夫妇、生过畸形儿或有多次自然流产、死胎的孕妇以及孕期接触各种环境致畸因子的孕妇，产前诊断是十分必要的。常用的产前检查方法有：羊水检查、绒毛膜活检、B 型超声波、胎儿镜等仪器检查。

（张丽红）

第二十一章 学有所用

本章目的要求：

运用组织学与胚胎学所学知识，通过概念的辨析与比较，理论的拓展与分析，解释日常常见的临床疾病、症状、现象等，将理论与实际相结合，拾遗补缺，使学有所用，学用结合，培养学生独立思考，发现问题、分析问题、解决问题的能力。问题的答案仅起引导提示作用，无范围限制，同学们可在此基础上开拓思维，勇于创新，将知识融会贯通，进一步巩固知识点，拓展知识面。

测试题

一、上皮组织

1. 根据所学上皮组织的知识，解释大面积烧伤或创伤的病人为什么很容易发生感染。

2. 小红不小心划伤掌侧面手指的皮肤，感到很疼，但没有流血。问题：

（1）皮肤的上皮属于哪种类型的上皮，有哪些结构特点？

（2）为什么感到疼痛？为什么没有流血？

二、结缔组织

3. 结合浆细胞结构特点，阐述为什么浆细胞主要分布在消化道、呼吸道黏膜的固有层中以及有慢性炎症的部位。

4. 临床病例：赵某，女，20岁。一天前，起床后开窗通风，欲呼吸一下新鲜空气。打开窗后，一阵凉风迎面而来。不久，其全身开始起红色小疙瘩而且刺痒无比。患者发病前无服药史及外伤史，既往无系统疾病病史及药物过敏史。诊断：寒冷性荨麻疹。问题：

（1）疏松结缔组织中有哪几种成分？哪种成分与病变有关？

（2）该患者皮肤出现红色疹块的原因是什么？

（3）导致以上疾病的细胞形态特点及功能？

5. 为什么经常要给病人做血常规检查？

6. 网织红细胞计数在临床上有什么意义？

7. 核左移、核右移针对的是哪种细胞？有何意义？

三、肌组织

8. 运动员肌肉发达的组织学依据是什么？

9. 临床病例：一女大学生，23岁，近来感觉全身乏力和易疲劳，不时有眼睑下垂，上楼梯时几次跌倒在地。检查发现，血中抗胆碱酯酶受体数量增多，重复刺激运动神经元时骨骼肌的反应下降。使用新斯的明治疗后肌力恢复。诊断为：重症肌无力。问题：联系神经－肌肉接头（运动终板）的兴奋传递过程，试分析重症肌无力的原因，为什么新斯的明治疗后肌力恢复？

四、神经组织

10. 临床病例：患者张某，男性，33

岁。因感冒后四肢麻木无力伴胸闷气促。查体：神志清楚，精神差。体温正常，口唇轻度紫绀，声音细弱，咽反射消失。心率 90 次/分，律齐，双肺少许细湿啰音。四肢肌张力低，双上肢肌力 2 级，双下肢 0 级。轻度肌肉压痛。双踝以下痛觉、触觉减退，因反射消失，病理反射未引出。诊断：急性炎症性脱髓鞘性多发性神经病（格林-巴利综合征）。

问题：该患者的有髓神经纤维的哪种结构被破坏，这种结构的生理功能是什么？

五、神经系统

11. 爱因斯坦的大脑。

12. 临床病例：患者男性，72 岁，退休工人。近三年智力明显减退，记忆障碍，忘事，由近记忆障碍到远记忆障碍；以致不修边幅，不认识人，思维混乱，胡言乱语，无法与人交谈，出门后找不着回家的路等。CT 检查：脑沟、脑裂增宽，脑回变平；呈弥漫性脑萎缩，尤以海马明显。诊断：阿尔兹海默病（AD）。

问题：

（1）该病主要有哪些组织学变化？

（2）可做哪些预防？

六、循环系统

13. 爱因斯坦死亡的原因。

14. 临床病例：患者男性，65 岁，1 年前因头晕、头痛就诊。查体发现血压升高（190/120mmHg），其余未见异常。诊断：高血压病。问题：

（1）高血压病的国际诊断标准。

（2）高血压病与血管壁的改变有何关系？

七、免疫系统

15. 临床病例：患者女性，39 岁，农民。由于生活窘迫，在血贩子处先后卖血 3 次。随后出现发热、乏力、肌肉痛、关节痛、咽痛、腹泻、全身不适等类似感冒样症状，未予任何治疗。一年后症状加重，皮肤表面出现大面积皮疹，搔痒重，腋下和腹股沟出现脓疱疮，口腔黏膜溃烂，出现呼吸困难、咳嗽，偶尔咳血。食欲下降，体重明显减轻。颈部、腋下、枕部以及腹股沟淋巴结肿大，但肿大的淋巴结不融合，质硬，无压痛。实验室检查：抗 HIV 抗体阳性，并经确诊试验证实。诊断：艾滋病？艾滋病前期。问题：

（1）艾滋病最可能侵犯淋巴结和脾脏的哪一个部位？

（2）结合淋巴结和脾脏的结构，试叙述 HIV 病毒是如何破坏这两个器官，以及产生的后果。

八、消化系统

16. 为什么胃大部切除术后易导致贫血？试用所学组织学知识解释。

17. 结合组织学知识，说明为什么暴饮暴食易引起胰腺炎的发生？

18. 临床病例：患者男性，45 岁。体形消瘦，常感疲乏，尿频，烦渴，饮水量增加；饭量增大，餐后 2~3 小时即感觉饥饿，空腹血糖升高，餐后血糖明显升高，尿糖＋＋。诊断：糖尿病问题：

（1）简述胰岛的结构和功能。

（2）糖尿病患者为什么出现三多一少？机体哪些激素可参与维持血糖的稳定？

九、呼吸系统

19. 临床病例：某男性患者，已有二十年吸烟史，经常咳嗽，痰多黏稠，不易咳出。诊断患有慢性支气管炎。

问题：从支气管的组织学结构，结合临床表现，试述该病的结构变化。

20. 早产儿为何容易发生呼吸窘迫综合征（透明膜病）？

21. 临床病例：患者，男性，30 岁。有外出打工史。因胸闷、咳嗽、气急、呼吸困难逐渐加重，食欲减退，疲倦等就医。现已无法劳动。问病史得知，两年前曾到东北一个体工厂开矿、采石，劳动期间未采用适当的防护措施。诊断：尘肺。问题：

（1）从组织学角度结合临床表现，试分析该患者肺的微细结构改变。

（2）如何预防该病的发生。

十、泌尿系统

22. 临床病例：患者，男性，5 岁。反复上呼吸道感染，经治疗后痊愈。两周后，感觉全身不适，乏力、头痛、恶心、呕吐、心慌。晨起后，颜面、双下肢水肿，尿液色如浓茶，尿量显著减少。血压 150/110mmHg，尿中可见红细胞，尿蛋白＋＋＋。诊断：急性肾小球肾炎。问题：

（1）肾小体的形态结构特征。

（2）患儿出现血尿、蛋白尿和尿量减少以及水肿的机制。

十一、眼和耳

23. 一男孩在玩耍中不幸被石灰烧伤眼睛，导致失明，经角膜移植重获光明。结合所学的组织学知识谈谈角膜的上述现象。

24. 临床病例：患者，女性，52 岁。出现无痛无觉的进行性视力减退和视物模糊，怕光、看物体颜色较暗及看物体变形等。检查晶体皮质和核混浊。经手术治疗视力恢复正常。说明该病症的组织学变化。

25. 俗话说，眼里揉不得沙子。试结合组织学知识进行解释。

十二、皮肤

26. 试从组织学角度说明皮肤病痱子、毛囊炎和疖子、痤疮的发病原因。

27. 白化病与黑色素的关系。

28. 为什么不同的人种会有不同的肤色？

29. 每个人都希望拥有健康的肌肤。我们应当怎样根据皮肤的特点，科学地保护好自己的皮肤呢？

十三、内分泌系统

30. 临床病例：贺某，女性，48 岁。半年多来常感觉怕热、多汗、容易激动、烦躁易怒，进食增多，但体重明显下降，安静时也会出现心率过速。同时颈前喉结两旁有结块，微肿大。就诊时体格检查发现：患者精神状态佳，形体消瘦，呼吸急促，双目有轻微突出，目光矍铄。诊断：甲状腺机能亢进征（简称甲亢）。

问题：甲亢是由甲状腺素分泌过多引起的，根据所学甲状腺素产生的过程，说明：

（1）甲状腺素的作用。

（2）患者甲状腺的组织学结构有哪些变化。

31. 临床病例：患者，男性，33 岁。近几年出现手足进行性增大，手指变粗尤为明显，鞋号越来越大，颧骨突出，自觉相貌变丑、声音变粗。两月前出现头痛，伴有视力减退，视野缺损。实验室检查血象正常，生长激素水平显著高于正常人。智力检测正常；CT 显示鞍内占位性病变，为呈圆形的垂体大腺瘤。诊断：肢端肥大症。问题：结合生长激素的作用，分析出现上述症状的原因。

十四、男性生殖系统

32. 临床病例：患者，男性，29 岁。结婚 3 年未采取任何避孕措施，女性一直未孕（女方检查未发现异常），男方性功能、性生活正常，医生建议男方进行精液检查。3 次检查结果显示：精子密度不足 1000 万/毫升，活动率 15%，畸形率 85%。问：

（1）该男性精液检查有问题吗，他患的是什么病？

（2）试用所学组织学知识分析其可能发生的原因。

十五、女性生殖系统

33. 临床进行阴道涂片检查的组织学意义是什么？

34. 临床病例：患者，女性，45 岁。2 年前出现月经量增多，较以往增加一倍多，且经期延长。B 超显示：子宫增大如怀孕 5 个月大小。诊断为子宫肌瘤。已行子宫切除术。问题：该病的组织学基础。

35. 临床病例：患者，女性，28 岁。就诊原因：痛经，月经失调。体检子宫增大、变硬。诊断：子宫内膜异位症。问题：发病的组织学基础。

十六、胚胎学总论

36. 根据所学知识说明生男生女由谁决定。

37. 为什么人类为单精受精？

38. 联胎是怎样发生的？有哪些类型？

39. 试述单卵孪生的形成机制。为什么单卵孪生儿性别相同，相貌酷似？何谓器官移植的最佳供体和受体？

40. 为什么检测尿中 HCG，常用作早孕诊断的指标之一？

十七、胚胎学各论

41. 病例分析：孕妇王某，28 岁。经剖腹手术产一足月男婴。婴儿面部发育异常，脑部有缺损，同时伴有部分大脑膨出于体外，产后不久男婴即死亡。产妇及配偶家族均无家族性遗传病史。产妇自述于受孕 40 天左右时，全身曾起过白色的团块状斑疹，同时伴有发热，因几天后好转，未曾给予重视。余无其他特殊情况。诊断：胎儿无脑畸形，脑膨出。问题：

（1）简述神经管的形成过程。

（2）该病的形成机制，由什么原因引起？

42. 何谓脐粪瘘、何谓脐尿管瘘？

43. 何谓畸胎瘤，有何结构特征？

44. 何谓法洛四联症，联系胚胎期心脏发育，说明其形成原因。

45. 何谓脑积水？说明其形成原因。

十八、先天性畸形

46. 何谓先天性畸形？何谓出生缺陷？

47. 第二次世界大战中，美国于 1945 年在日本广岛投下一枚原子弹。其后多年，广岛出生了大量的畸形儿，用所学胚胎学原理阐明原因。

48. 何谓胎儿酒精综合征？

49. 何谓致畸敏感期？

参 考 答 案

一、上皮组织

1. 答案提示：上皮细胞排列紧密且成层，构成了机体内环境与外环境之间的一个严密的保护性屏障，可阻止细菌异物侵入。大面积烧伤或创伤的病人，其上皮组织这个保护性屏障被破坏。

2. 答案提示：

（1）属于角化的复层扁平上皮。结构特点：细胞的层次多，形态差异大。表层为多层扁平细胞，中间层为多层多边形细胞，基底层为一层立方形细胞，且有较强的分裂增殖能力。基底面凹凸不平，深部的结缔组织随着基底面的凹凸不平而向上皮内突出形成结缔组织乳头。

（2）因上皮组织中神经末梢丰富。没有流血是因为划伤仅限于上皮组织内，而上皮组织内没有血管。

二、结缔组织

3. 答案提示：浆细胞的结构特点：光镜下，浆细胞呈卵圆形或圆形；细胞核圆形，多偏居细胞一侧，染色质成粗块状沿核膜内面呈辐射状排列；细胞质丰富，呈嗜碱性，核旁有一浅染区。电镜下，浆细胞表面平滑，仅见很少的微绒毛状突起；细胞质内含有大量平行排列的粗面内质网和游离核糖体，有发达的高尔基复合体，中心体位于核旁浅染区内。

联系浆细胞的结构特点，粗面内质网、游离核糖体和高尔基复合体发达，这与其合成分泌免疫球蛋白（抗体）的功能密切相关。消化道、呼吸道与外界直接相通，外界的病原、异物等经口、鼻进入消化道、呼吸道，首先与黏膜相接触，黏膜的固有层中分布的浆细胞通过分泌 SIgA，可起到免疫保护作用。慢性炎症部位以浆细胞、淋巴细胞为主。

4. 答案提示：

（1）疏松结缔组织中有基质、纤维和细胞三种成分。其细胞包括成纤维细胞、巨噬细胞、浆细胞、肥大细胞、脂肪细胞、未分化的间充质细胞、来自血液的白细胞等。肥大细胞与病变有密切的关系。

（2）从肥大细胞脱颗粒，其特殊颗粒内容物等的释放，对机体的影响来解释。

（3）肥大细胞的形态结构特点：细胞较大，圆形或卵圆形，胞质内充满嗜碱性的异染颗粒，细胞核小而圆，位于中央。颗粒中含有肝素、组织胺、白三烯和嗜酸性细胞趋化因子等。肥大细胞与过敏反应关系密切。

5. 答案提示：正常情况下，血细胞的形态、数量和血红蛋白的含量都是相对稳定的。当机体出现疾病或异常情况时，血液中的细胞形态、数量等发生变化，血象常有显著变化。检查血象对了解机体状况和诊断疾病非常重要，故血常规检查是临床诊断疾病的重要依据之一。

6. 答案提示：网织红细胞在外周血液中存在 24 小时，即变为成熟的红细胞。在成人，网织红细胞约占红细胞总数的 $0.5\% \sim 1.5\%$，新生儿可达 $3\% \sim 6\%$。

网织红细胞计数常作为判断骨髓生长红细胞能力的指标之一。例如：在骨髓造血功能发生障碍的病人，网织红细胞计数降低。如果贫血患者经治疗后，网织红细胞计数增加，则说明治疗有效。网织红细胞计数对血液病诊断、疗效判定和预后有重要意义。

7. 答案提示：针对的是中性粒细胞，也是白细胞中数量最多的一种细胞，占白细胞总数的 $50\% \sim 70\%$。其细胞呈圆球形，胞核着色深，呈杆状或分叶状，一般为 $2 \sim 5$ 叶，叶间有细丝相连。通常认为，核分叶愈多，细胞愈趋于衰老。

在疾病情况下，$1 \sim 2$ 叶核的中性粒细胞百分率增高，临床上称为核左移，核左移表明机体已有重症感染；$4 \sim 5$ 叶核的中性粒细胞增多，则称为核右移，核右移一般表明骨髓造血功能障碍。

三、肌组织

8. 答案提示：运动员经运动锻炼肌肉发达的原因，主要是肌纤维增粗增长。锻炼使肌纤维内部肌丝和肌原纤维数量增加，肌节增长且数量增加等，但肌纤维数量没有增加。

9. 答案提示：重症肌无力是一种自身免疫性疾病，特点为血中出现乙酰胆碱受体抗体（AchR – Ab）。病变主要累及突触后膜上的乙酰胆碱受体（AchR），AchR – Ab 与突触后膜上的 AchR 结合，使突触后膜上的 AchR 数量减少，导致神经 – 肌肉接头传递障碍。受损肌肉呈病态疲劳，表现为频繁出现的肌疲劳，呈波动性肌无力，劳动后加重，休息后减轻；有规律性的晨轻暮重的波动性变化。眼外肌麻痹常为首发症状，表现为上睑下垂、斜视和复视。新斯的明是一种抗胆碱酯酶药，可延长乙酰胆碱的作用时间，利于肌力恢复。

四、神经组织

10. 答案提示：该病病因不清，可发生于感染性疾病，也可无任何诱因。主要病变为神经根、神经节及周围神经广泛的节段性脱髓鞘和炎性反应，严重者可累及轴索；有时也累及脊膜、脊髓及脑部。

髓鞘的生理功能（略）。

五、神经系统

11. 答案提示："相对论之父"爱因斯坦的大脑，这颗堪称历史上最聪明的大脑到底有何过人之处，成为 20 世纪最传奇的谜团之一。2008 年，91 岁高龄的美国病理学家托马斯·哈维首次公开了研究情况：早期研究发现爱因斯坦的大脑皮层面积、结构与普通人相似，脑重还略低于男人的平均值。1985 年至 1999 年间，科学界发表了一些爱因斯坦大脑的研究成果，从不同角度揭开了天才的秘密：爱因斯坦大脑中神经胶质细胞比普通人高出 73%，使得神经元能得到更多营养，效率更高；由于大脑中神经元密度较高，传递信息的效率大大提高；大脑顶叶很发达，形态上也有特异之处（缺少一种横贯顶下叶区位于大脑皮层相邻的脑回之间的皱沟），使他的视觉空间认知、数学思维和运动想象力等能力超出常人。

12. 答案提示：

（1）AD 是原因不明的老年病，是痴呆最常见的病因。组织学检查以老年斑、神经原纤维缠结、海马锥体细胞空泡变性和皮质广泛的神经元缺失为 AD 的三大特征。显微镜下可见皮质深层大神经细胞广泛消失和变性，染色质溶解，核仁缩小，树突减少，轴索和突触异常，神经原纤维缠结和颗粒状空泡小体等。

（2）预防：积极参加社会活动，多接受外界信息，勤动脑、勤动手，尽可能广交朋友，培养兴趣（下棋、绘画、弹琴、剪纸、唱歌）等。晚期患者需有人照看。

六、循环系统

13. 答案提示：1955 年 4 月 18 日凌晨 1 点 15 分，爱因斯坦在美国新泽西州普林斯顿大学医院因腹部大动脉瘤破裂而撒手人寰，享年 76 岁。动脉瘤起因是动脉壁的病变或损伤，在动脉血流高压冲击下，动脉壁病变或损伤部位变薄、积血、扩张，形成局限性膨出。动脉瘤可以发生在动脉系统的任何部位，以肢体主干动脉、腹主动脉和颈动脉较为常见，主要症状为出现搏动性肿块。动脉瘤可以继发下列变化：动脉瘤破裂，造成严重出血，甚至死亡；瘤腔内血栓形成，脱落造成远端动脉栓塞；继发感染，不仅有炎性病理改变，更易促成动脉瘤壁破裂。

14. 答案提示：

（1）国际诊断高血压的统一标准：收缩压≥140mmHg，舒张压≥90mmHg。

（2）高血压病是临床上的常见病，随着年龄的增加，发病率也逐渐增高，老龄人血管壁硬化，顺应性降低。血压升高是某种因素使全身小动脉痉挛，管壁增厚，管腔变小而引起的外周循环阻力增加所致。长期反复的痉挛使小动脉内膜因压力负荷增加、缺血缺氧出现玻璃样变，中膜因平滑肌细胞增殖、肥大，管壁增厚（纤维化）、管壁狭窄，病情加重。血压增高可使器官的血供减少或工作负担增加，尤其对心、脑、肾，而引发相应的病变。

七、免疫系统

15. 答案提示：

（1）艾滋病最可能侵犯淋巴结和脾脏的 T 细胞存在的部位。因 HIV 病毒作用于辅助性 T 细胞，使辅助性 T 细胞减少，细胞免疫功能受损。

（2）在感染早期及中期，淋巴结肿大。镜下，最初有淋巴小结明显增生，生发中心活跃，髓质出现较多浆细胞。随后淋巴小结的外套层淋巴细胞减少或消失，小血管增生，并有纤维蛋白样物质或玻璃样物质沉积，生发中心被零落分割。副皮质区的淋巴细胞进行性减少，代之以浆细胞浸润。晚期的淋巴结内淋巴细胞几乎消失殆尽，无淋巴小结及副皮质区之分，仅有一些巨噬细胞及浆细胞残留。脾呈轻度肿大，镜下有淤血，T、B 细胞均减少，淋巴小结即淋巴鞘缺如。会接着发生 HIV 特异性免疫反应，典型患者会进入一个稳定的无症状期，可持续数年，这将导致严重的免疫缺陷、多重机会感染、恶性肿瘤和死亡。

八、消化系统

16. 答案提示：胃大部切除导致贫血的主要原因为壁细胞减少，导致内因子缺乏，从而影响维生素 B_{12} 吸收，致使红细胞合成障碍。

17. 答案提示：暴饮暴食等刺激促使胰液大量分泌，使胰蛋白酶原和糜蛋白酶原在胰腺内被激活，胰腺受胰蛋白酶的自身消化，而导致胰腺组织受损。

18. 答案提示：

（1）胰岛主要由 A 细胞、B 细胞、D 细胞、PP 细胞四种细胞组成。A 细胞：占 20%，较大，位于周边，特染呈鲜红色，分泌高血糖素。B 细胞：占 70%，较小，位于中央，特染呈橘黄色，分泌胰岛素。D 细胞：占 5%，特染呈蓝色，分泌生长抑素（旁分泌作用）。PP 细胞：很少，分泌胰多肽。

（2）糖尿病时，尿糖引起的渗透性利尿使小便增多，后者可使血容量减少，通过增加饮水量而补充。随着尿糖的排泄，血糖不断损失，为维持较高浓度的血糖水平，必须通过增加饮食和机体的消耗来实现。高血糖素、胰岛素、生长抑素可参与维持血糖的稳定。

九、呼吸系统

19. 答案提示：长期吸烟刺激气管和支气管，可使上皮受损，如纤毛细胞减少，纤毛运动减弱或倒伏，杯状细胞增多，分泌旺盛；腺体也增生肥大，分泌增多，尤其是黏液性腺细胞增多，分泌物黏稠；软骨片发生不同程度的萎缩和变性等。这些病变导致呼吸道净化吸入空气的功能减弱，免疫性防御功能受损，管壁变薄，支持力减弱，发生慢性炎症病变。

20. 答案提示：早产儿由于 Ⅱ 型肺泡细胞分化不良，不能分泌表面活性物质，致使肺泡表面张力增大，不能随呼吸运动而扩张。镜下可见肺泡萎缩塌陷，间质水肿，肺泡上皮表面覆盖一层从血管渗出的透明状血浆蛋白膜，故称透明膜病。

21. 答案提示：

（1）尘肺是长期吸入空气中的某些粉尘微粒而引起的一种肺部病变，是常见的职业病。该患者在未采用适当的防护措施的厂矿打工，长期接触粉尘，粉尘吸入肺内，可导致显著的肺纤维化，影响肺的呼吸功能。游离的粉尘微粒进入肺内，可被肺泡巨噬细胞吞噬。镜下见，含有粉尘的巨噬细胞数量增加，聚集成群，沉积于肺泡隔、肺泡腔、肺内淋巴结等处。肺组织呈弥漫性纤维化，间质结缔组织增生，呼吸受阻，出现上述临床表现。

（2）预防该病的发生应注意：严格操作规程，加强防护措施（降尘、改善通风、湿式作业、密闭除尘等），加强个人防护，及早诊断。防患于未然，预防为主。

十、泌尿系统

22. 答案提示：

（1）肾小体外观呈球形，又称肾小球，它有两个极，有动脉出入的一端称血管极，血管极对侧为尿极。肾小体由血管球和肾小囊组成。

血管球是一团盘曲在肾小囊内的毛细血管，为有孔型毛细血管，内皮有孔，内皮基底面除与血管系膜直接接触的部位外，都有基膜；内皮小孔无隔膜封闭，有利于血液中小分子物质滤过，有选择性通透作用。毛细血管两端为入球微动脉和出球微动脉，分别出入于血管极，所以血管球的毛细血管是一种独特的动脉性毛细血管网。由于入球微动脉的管径比出球微动脉粗，使得毛细血管内的血压较高，有利于原尿形成。肾小囊是肾小管起始部膨大凹陷而成的杯状双层囊，内有血管球。肾小囊外层是单层扁平上皮，又称肾小囊壁层，它在肾小体尿极处与近端小管曲部的上皮相连续；脏层为足细胞，细胞有突起，包绕在血管球基膜外面，突起之间的裂孔上有裂孔膜，参与滤过膜的组成。两层间的腔隙称肾小囊腔，与近曲小管管腔相通。

毛细血管的有孔内皮、基膜和足细胞裂孔膜共同构成滤过膜，又称滤过屏障。血浆内的部分成分经滤过膜滤入肾小囊腔

内，形成的滤过液称原尿，原尿内除不含大分子蛋白质外，其余成分与血浆基本相似。若滤过膜的负电荷丧失或滤过膜受损伤，可引起蛋白尿或血尿。

（2）急性肾小球肾炎起病急，病程短。临床主要表现为血尿、蛋白尿、少尿、水肿，常伴有高血压。主要的组织学变化为弥漫性增生性肾小球炎症，两侧肾脏常同时受累。

由于肾小球毛细血管损伤，滤过膜通透性发生改变，出现血尿、蛋白尿等，血尿与毛细血管的损伤程度成正比；浓茶样尿液为尿中红细胞溶解，血红蛋白转变为酸性血红素所致。少尿是因肾小球细胞增生肿胀，压迫毛细血管，使其血流量减少，滤过率降低，而肾小管的重吸收功能相对正常，故可导致少尿；而滤过率降低，使水、钠在体内潴留，导致水肿。

十一、眼和耳

23. 答案提示：角膜为无色透明的圆盘状结构，略突向前方。其中央较薄，周边部较厚。角膜中不含血管，其营养由角膜缘血管和房水供应。临床上，角膜受损导致的失明，可通过角膜移植使患者复明，且成功率在90%以上；角膜移植成功率高与角膜缺乏 MHC Ⅱ、分泌免疫抑制因子、朗格汉斯细胞较少、无血管、淋巴管等因素有关。

24. 答案提示：白内障是指由各种原因引起的晶体的混浊，是眼科的常见病，也是致盲的主要原因之一。白内障可发生于任何年龄，但老年性白内障最常见。任何原因引起的晶状体囊膜损伤，使通透性改变，渗透性增加，丧失屏障作用，或导致晶状体代谢紊乱，使晶状体蛋白发生变性，纤维之间出现水隙、空泡，上皮细胞增生等改变，晶状体由透明变为混浊，阻碍了

光线透过晶体聚焦于位于眼球内壁的光敏组织视网膜，明显影响视力甚至失明。晶体的浑浊由组成晶体的晶体蛋白变性凝聚所致。

25. 答案提示：角膜无色透明，其不含血管，营养来自角膜缘血管和房水。组织结构由前至后可分为角膜上皮、前界层、角膜基质、后界层、角膜内皮5层。角膜上皮为未角化的复层扁平上皮，由5~6层排列整齐的细胞构成。角膜表层为扁平细胞，基底层细胞排列整齐，无乳头，无色素，其再生能力很强，一旦损伤，容易修复。因角膜上皮内含有丰富的游离感觉神经末梢，可感受疼痛、冷热、轻触觉等刺激，因此角膜感觉敏锐，微小的异物接触角膜，即会有明显的不适感。

十二、皮肤

26. 答案提示：痱子又称汗疹，是汗液排泄不畅引起的粟粒性小水疱或丘疱疹。汗液大量分泌不能及时蒸发，使表皮角质层浸渍变软，汗孔闭塞，汗液积蓄排泄不畅，致汗腺导管扩张破裂及细菌繁殖，形成痱子。

毛囊炎和疖子均由金黄色葡萄球菌侵犯毛囊引起的毛囊炎和毛囊周围炎。疖子的炎症较强，发生于鼻翼两侧和上唇处者（此处静脉缺少静脉瓣），挤捏之，可使细菌沿血流进入海绵窦，引起颅内感染，可危及生命。因此疖肿应禁止挤捏。

痤疮易发生于年轻人。多与性激素分泌增加，皮脂腺生长分泌旺盛，皮脂腺导管堵塞，皮脂排出受阻，细菌感染有关。

27. 答案提示：白化病是一种较常见的皮肤及其附属器官黑色素缺乏所引起的先天性遗传病。白化病遍及全世界，总发病率为1/20000~1/10000。可分全身性白化病和局部性白化病两种，前者较常见，患者通常全身皮肤、毛发、眼睛缺乏黑色素，表现为皮肤、眉毛、头发及其他体毛都呈白色、淡粉红色或白里略带黄色；视网膜无色素，虹膜和瞳孔呈淡粉色，患者对阳光、紫外线高度敏感，畏光，看东西时总是眯着眼睛。日晒后易发生日光性唇炎、皮炎，并可能发生基底细胞癌和上皮细胞癌。

白化病是由于不同基因的突变，导致黑色素或黑素体生物合成缺陷。全身性白化病属常染色体隐性遗传方式。局部白化病为常染色体显性遗传。正常人体的黑素细胞内有黑素体，黑素体含有的酪氨酸酶，该酶能将酪氨酸转变成黑色素。白化病患者体内黑素细胞数目是正常的，细胞内同样有黑素体，但由于基因突变，影响到酪氨酸酶的合成，使黑素体中酪氨酸酶缺乏，不能使酪氨酸转变成黑色素，从而导致皮肤、黏膜、毛发、眼等呈白色。白化病目前尚无有效治疗方法，应以预防为主。禁止近亲结婚是重要的预防措施之一。注意保护皮肤、眼，尽量避免日光照射。

28. 答案提示：肤色是人种分类的重要标志之一，黑、黄、白是人体的三原色。人体表现出不同的肤色与多种因素有关，如皮肤本身的颜色和厚度，黑色素颗粒的数量与分布状态、胡萝卜素等色素的数量以及血液等，但最主要的是由于人体皮肤中含有的黑色素多少不一的缘故。黑种人皮肤中的黑色素最多，黄种人皮肤中的黑色素较少，而白种人皮肤中的黑色素最少，致使皮肤的颜色表现出很大的差异。科学家研究表明：人类的祖先都是非洲黑人，肤色的变化是人类适应生存环境的结果。在阳光强烈的热带地区，黑人就比白人更适应生存；炽烈的光热辐射，易导致白人皮肤癌的发生率增高。而在寒冷的地球北部地区，黑人比白人更易冻伤。故人种肤色差异的形成决定于黑色素颗粒的多少。

人体肤色是受遗传物质控制的，有稳定的遗传基础。人生下来皮肤便有一定的基色，目前对控制肤色的遗传因素尚难作出明确的结论，但黑色素的形成主要与一种蛋白类的酶即酪氨酸酶有关。黑色素决定着皮肤的颜色，要合成黑色素需要人体内上百个基因协调工作，但大部分基因目前仍未被发现。美国宾夕法尼亚州立大学的肤色科学家基思·程说："只要遗传信息的一个编码发生变异，就可以让人由黑变白。"如白化病。

29. 答案提示：注意皮肤的清洁和锻炼，养成良好的卫生习惯，积极预防常见皮肤疾病的发生，正确看待护肤用品的广告，选择适当的护肤用品，尽量不化妆。

十三、内分泌系统

30. 答案提示：

（1）甲状腺素的作用主要是增进机体的新陈代谢，促进生长发育，提高神经兴奋性。甲状腺素分泌过多，可引起神经、循环、消化系统等兴奋性增高，代谢功能亢进等症状。

（2）甲状腺素分泌过多，可使甲状腺滤泡上皮细胞增生肥大，滤泡上皮呈柱状，滤泡上皮可形成乳头状突起，凸入滤泡腔内，滤泡腔内胶质减少或消失。

31. 答案提示：鞍内占位性病变提示为垂体大腺瘤。垂体瘤患者的临床表现及实验室检查说明，生长激素分泌异常增多。生长激素主要促进全身代谢及生长，特别是骨骼的生长。患者为成年人，骺板已形成，长骨不能再增长，生长激素的过度作用，只能促进扁骨和短骨生长。

十四、男性生殖系统

32. 答案提示：

（1）有问题。正常成年男性平均每毫升精液约含有1亿个精子。精液检查说明患者精子密度低，精子活动率低，精子畸形率高，他患的是男性不育。

（2）不育的病因可有下列几种情况：①睾丸生精障碍：因睾丸生精小管病变、间质病变、血-睾屏障受损等引起原发性睾丸功能低下，导致生精功能障碍。如睾丸发育不全、隐睾、精索静脉曲张、睾丸炎等。②输精管道阻塞：附睾、输精管与射精管发生阻塞，使精子成熟和运输障碍，如输精管先天畸形和生殖管道炎症等。③附属腺异常：前列腺、精囊功能异常，均可影响精液质量和精子活动。④精液异常及精子异常：如精液量及理化性能的改变、精子畸形、少精、无精及死精等。⑤下丘脑及垂体功能异常：如下丘脑-垂体-睾丸性腺轴功能紊乱。⑥其他：如环境因素、遗传因素、免疫因素。放射元素、化学物质及某些药物等均可使精子的产生和成熟受到抑制。该患者为④精液异常及精子异常，影响受精，而引起的男性不育。

十五、女性生殖系统

33. 答案提示：老年或某些原因导致雌激素水平下降时，阴道上皮细胞内的糖原减少，阴道液变为碱性，细菌易生长繁殖而发生阴道感染。阴道上皮的脱落和新生与卵巢活动周期关系密切，因而根据阴道脱落上皮细胞类型的不同可推知卵巢的功能状态。故临床上常将阴道涂片法作为生殖道疾病，特别是宫颈癌的检查方法之一。

34. 答案提示：子宫肌瘤由子宫平滑肌细胞增生而形成，又称子宫平滑肌瘤。多发生在子宫肌层，亦可在浆膜下层或黏膜下层。可多发或单发，小如米粒，大到几十斤重；尤其是在高雌激素环境中，如妊娠、外源性高雌激素等情况下生长明显，故认为此病可能与过多雌激素刺激有关。子宫平滑肌瘤外有包膜，生长慢，呈膨胀性生长。瘤组织由形态较一致的梭形平滑肌细胞构成，细胞排列成束，核分裂象少见。

35. 答案提示：子宫内膜异位症指子宫内膜出现于正常内膜位置以外的部位，可见于子宫内或子宫外。子宫内子宫内膜异位症仅限于子宫肌层内，异位的子宫内膜（包括腺体及其间质）形态结构和正常子宫内膜相似，在肌层中呈岛屿状分布，周围的肌纤维可有增生。异位的子宫内膜妨碍子宫肌壁收缩，及组织内经期出血不能外流，可产生痛经、月经失调等。

十六、胚胎学总论

36. 答案提示：生男生女由精子的染色体核型决定。精子的染色体核型有 23，X 和 23，Y 两种，如果核型为 23，X 的精子和卵子（核型为 23，X）结合，胚胎发育为女性（核型为 46，XX）；若核型为 23，Y 的精子和卵子结合，胚胎则发育为男性（核型为 46，XY）。所以精子带有的性染色体决定新个体的遗传性别。

37. 答案提示：精子穿越放射冠和透明带完成顶体反应，进入卵周隙，使精子与卵子接触，精、卵细胞膜融合，激发卵子胞质内的皮质颗粒释放酶类入卵周隙，使透明带上的 ZP3 受体结构改变，不能再与其余精子结合，此过程称透明带反应。透明带反应可阻止其他精子穿越透明带进入卵内，所以人类为单精受精。

38. 答案提示：联体双胎简称联胎，是指两个未完全分离的单卵双胎。临床表现为两个胎儿未完全分开。其发生原因常见于一个胚盘出现的两个原条靠得太近，使各自发育的胚体局部相联。若两个胚胎大小相仿，称对称型联体双胎。若两胚胎大小悬殊，称不对称型联体双胎。寄生胎为小胎发育不全并寄生在大胎体上。胎内胎为大胎体内包裹小而发育不全的胚胎。纸样胎为小胚胎被挤压成薄片状。

39. 答案提示：单卵孪生指由一个受精卵发育形成两个胎儿。单卵孪生的形成机制：①一个受精卵发育为两个胚泡，各自植入，孪生儿有各自独立的羊膜腔和胎盘。②一个胚泡形成两个内细胞群，两个胚胎在各自的羊膜囊内发育，但共享一个绒毛膜和胎盘。③一个胚盘上形成两个原条，诱导、发育为两个胚胎，两者同位于一个羊膜腔内，共享一个胎盘。

由于孪生儿来自相同的受精卵，其核型相同，遗传基因相同，因此性别相同，相貌酷似，体态、血型、组织相容性抗原等生理特性相同。

单卵孪生儿遗传基因相同，进行器官移植时，不会发生排斥反应，是最佳的供体和受体。

40. 答案提示：未妊娠的正常生育期女性，体内没有绒毛膜促性腺激素（HCG）分泌。伴随着胚泡的植入，滋养层细胞迅速增生、分化，形成细胞滋养层和合体滋养层。合体滋养层可分泌 HCG，能促进卵巢内黄体生长发育，维持妊娠。故妊娠第 2 周即可从孕妇尿中检测出 HCG，第 8~10 周达高峰，以后下降。

十七、胚胎学各论

41. 答案提示：

（1）外胚层在脊索的诱导下增厚形成神经板，凹陷为神经沟，其两边缘隆起为神经褶。神经褶由中段开始闭合为神经管，神经管头尾端尚未闭合处，分别称为前神经孔和后神经孔。至第 4 周末，前、后神经孔封闭；若未封闭，则分别形成无脑畸形和脊柱裂。

（2）无脑畸形为神经管发育异常，前神经孔未闭，端脑或神经管的头端脑部发育异常所致。表现为颅骨发育不全，头颅顶部只盖有薄层脑膜组织，常伴有脑膜及脑膨出，颈区的脊柱裂。依据病史，考虑为感染风疹病毒所致。

42. 答案提示：脐粪瘘又称脐瘘，是由于卵黄蒂未退化而成为一条细管，使肠管与脐相通，出生后，肠管内容物可由此溢出。

脐尿管瘘由于脐尿管完全未闭锁，胎儿出生后膀胱内的尿液经脐尿管从脐部流出。

43. 答案提示：畸胎瘤又称皮样囊肿，是一种囊性肿瘤。畸胎瘤可发生在身体的任何部位，但最常见的是在卵巢或睾丸内。

畸胎瘤结构特征为囊内可见皮肤、毛发、皮脂腺、牙齿、软骨等，有时也可见有其他组织或器官。

44. 答案提示：法洛四联症为心脏常见的先天性畸形，法洛四联症包括肺动脉狭窄、主动脉骑跨、室间隔膜部缺损和右心室肥大四种畸形同时存在。

畸形发生的主要原因是动脉干分隔不均，致使肺动脉狭窄和室间隔缺损，粗大的主动脉向右侧偏移，骑跨在室间隔缺损处。肺动脉狭窄造成右心室压力增高，引起右心室代偿性肥大。

45. 答案提示：脑积水是因胚胎发育时脑室系统发育障碍，脑脊液生成和吸收平衡失调所致，较多见。

脑脊液生成和吸收平衡失调，使脑室积液过多，脑压加大，临床常见胎儿脑颅特别大，脑壁变薄，颅缝变宽。

十八、先天性畸形

46. 答案提示：先天性畸形是由胚胎发育紊乱而导致的，是以形态结构异常为主要特征的先天性疾病，是一类最常见的出生缺陷。

出生缺陷指胚胎发育紊乱而导致的形态结构、功能、代谢、精神、行为及遗传等方面的异常。

47. 答案提示：投放原子弹所致的辐射，对胚胎早期发育影响严重，从而导致大量畸形儿的形成。

48. 答案提示：众所周知，酗酒、吸烟对人体有害。酒精及香烟中的尼古丁不仅能经孕妇体内直接影响胚胎的正常发育，而且能因父亲精子异常而影响胚胎神经系统的发育。过量饮酒所引起的胎儿多种畸形，称胎儿酒精综合征。表现为胚胎发育迟缓、小头、小眼等。

49. 答案提示：处于不同发育阶段的胚胎对致畸因子作用的敏感程度是不同的，最易发生畸形的发育时期称致畸敏感期。是否发生畸形，不仅与致畸因子的作用强度及胚胎的遗传特性有关，而且与该发育阶段胚胎细胞的分裂速度、分化程度密切相关。胚期是胚胎发育过程中的致畸敏感期。另外，不同致畸因子对胚胎作用的致畸敏感期也不同。例如，反应停的致畸敏感期为胚胎发育的第 21～40 天。风疹病毒的致畸敏感期为受精后第一个月，致畸率为 50%，第 3 个月仅为 6%～8%。

（刘黎青　刘建春）